大阪遺産

藪田貫
Yabuta Yutaka

清文堂

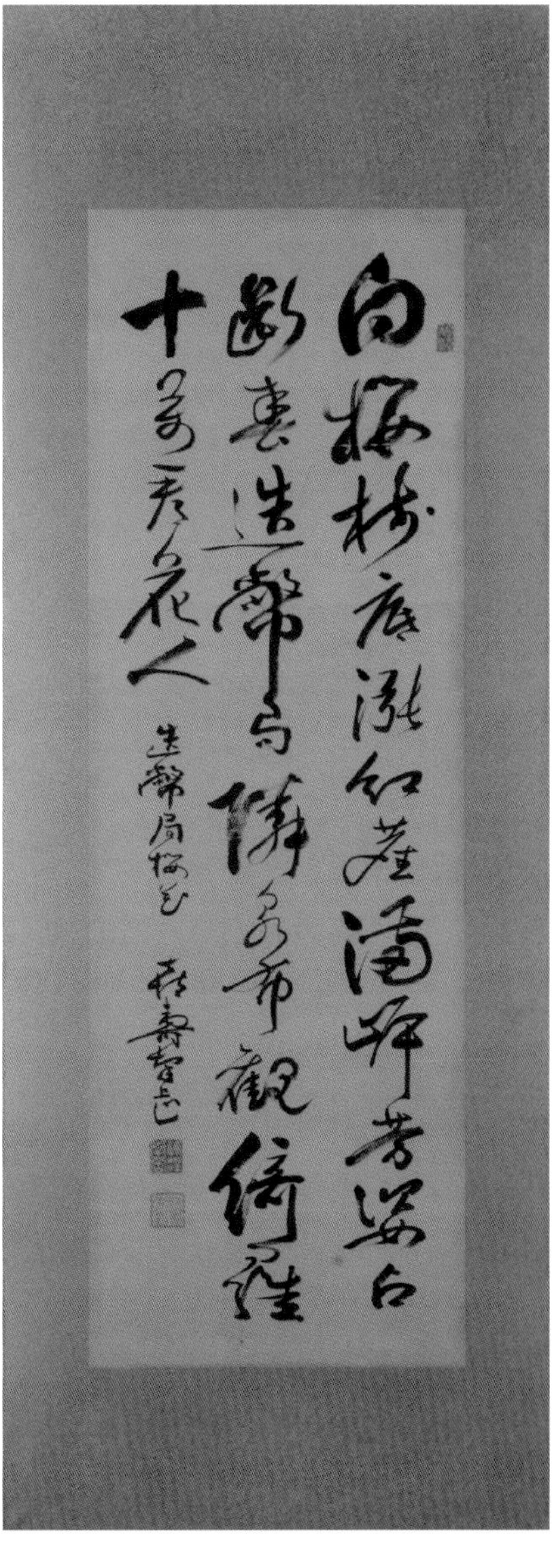

藤澤南岳詩「新浪華十二勝」より（解題は藤澤黄坡、高松市立歴史資料館蔵）

造幣局桜花

白桜樹底漲紅塵。滿岸芳姿占斷春。造幣局隣泉布観。綺羅十萬看花人。

たゞ観櫻の盛を詠んだだけである。滿場の紅塵の中に一帯の白櫻を連ねたる、十萬綺羅の人、都會の春色かくもあらんか。泉布観は既に拂下げられて仕舞つた。（造幣局は明治四年二月一五日に造幣寮として開設され、桜の開放は明治一六年に始まった）

かつて櫓下小旗の
波の下
今装飾舗道
となる

道頓堀の
今昔
問はん
アスファルト

このあたり
今井楽器店
カフエー・アイオイ
京与のあと
すし半松五郎
と
なりぬ

箸おきて
古き芝居
を
かたり
ける

長谷川幸延

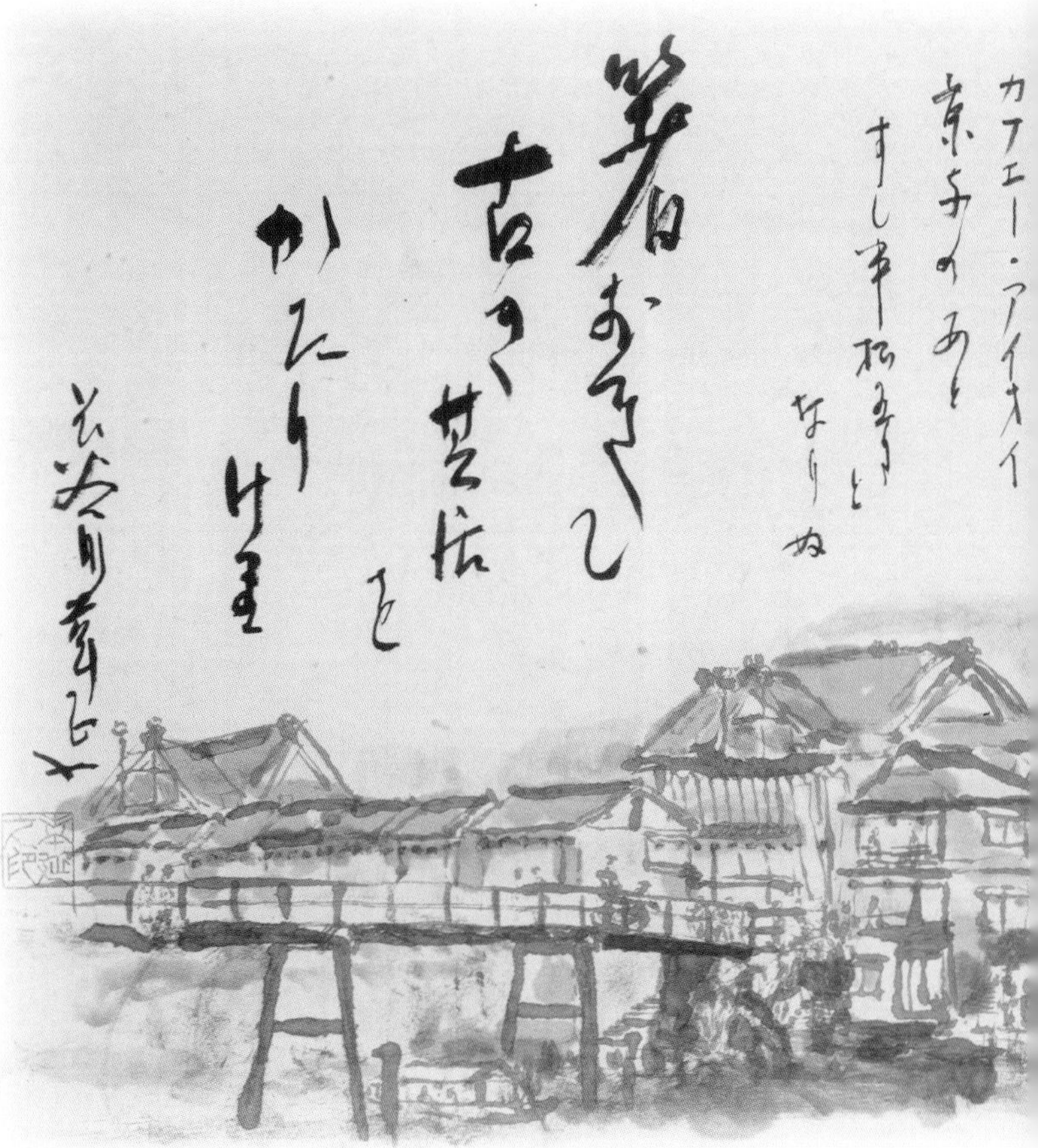

山田伸吉画・長谷川幸延賛「道頓堀今昔」（関西大学なにわ大阪研究センター蔵）

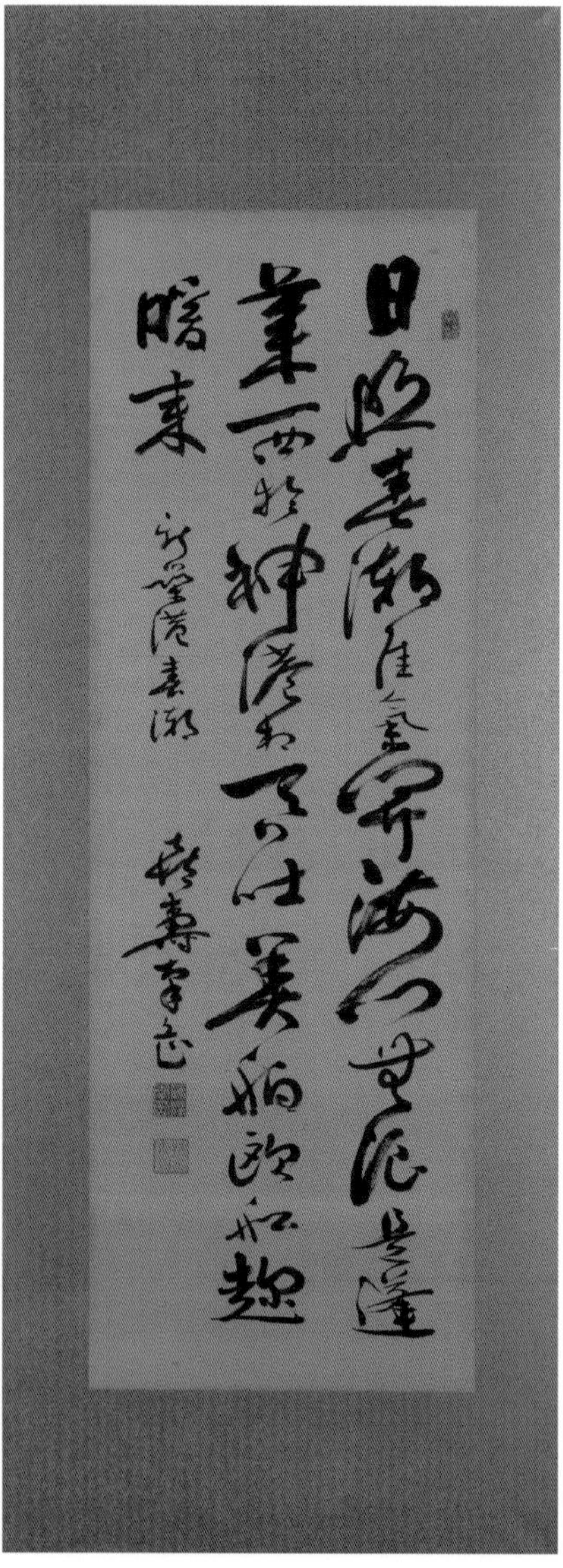

藤澤南岳詩「新浪華十二勝」より（解題は藤澤黄坡、高松市立歴史資料館蔵）

新築港春潮

日照春潮佳氣開。海門無浪是蓬萊。西於神港相呑吐。美舶歐船趁暖來。

築港の春潮といふ命題である。初二句は築港の新生面、防波堤内の穏波を讃美したもの。下二句は神戸港と相並んで歐米の商船を呑吐し、我海運の權を握るべく祝福したものである。（築港の起工式は明治三〇年（一八九七）一〇月一七日）

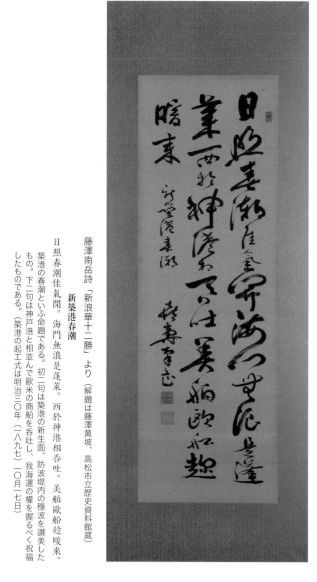

大阪遺産　目次

序　大阪遺産への想い

正面入り口からみた中之島図書館

明治 37 年(1904)の開館以来、大阪文化発信の源であった大阪府立中之島図書館。

同図書館と関西大学大阪都市遺産研究センターが連携した特別展「大阪の都市遺産と住友～中之島図書館と住友文庫をめぐって～」の最終日、平成 24 年(2012)7 月 7 日(日)に開催されたフォーラムの後、特別に開けられた正面入り口を見学する人たち。その後、重要文化財である建造物の改修を経て、平成 29 年 4 月以降、正面玄関から入館できるようになった。

歴史研究の対象として考えてきた大阪を、文化遺産あるいは都市遺産として見つめなおすきっかけは、文部科学省の研究支援事業に応募し、採択されたことにあった。採択を受けて二〇〇五年に「関西大学なにわ・大阪文化遺産学研究センター」、その後継事業として二〇一〇年に「関西大学大阪都市遺産研究センター」が、それぞれ設立され、プロジェクトリーダーおよびセンター長として関与した。実に多忙な一〇年であったが、さまざまなテーマ、いろんな人々に出会い、学ぶことで、大阪と文化遺産、あるいは都市遺産としての大阪について、想いを深める歳月となった。

「都市と文化遺産―なにわ・大阪の文化遺産と都市再生―」は、事業が始まって三年ほどたって書いたもので、事業の位置づけをめぐって初めて書いた論文である。風土学の観点から都市論を意欲的に展開していた木岡《きおか》伸夫《のぶお》教授の編著『都市の風土学』（ミネルヴァ書房、二〇〇九年）の第四部「都市大坂のゆくえ」の冒頭に置かれた。

都市と文化遺産
――なにわ・大阪の文化遺産と都市再生――

二〇〇九年

一　なぜ文化遺産か？

「文化財」Cultural Property に代わって、「文化遺産」Cultural Heritage という言葉がひろく使われるようになっている。「大阪が歴史的に産み育ててきた文化遺産 Living Heritage は、都市再生の文化資源 Cultural Resources である。その資源をさまざまな分野で再発見し、大阪の文化力を再確認するとともに都市大阪の将来像を構想する」という目的で、二〇〇五年七月に開設された関西大学なにわ・大阪文化遺産学研究センターも、文化遺産をキーワードにしている。[*1] 文化財から文化遺産への転換には、いったい、どのような背景と意味があるのだろうか。

1　文化財と国民

日本の文化財保護体系には、戦前から戦後にかけての変化に富んだ歴史がある。それはまた、日本が近代国民国家として成熟していく過程と不即不離の関係にある。

簡単に跡付けると、最初の画期は明治三〇年（一八九七）の古社寺保存法で、疲弊した社寺の文化財が海外に流出する事態をうけ、それらを保護すべく制定された。その精神はさらに昭和四年（一九二九）の国宝保存法、同八年の「重要美術品等ノ保存ニ関スル法律」の制定に受け継がれ、貴重な文化財（とくに動産の形を取る）は国家の手で守られることとなった。一方、大正一一年（一九二二）には、史蹟名勝天然紀念物保存法が制定され、不動産であるために流出の危険性の少ない史跡や名勝にも、国家の保護の手が加わった。十円硬貨の裏面に描かれた宇治平等院庭園が史跡・名勝に指定されたのは、この時である。

戦後は、法隆寺金堂の火災という事態を契機に、昭和二五年（一九五〇）、国宝保存法、「重要美術品等ノ保存ニ関スル法律」、史蹟名勝天然紀念物保存法の三法を統合・拡充するとともに、無形文化財および埋蔵文化財というこれまで保護の対象となっていなかったものを加えることで、文化財保護法が制定された。

こうして戦後の文化財保護体制がスタートしたが、その特徴の第一は、「全国共通の基準」という戦前の保護体系を継承しながら、「保護のための制度・仕組みを格段に拡充する場合、地方公共団体の関与なしでは到底、その実施の万全を期しがたい」というボトムアップの方向性にある。この精神は、昭和二九年以後、改正の度に、地方公共団体の役割の拡充に引き継がれ、「指定都市および中核都市への権限委譲の推進、市町村の役割の明確化や規制緩和を進める」こととなった。

特徴の第二は、昭和二九年（一九五四）に民俗資料の独立（七五年に民俗文化財と名称変更）、昭和五〇年（一九七五）には「伝統的建造物群保存地区」（いわゆる町並保存地区）制度の創設、そして平成八年（一九九六）には登録文化財制度の創設と、保護制度の拡充と保護手法の多様化が進んだことである（文化庁二〇〇一）。

2　世界遺産と文化遺産

この過程に、平成四年（一九九二）のユネスコ世界遺産条約への日本政府の批准・締結がある（二〇〇七年七月現在の締結国一八四カ国）。

その条文には、「文化遺産および自然遺産を人類全体のための世界遺産として損傷、破壊などの脅威から保護し、保存することが重要であるとの観点から、国際的な協力及び援助の体制を確立すること」として、文化遺産 Cultural Heritage が謳われている。そしてはやくも平成四年（一九九二）には、法隆寺地域の仏教建造物群と姫路城が日本で初めて、世界遺産一覧表に記載された（同時に自然遺産として屋久島《やくしま》と白神山地《しらかみさんち》が記載された）。こうして文化遺産という言葉が広がる、大きなきっかけが与えられた。

関西大学なにわ・大阪文化遺産学研究センターは、「「文化遺産とはなにか」を問うことから始まる」と活動指針に謳っており、文化財から文化遺産への転換は、保護対象の更なる拡大を可能にしている。一例を挙げれば、「なにわ伝統野菜」を文化遺産と捉えるという考えを可能にしたのである。これは従来の文化財保護法はもちろん、改正された保護法にもない考えであるが、戦後の文化財保護法がもつ、民主的なボトムアップの性格から考えると決して突拍子なものではない。

この背景には、全国基準の文化財保護法のもとで指定される物件の地域間格差の大きさという問題がある。史跡の指定件数は一〇七件の奈良、七九件の福岡、六四件の大阪を最上位ランクに、最下位ランクには六件の徳島、八件の高知、九件の愛媛が位置している（文化庁二〇〇三）。奈良・京都・福岡とくれば、平城宮・藤原宮、難波宮・大宰府という古代の都城、権力の中心＝「中央」が思い浮かぶが、その基準で見たとき、最下位の四国三県＝「地方」には、それに相当する史跡がない。「中央」と「地方」という歴史観で文化財保護体系をみれば、一度も「中央」になることなく「地方」でありつづけた諸県と「中央」都府県の指定物件格差は一向に縮まらない。文化財保護体系には、このような問題が胚胎しているが、それを変えようという動きが、近年、各地で盛んになっている。その動きに手を貸したのが、文化的景観であり、世界遺産である。

「文化的景観」は、平成八年（一九九六）、「フィリッピン・コルディレラの棚田」が世界遺産に登録されたのを契機に、「農業水産業に関連する文化的景観」が注目されることとなった。同時に「棚田百選」の選定が始まり、文化遺産として棚田を保護する取組が積極的に進められた。[*2] こうして平成一七年（二〇〇五）一一月、重要的文化的景観第一号「近江八幡の水郷（滋賀県）」の選定に至った。その後も、一関本寺《いちのせきほんでら》の農村景観（岩手県）・アイヌの伝統と近代開拓による沙流川流域の文化的景観

（北海道）・遊子水浦《ゆすみずうら》の段畑（愛媛県）が相次いで選定されている。愛媛県は史跡指定件数最下位ランクに位置しているが、それが重要的文化的景観の選定をうけているのである。文化遺産の基準を変えれば、序列も変わるということを教えている。

世界遺産では、なんといっても首里城に代表される「琉球王国のグスク及び関連遺産群」の登録（二〇〇〇年）が注目される。平成四七年（一九七二）の本土復帰後二八年にして、琉球王国の歴史的・文化的独自性にスポットライトを当てるかのように世界遺産物件をもった沖縄県であるが、沖縄県は、美術工芸品の国宝指定がゼロの県である。[*3] 国宝ゼロの県でも、世界遺産を持つことができるのである。

こうして価値付けが複線化されることで、文化遺産を持つ都道府県の文化財行政を活性化させることとなった。最下位県の一つ徳島県では、文化財保護法の体系のなかで平成一三年（二〇〇一）の勝瑞城《しょうずいじょう》館《やかた》跡以降、立て続けに四件の物件を史跡に指定することに成功し、これまで停滞していた文化財保護行政が活性化し始めている。そればかりかわずか七件（二〇〇七年）の国史跡を繋ぐことで、「いにしえ夢街道」整備活用計画を立ち上げ、また四国四県連合で「八十八箇所霊場と遍路道」を、世界遺産候補として推薦するまでに至っている。その意味で「周回遅れのトップランナー」とも比喩することができるが、この徳島の例は、地元の文化財行政が「重い腰」を上げさえすれば、文化遺産の発見と活用には大きな可能性があることを示している（本書Ｖ「徳島の遺産・地域の力」参照）。言い換えるなら、文化財保護の体系は、地域再生・町づくりの戦略として読み替え、活用されはじめているのである。[*4]

3　文化遺産と地域再生

いったんこのような読み替えが始まると、「文化財」Propertyという用語よりも、「継承する」Inheritという行為が含意されている文化遺産Heritageの方が、その戦略にふさわしい語感を与える。言い換えるなら、地域の何を遺産と認定し、何を継承するかを決めるのは、地域の人々であるという解釈が可能となるのである。そもそも「文化遺産とはなにか」という問いを立てることが、地域住民の権利となるのである。

地域雑誌『谷中・根津・千駄木（略称やねせん）』の編集・発行、その傍らでの都内の建築物の保存運動に長年、関わってきた作家森まゆみ氏は、「絶えず変化し、更新していくことは都市の余儀ない運命かもしれない。（略）しかしたまたまそこに生まれ育った私のような人間にとっては、東京は暮らす町であり、変化はできるだけゆっくりであってほしい」との思いから、『東京遺産』を著した（森二〇〇三）。ここでいう遺産とは、震災・戦災の二度の大災害をくぐりぬけてきた「古い建物」である。古墳でもなければ、美術工芸品でもない。文化遺産とは何であるかを、文化財保護法によるのでなく、彼女自身が指定しているのである。なぜなら彼女は、「たまたま東京に生まれ育った」からである。

このような観点にたてば、熊本遺産も大阪遺産も、もちろん吹田遺産も竹富島遺産も成立する。「文化遺産とはなにか」という問いが立てられる所以である。

財政学者神野直彦《じんのなおひこ》氏は、地域再生の文脈の中に、「食」を含む文化遺産の保存と活用を位置づけ、つぎのように説く（神野二〇〇二）。

「地域社会の衰退は、こうした都市の衰退を基軸に展開している。地域社会が破局へと向かわずに、再生を遂げる道は、工業社会から情報・知識社会への転換に、地域がいかに対応するかにかかっているということができる」

「地域社会には人間の暮らしがあり、伝統的文化がある。それぞれの地域社会には食の文化があり、食の文化にもとづく食生活は地域社会の食の生産と結びついている」

「もうひとつの地域社会再生のシナリオは、地域社会を人間の生活の「場」として再生させるシナリオといってもよい」「環境の保全も、文化の振興も、地域社会の共同事業として遂行される」

こうして戦後産み出された文化財保護法の体系を利用しながらも、その精神を先鋭化・具現化させることで、いまや文化遺産は、日本国内の地域再生、都市再生のキーワードとなっている。

二　都市と文化遺産

1　夏祭りカレンダー

都市の文化遺産を考えたとき、私たちの着目したものに祭礼がある。祭礼遺産と言い換えてもよいが、なかんずく大阪を象徴するのは夏祭りである（写真1）。

祭礼は農耕文化の進展とともに発達し、春の播種、秋の収穫のサイクルに合わせて春祭りと秋祭りが人々の歳時記を彩る。ついで年越しと新年の祭りが、冬に合わせるように発達し、最後に夏祭りが、都市を場にして生まれた（黒田二〇〇六）。象徴が、京都祇園社の祇園祭礼である。その意味で、都市の発達は、都市型祭礼としての夏祭りを各地に生み出した。京都の祇園祭はもちろん、大阪の天神祭りも夏越し祭礼として、都市に蓄積した疫病を払い、茅の輪をくぐることで身の穢れを流すことを基本にしている。このような夏祭りが、六月三〇日の愛染《あいぜん》祭りから、七月三一日～八月一日の住吉祭りまでの一カ月間、ほぼ連日、大阪とその周辺で繰り広げられるのである。

「愛染さんから住吉さんまで」という言葉は、江戸時代の後期には成立しており、大阪を訪れた文人たちの書き残すところである。そのひとり幕末の志士清河八郎（一八三〇～六三）は、安政二年（一八五五）、母を伴って京阪の夏を体験し、その感慨を『西遊草《さいゆうそう》』に記している。彼がまず目指したのは、旧暦六月六日～七日の京都の祇園祭、ついで二四～二五日には大阪の天神祭を満喫してい

写真１　大阪の夏祭りカレンダー（関西大学なにわ・大阪文化遺産学研究センター制作）

る。大川と東横堀川の交差する築地よしや橋の瓢箪屋に投宿した八郎は、以後七月五日まで大阪に滞在し、諸方を見物するが、彼がことのほか好んだのが大川での船遊びであった。「船遊びは誠に大坂の至楽、遊覧者必ずいたるべし」とは彼の言であるが、「吾幼年より漫遊を好み、天下を周歴すること、凡《おおよ》そ尽たり」という経験豊富な人物の発言として実に貴重である。大阪の祭礼、とくに天神祭りにあって河川の存在が、いかに大きなものかを物語っている。

2 社会的基盤の整備

「たえず変化し、更新していくことは都市の余儀ない運命かもしれない。しかし東京においては経済成長のために、必要以上に都市のスクラップアンドビルドが敢行されてきた。」（森二〇〇三）という感慨は、東京のみならず、近代以降の諸都市に当てはまるであろう。

その要因は、いうまでもなく都市における社会的基盤の高度な整備であるが、その整備は、人の移動手段を更新し、スピードアップする整備であった。言い換えるなら、徒歩から人力車、人力車から市電、市電から電車、電車から自動車への移動手段の変化であった。

清河八郎が証言するように、幕末から明治前期の大阪では、おおむね徒歩と中小船舶による移動が通常であった（**写真2**）。ところが明治三六年（一九〇三）開催の内国勧業博覧会では、梅田ステーションに人力車が列を作り、蒸気の が市内河川を運航した。同年発行の国定教科書『尋常小学読本』には、大阪をつぎのように描いている。

大阪市ニハ大キナ堀ガ、イクスヂモ通ツテヰル。ソレダカラ、舟デ品物ヲハコブニハ、タイソー便利デアル。

大阪市ハ、商業ノ、タイソー、サカンナトコロデアル。外国カラ、品物ヲ、タクサン、買ヒイレモスルシ、マタ、ワガ国ノ品物ヲ、タクサン売リ出シモスル。

マタ、工業モ、タイソー、サカンナトコロデ、木綿糸ヲコシラヘル工場ヤ、マッチナドヲコシラヘル工場ガ、タクサンアル。ソシテ、ソノ工場ノエントツカラハ、イツモ、石炭ノケエムリガ出テヰル。

写真2　蒸気船（『大阪名所』）

明治一六年（一八八三）操業開始の大阪紡績会社を皮切りに、紡績工場が林立し、大阪が商業都市から工業都市へと変貌している様が簡潔に記されている。

その大阪が、大正一四年（一九二五）に第二次市域拡張をへて、人口二一一万人となり、一九九万人の首都東京を凌駕したのである。いわゆる「大大阪」時代の始まりであるが、その頃、市中の路上では市電が、河川では渡船《とせん》が大活躍した。大大阪たんけんプロジェクトの調査によれば、「大阪市パノラマ図」（一九二四年作成）から読み取れる橋の数三六六、渡船の数二九（いずれも名称判明分）という凄さである（写真3、すまい二〇〇七）。たしかに通行手段は徒歩→人力車

↓市電・市バスと変化しているが、大阪を縦横に貫流する河川にはほとんど変化がなく、それが橋と渡船の多さに現れている。

この「水の都」の景観が大きく変わるのは戦後の高度成長期であり、西横堀川や長堀川などが埋め立てられ、あまつさえ中之島の天空を横切って阪神高速道路が建設されたのである。移動手段はすでに自動車となっており、その通行を前提に大阪の地理的景観は大変貌をとげることとなった。昭和一〇年（一九三五）に三一の渡船場、五七五二万人であった年間渡船利用者（歩行者のみ）が、平成一三年（二〇〇一）にはわずかに八カ所と二〇九万人に激減している（大阪市二〇〇五）。二〇世紀後半の大阪において、河川という遺産の価値は、大きく目減りしているのである。

遠くは韓国ソウル市による清渓川《チョゲチョン》の復元、近くは徳島市民有志による「新町川を守る会」の

写真３ 大正１３年　大阪市パノラマ地図　復刻版（部分、株式会社デジタルマップス発行）

活動など、都市における河川遺産の価値を再発見するプロジェクトが成功を収めているのをみるとき、大阪でも、文化遺産としての河川の保存と活用が成功するかどうかは都市の可能性を占う。*5

3　モノの流通と生活文化遺産

私たちの生活における時間の更新＝スピードアップは、モノのレベルにおいても貫いている。その結果、ローカル性よりも全国性が優先されることとなる。一例を食材に取れば、関西では魚といえば、鯛やハマチ、鱧《はも》といった白身の魚で、それらは瀬戸内で採れ、京・大阪に生きたまま運ばれ、供給された。ところがいまや、大阪でもマグロが珍重されるようになっている。マグロはいうまでもなく遠洋漁業で採れるもので、冷凍運搬が整備されることで日本の水産市場に大量に参入するようになった。「冷凍」が、「生簀」に変わり、食卓に上がる魚も「白身」の魚から、「赤身」のマグロになった。白身魚を欠いていた江戸人が、いかにそれを渇望していたかは、幕府役人として大阪滞在の経験が豊かな大田南畝（一七四九〜一八二三）の狂歌「思い出る鱧《はも》の骨きりすり流し吹田の慈姑《くわい》天王寺蕪《かぶら》」に詠まれていることで分かる。このことは、食をはじめとする生活にも大阪独自の遺産があることを意味する。すなわち「生活文化遺産」である。

南畝は、「吹田の慈姑天王寺蕪」と大阪産の野菜にも触れているが、実際、大阪の青物市場には地域産の新鮮な野菜が所狭しと並べられた。世に言う「天満青物市場」である。近年、往時の野菜を復活させようとする運動が奏功し、大阪市は現在、つぎの八品を「大阪市なにわ伝統野菜」に指定している（写真4）。

大阪しろな、天王寺蕪、田辺大根、玉造黒門白瓜、
毛馬胡瓜、勝間南瓜、金時人参、源八めじそ

勝間《こつま》南瓜が、旧勝間地区、現在の西成区玉出地区の名産であったように、いずれも大阪市内がふるさとの野菜で、近年まで栽培されず忘れられていた味を復活させようと、残されていた種をもとに栽培と利用が広がっている。大阪府下に広げれば、吹田慈姑《くわい》・三島独活《うど》・泉州玉葱、高山真菜《まな》、門真レンコンなどもある（食文化研究会二〇〇二）。しかも漬物はもちろん、飴やクッキー、焼酎にして利用しようというアイデアが出され、商品化されている。また小学校教育の一環として栽培に取り組む学校も生まれている。ここにあるのは自治体と市民、教育関係者が一体となった大

写真4 『なにわの伝統野菜』
（関西大学なにわ・大阪文化遺産学研究センター制作）

阪における郷土色、ローカル性復活の動きである。「かつて食べた味」という年長者のノスタルジーが、この運動を支えているが、それは「かつて水遊びした川」という「新町川を守る会」会員の想いと根を一つにしている。

「かつて遊んだ川」を市民から遠ざけるようになった要因が、モータリゼーションにあるとするなら、「かつて食べた味」を食卓から忘れさせたのはなにか？　いうまでもなくスーパーやデパートで購入する全国流通の野菜で、クーラーボックスに詰められて遠路、空輸されてきたものである。クーラーボックスと空輸という手段をとれば、原産地はなにも国内に限らない。中国産やアメリカ産も、今夜の食卓に上る。このような暑さにも寒さにも強く、全国共通で多量の生産が可能な農産物をＦ１植物と言うそうであるが、Ｆ１が、在来種を追いやったのである（森下二〇〇六）。産直からスローフードという動きは、生活文化遺産を見直そうという発想と共通している。

4　都市と学芸遺産

都市にもそれぞれ都市固有の生活文化遺産があるが、都市の都市たる所以は、芸能と学問、とくに高等教育機関を代表する大学と出版であろう。この点で言えば大阪には、平野の含翠堂《がんすいどう》、大阪の懐徳堂《かいとくどう》・適塾《てきじゅく》・泊園書院《はくえんしょいん》などの著名な私塾があり、さらに本屋仲間があり、旺盛な出版活動を担った。教育活動と出版は車の両輪であった。

わずか二年弱だが、江戸後期に大坂町奉行を務めた新見正路《しんみまさみち》が、晩年、書庫賜蘆書院《しろしょいん》を創設するに際し認めた一文によると、「在坂中には漢籍を得る便はもちろん、国書草紙の類、長崎渡来の稀書までも入手することができた」と回顧している（藪田二〇〇五）。この種の学芸遺産がどうなっているかも、私たちのプロジェクトの課題であるが、ここでは明治後期の状況を検討したい。素材は、幕府の倒壊とともに廃校となった懐徳堂の再興計画である。

明治四〇年代、当時、朝日新聞記者であった西村天囚（時彦）が主導することで、懸案の懐徳堂再興計画が具体化するが、その発端は、明治四一年（一九〇八）、最後の堂主であった中井木菟呂《つぐまろ》が、中井甃庵《しゅうあん》・竹山ら先賢の年忌祭を行ないたいと思い立ち、帝国大学文科大学教授重野安繹《しげのやすつぐ》を訪問したことにある。賛意を表した重野は西村天囚を紹介し、西村も「懐徳書院は大阪における文教の中枢なる上、年回にも当って居られるとの事を聞いては、大阪市としては是非追悼の事がなくてはならぬ」と、大阪市史編纂局にいた幸田成友《こうだしげとも》ともども賛意を表した。

その後、同四三年一月に大阪府立図書館（現大阪府立中之島図書館）で開催された大阪人文会第二回例会の席上、懐徳堂記念会の設立、祭典開催のことなどが提案されるに及んで具体化した。記念会の会頭には住友吉左衛門、副会頭には小山健三、発起人には藤田伝三郎・鴻池善右衛門・島村久・土居通夫ら大阪財界を代表する人々が選出された。その後、準備は順調に進み、翌四四年（一九一一）一〇月五日の祭典となった。さらに大正四年（一九一五）六月、府立大阪博物場の敷地の一部を譲り受け懐徳堂重建を決定、翌一六年に講堂が竣工した。

西村天囚には、「大阪の地には医科大学や高等の工業学校・商業高校が存在するも、文科すなわち無形の学問をする大学の欠乏を遺憾とし、この重建懐徳堂を大阪の文科大学たらしめようとする

写真５　天王寺雅亮会による舞楽上演（関西大学創立120周年記念事業）

との意図」があった、と梅渓《うめたに》昇は指摘している（梅渓一九九二）。天囚は講演で「懐徳堂は大阪の公有物」と位置づけているが、再興懐徳堂が近代の都市大阪にとってどのような位置を与えられていたかが、窺える。

　最近、明治四四年一〇月五日に中之島公会堂で開催された懐徳堂祭典の「執行次第」を見る機会を得たが、それによると次第は参集、第一令、第二令献饌《けんせん》・奏楽、第三令祭文《さいもん》朗読、第四令拝礼・奏楽のごとく、儒式で行なわれている。しかも祭典は午前で終了し、午後には舞楽の奉納があった。演目は振武《えんぶ》に始まり、桃李花《とうりか》・胡蝶《こちょう》・陵王《りょうおう》・陪臚《ばいろ》、そして長慶子《ちょうげいし》で終わっているが、これは明らかに天王寺舞楽の奉納である。はたせるかな陵王を演じた小野樟蔭は、天王寺楽所《がくそ》雅亮会《がりょうかい》を設立した功労者で、みずから左方楽人を自称した画家菅楯彦《すがたてひこ》の名前も、桃李花の演者として見える。

　天王寺楽所雅亮会は、一二〇〇年の伝統を守るべく、明治一七年（一八八四）、西成区願泉寺の住職小野樟蔭ら有志が集まって「雅亮会」を結成した（雅亮会二〇〇八）。なぜなら東京遷都、宮内庁の召集による楽人の上京と宮内庁雅楽部の組織化にともない、伝統ある四天王寺舞楽法要も廃絶、舞楽の音色が大阪から消えかけたのである。結成後現在まで、雅亮会は、民間雅楽演奏団体として四天王寺の法会を中心に多彩な演奏活動を続けているが、とくに聖徳太子の命日に催される聖霊会舞楽法要（現在、四月二二日奉納）は、古代の仏教法会の盛儀を伝えるものとして重要無形民俗文化財の指定を受けている（**写真5**）。このようにしていち早く再興された舞楽が、懐徳堂祭典で演じられたということは、懐徳堂の再興は、ひとり学問思想の復興にとどまらず、同時に文化遺産の復興でもあったのである。

三　都市大阪の可能性

1　大阪と沖縄の文化遺産

以上のように文化遺産という視点から大阪を見たとき、祭礼遺産・生活文化遺産・学芸遺産のそれぞれにおいて、大阪にはいまなお豊かな遺産があることが了解される。もしそれを、人から人への遺産相続にたとえるならば、遺産目録が十分に出来ているということである。都市の度重なる変貌、そして昭和二〇年（一九四五）の度重なる米軍による壊滅的空襲という事情を考慮するとき、その価値は増す。他方、沖縄県は、本島全体が戦場となったために、戦前の豊かな遺産が消滅したばかりか、相続すべき遺産目録すら存在せず、「外に向かって何が流出したのか皆目分からなかった」と、首里城復元プロジェクトに関わる高良倉吉《たからくらよし》は回想する（高良二〇〇六）。

文化遺産が「形」あるものであることを考えるなら、災害と戦争は最大の敵である。それは、オールドタウンもニュータウンも考慮しない。面としての被害を受けた沖縄、とくに那覇市と、軍事施設を中心に点として絨毯爆撃を受けた大阪の間には、相当な開きがある。面として空襲も火災も受けなかったところでは、文化遺産が面として継承されている。文化庁が指定する伝統的建造物群、さらに二〇〇五年に始まった文化的景観は、文化遺産を広域的に捉え、面として保護するという点で画期的である。なぜなら関係する市民が多く、指定や保護に関する利害は必ずしも一様でないからである。言い換えるなら、地域住民の合意形成が試されるというプロセスを、これらの遺産は伴っている。文化遺産が街づくりのキーワードになるというのは、この意味においてである。

2　町づくりと合意形成

この点で優れたサンプルを提供するのが、大阪市平野区の「平野町ぐるみ博物館」構想である。*6 この構想は、文化庁や大阪府による文化財指定を一切、考慮することなく、地域住民が生業と居住を継続したままで、町全体を博物館にしようというアイデアにもとづいている。中世後期の環濠《かんごう》集落《しゅうらく》という立地、基本的に変わっていない在郷町の町割り、含翠堂という高等教育機関の創設、綿花の生産と集荷センターとしての役割、大阪から奈良への街道と鉄道の拠点、そして一度も全域にわたる火災と空襲を経験していないという恵まれた歴史、それらの資産をすべて丸ごと評価した結果、「平野は町そのものが博物館だ」と宣言することを可能にした。博物館の中味は、コーヒーショップ、郵便局、自転車屋、寺院、神社と多彩であるが、それらが一体となって、町ぐるみ博物館を構成している。ここまでの合意形成を、官の力を一切借りず、成し遂げたことを思うとき、文化遺産の持続・継承にとって不可欠なのは、モノとしての遺産のみならず、遺産として認定する人々の間の合意形成であるというべきだろう。

翻って都市大阪を見るとき、そのような合意形成がどこまで進んでいるか。その検討は小論の範囲を超えているが、縦軸に祭礼や生活文化、学芸・景観などの種別遺産、横軸に堂島や天満、上町・中之島・道頓堀という地域をおいて、マトリックスのように検討することで、文化遺産から見た都市大阪の再生の状況と可能性が浮かんでくることだろう。

〔註〕

＊1　なにわ・大阪文化遺産学研究センターは、文部科学省の進める私立大学研究高度化推進事業、オープン・リサーチ・センター構想に応募し、採択されることで、二〇〇五年七月に開設された。「なにわ・大阪文化遺産の総合人文学的研究」をプロジェクト名とし、祭礼遺産研究・生活文化遺産研究・学芸遺産研究・歴史資料遺産研究の四プロジェクトを進めている。学内外の研究員三九名（二〇〇八年三月）、活動期間

は二〇一〇年三月までの五カ年である。

＊2 文化庁では二〇〇〇年から二〇〇五年にかけて、「農業水産業に関連する文化的景観の保護」に関する調査・検討を進めたが、その報告書によると、所在地は四六県、一八〇地域に及び、愛媛（一〇）、千葉（八）、大分・熊本・鹿児島・島根・静岡（七）が最上位に位置し、史跡とは対照的なランクになっている。

＊3 琉球王家であった尚家の資料が二〇〇五年、国宝に指定されたが、所蔵者は琉球処分後、東京在住であり、登録は東京都としてカウントされている。

＊4 日本の世界遺産は二〇〇八年三月現在、文化遺産一一件、自然遺産三件の一四件である。その所在地は直近の「石見銀山遺跡と文化的景観」（島根県）を初め一六県、正式推薦を待つ暫定リストには「平泉の文化遺産」岩手県をはじめ七県があり、総計二三県となる。さらに二〇〇七年に文化庁に提案書の出された「百舌鳥・古市古墳群」（二〇一九年登録）の大阪府など一九府県を加えると、その数は四二県となる。いかに多くの都道府県・市町村が、地元の文化遺産を活用し、地域再生に賭けようとしているかが窺い知れる

＊5 徳島でも城下の掘割であった寺島川は埋め立てられ、JRの線路となっているが、残された新町川を活用して、市民団体「新町川を守る会」によるクルージングが行なわれている。阿波踊りのシーズンには一日一万人が乗船するという賑わいである。その出発点は、子供頃、水遊びをしたり魚を採ったりした川が空き缶やごみで汚れているのを見かねて始めた清掃活動にあるという（なにわ二〇〇六）。また大阪では、「大阪水上バス」のほか、おおさか街遊びキャンペーン推進協議会と一本松海運とで「落語家と行くなにわ探検クルーズ」が、道頓堀川→木津川→安治川→堂島川→大川→東横堀川→道頓堀川を運行している。

＊6 「平野町ぐるみ博物館」については、「平野の町づくりを考える会」のホームペイジに詳しいが、なにわ・大阪文化遺産学研究センターが「平野の町づくりを考える会」の協力で行なったプログラムの報告書『もめん博物館 in 平野』二〇〇七も参考のこと。

【参考文献】

梅溪昇『大坂学問史の周辺』思文閣出版、一九九一
梅本直康「大大阪たんけんプロジェクト事業とその成果に基づく展覧会報告」『大阪市立住まいのミュージアム研究紀要・館報』五、二〇〇七
大阪市建設局渡船事務所『大阪の渡し場　いまむかし』二〇〇五
天王寺楽所雅亮会『雅亮会百年史ー増補改定版ー』二〇〇八
高良倉吉「沖縄の文化遺産とその復興」『関西大学なにわ・大阪文化遺産学研究センター二〇〇五』、二〇〇六
文化庁『文化財保護法五〇年史』、二〇〇一
森まゆみ『東京遺産』岩波新書、二〇〇三
森下直樹「なにわ伝統野菜のもつ今日的意義」『なにわ野菜VS京野菜』関西大学なにわ・大阪文化遺産学研究センター、二〇〇六
神野直彦『地域再生の経済学』中公新書、二〇〇二
黒田一充「大阪の夏祭り調査」『関西大学なにわ・大阪文化遺産学研究センター二〇〇五』、二〇〇六
食文化研究会『なにわ大阪の伝統野菜』農文協、二〇〇二
藪田貫『近世大坂地域の史的研究』清文堂出版、二〇〇五

Ⅰ　「町人の都」と「武士の町」

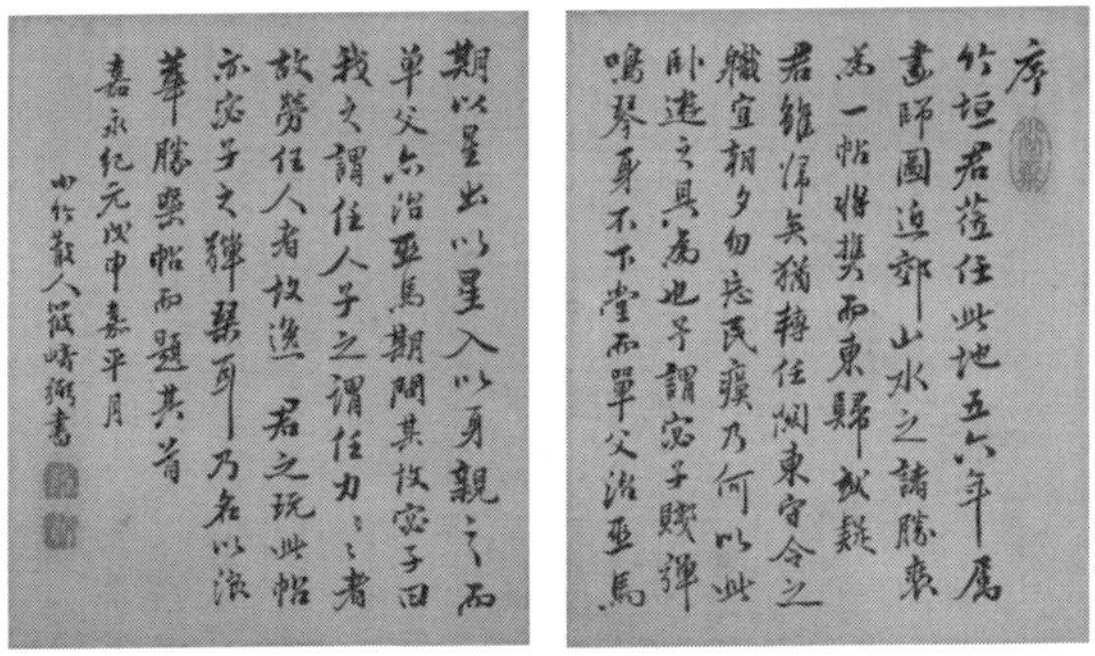

『浪華勝概帖』篠崎小竹序（大阪歴史博物館蔵資料集８）

篠崎小竹と藤澤南岳という時代の異なる儒学者の序文が付けられた画帳。

画家たちは近世後期の大坂画壇のメンバーとして知られていたが、依頼者の「竹垣君」が長年、不明であった。なにわ・大阪文化遺産学研究センターで編集・出版した『大坂代官竹垣直道日記』によって、谷町代官竹垣直道が任務を終え、江戸に帰るに際し、浪華土産として描かせたものであることが判明した。

文化遺産を主題とする事業に従事している最中に、歴史研究者として『武士の町大坂―「天下の台所」の侍たち』(中公新書、二〇一〇)を著した。それは一九九〇年代から続けてきた作業の一つの区切りであったが、近世の大阪を歴史的にとらえる原点でもあった。その後、それをもとに大阪城天守閣、適塾記念会、日本福祉大学知多半島研究所といった諸機関に招かれて話す機会があったが、ここにはそれを収めた。

冒頭の「大坂の武士の営みを」は、北川央館長による「大坂の陣四〇〇年と大阪城」対談シリーズに、対談者として招かれた折の記録で、『うえまち』一三八号(二〇一六年一〇月)に、つぎのリード文を付けて掲載された。タイトルは編集部が付けたもの。

今回のゲストは『武士の町大坂―「天下の台所」の侍たち』(中公新書)の著者で、兵庫県立歴史博物館館長を務める藪田貫氏です。本書ではこれまで「町人のまち」とみなされてきた近世の大坂を見直し、影の薄かった武士の存在に注目して当時の大阪の姿を浮き彫りにしています。大阪の歴史にとって重要な問題提起となりました。

末尾の日本福祉大学知多半島総合研究所の年次研究集会に招かれて行った講演「江戸時代の大坂の位置づけをめぐって」(二〇一五年一一月)では、大坂研究の新動向という従来の発想でなく、研究史を学術遺産として位置づけるという意図を込めた。

大坂の武士の営みを伝えたい

二〇一六年

北川央《ひろし》

江戸時代の大坂には「天下の台所、主役は町人」という決まり切ったイメージがあります。大坂城の城下町という観点が抜けており、大坂城や武士の存在感はほとんどありません。そうした状況を克服するために、大阪城天守閣では一九九三年度に「徳川時代大坂城関係資料調査」という事業を立ち上げました。江戸時代の大坂城に着任したのは各地の譜代大名や旗本たちなので、彼らの地元に足を運んで在任中の日誌を探し、『徳川時代大坂城関係史料集』として順次刊行してきました。これにより江戸時代の大坂城を研究するための材料が整い、研究がずいぶん進展しました。

私たちの事業の立ち上げからしばらくして一九九八年に、新書のもとになった先生の論文「『武士の町』大坂」が関西大学の『文学論集』に発表され、私は「我が意を得たり」との思いでした。タイトルの「『武士の町』大坂」も刺激的でした。[*1]

藪　田

確かに江戸時代の大坂は町人中心のまちで、その数は三五万人から四〇万人。一方の武士は八〇〇〇人から一万人と、数では到底及びません。しかし相当数の武士が存在したのは事実です。それなのに「わずか五〇〇人しかいない」とか「武士はいないも同然」とされ、歴史家も武士を取り上げてきませんでした。

北川　そこにいびつさを感じ、「大坂には武士がほとんどいなかった」という定説を覆す仮説を立てたのです。

「大坂は町人が主役であってほしい」と思う人がたくさんいますし、多くの人がそう思い込んできました。でも、約一万人もいる武士と無縁で生活が成り立っていたわけではありません。大坂の町の支配者であり、消費者という点でも大きな存在である武士が抜けているのはおかしな話です。

大坂城のトップは、江戸の将軍の名代として赴任した「大坂城代」でした。そのもとに定番・加番・大番といった役職に就く譜代大名・旗本たちがおり、町奉行所や代官所もありました。また、大坂には諸藩の蔵屋敷が集中し、そこにも武士がいました。家族も含めると相当な数になります。

藪田　全国各地の藩は城主が世襲制なのに、大坂はトップの大坂城代を譜代大名たちが交代で務めます。大坂は「指揮する主人のいないまち」だったと言えるのではないでしょうか。私は、それが豊臣から徳川に変わった時の決定的な違いだと思います。

北川　外からやって来る転勤族の武士に対し、地元に根付いている町人たち。大坂独特の武士のあり方ですね。

藪田　資料として私が探したのは日記です。日記は実に面白く、当時の生活の様子がよく分かります。

例えば、大坂・北堀江の造り酒屋に生まれた木村蒹葭堂《けんかどう》の日記には、伊勢長島藩の大名・増山雪斎《ましやませっさい》が大坂城に赴任すると必ず城内に呼ばれ、連日、議論したとあります。[*2] 博物学者で、貝殻など動植物のコレクターだった蒹葭堂は、標本調査で長崎まで行き、中国人やオランダ人から情報を得る財力もありました。文人大名として知られた雪斎は、それらの情報を江戸や伊勢にいては得られない。だから蒹葭堂に会える大坂に行きたくて仕方なかったのです。

西町奉行に着任した久須美祐明《くすみすけあきら》は、その日食べた献立を日記に残していました。何もかも新鮮だったのでしょう。赴任後間もなく、ハモを付け焼と塩焼の両方で食べてその美味に驚いたことや、季節によって変わる汁の具材、バリエーション豊富な豆腐料理などを克明に記しています。間もなく出版しますのでご覧ください。[*3]

北川　伊勢参りの旅人たちも必ず大坂に立ち寄り、数日間、滞在しますが、彼らの日記からも、大坂を満喫する様子がうかがえます。道頓堀で歌舞伎や人形浄瑠璃を楽しみ、善光寺如来が出現したあみだ池や四天王寺、高津《こうづ》神社、生國魂《いくたま》神社など、世に聞こえた名所を訪ねます。さまざまな見世物小屋や名物・土産を売る店も並んでいました。活気あふれる、とても魅力的なまちで、どこよりも面白かったようです。

藪田　当時の大坂は、オランダや中国と行き来のある長崎とじかにつながり、その情報は大坂を経由して江戸に伝わりました。大坂は「情報のターミナル」だったのです。文化と学問の花開く、知的エリートや武士にはたまらない魅力あるまちだったでしょう。

そこに一番敏感だったのが、在坂の武士、大塩平八郎です。彼は与力としても敏腕でしたが、学識もあり、江戸から来る武士にも名が知られていました。

西町奉行に就いた新見正路《しんみまさみち》は、頼山陽《らいさんよう》の代表作『日本外史』を、大塩を介して入手しています*4。下級武士でありながら、学問にも長けた大塩のような人物を生み出す力が、当時の大坂にはあったのです。

北川 歴史の研究も時代の流れや価値観と無縁ではなく、ときに時代の要請に迎合した研究も現れます。

藪田 江戸時代の大坂の姿が、時代の解釈によって変えられていくのは仕方がないことかもしれません。しかし私は「大坂にも武士がいた」ことを立証したいのではなく、その根っこにある事実を伝えたかったのです。

当時のことを書き留めた日記を読めば、当時の人が何を考え、どう感じ、どのような生活をしていたのか、具体的な事実がわかります。その事実自体は時が流れても変わりません。だから、埋もれている日記を掘り起こし、「当時の人々の記録」として後世に残したい。この思いが、私の研究の原動力となっています。

＊1　関西大学文学会発行の『文学論集』四八巻二号掲載、一九九八年。のちに藪田『近世大坂地域の史的研究』清文堂、二〇〇五年に所収。
＊2　水田紀久ほか編著『蒹葭堂日記』木村蒹葭堂全集別巻、藝華書院、二〇〇九年。
＊3　『大坂西町奉行久須美祐明日記』、清文堂、二〇一六年。
＊4　『大坂西町奉行新見正路日記』、清文堂、二〇一〇年。
（NPO法人まち・すまいづくりうえまち編集局『うえまち』一三八、二〇一六年九月二六日）

〔追記〕
本対談は、主宰者である北川央氏の対談シリーズの一つであり、全四七回の対談は『大阪城・大坂の陣・上町台地―北川央対談集―』として出版されている（新風書房、平成二九年）。

「政事」と「文事」
――武士たちの大坂――

二〇一一年

はじめに

昨年（二〇〇九年）一〇月、『武士の町大坂――「天下の台所」の侍たち』（中公新書）という小著を出しました。「町人の都」大坂という通り相場が確立しているにも拘わらず、それに「喧嘩を売る」ようなタイトルで、どのような反響があるか心配していましたが、まずまず読んでいただいているようです。

小著の意図は、そのタイトルよりもサブタイトル「「天下の台所」の侍たち」が語るように、〈武士〉に焦点をあてて、江戸時代の大坂をみると何が見えるか、という点にあります。〈町〉や〈町人〉に焦点をあてた研究は、それこそ汗牛充棟、枚挙に暇ありません。しかし大坂城があり、城下町でもあった近世の大坂を語るときに、武士が主人公にならない理由はありません。

そこで一度、武士を主人公にして近世の大坂を見てみようとしたのが、小著『武士の町大坂』です。もうひとつの狙いは、武士を取り出すことで、武士と町人の間の交流が、どのように浮かび上がってくるか、という問題です。町人を主人公にすることで、佐賀藩や仙台藩といった大名家に金銀の融通をする鴻池や升屋といった商家との関係が描かれてきた——宮本又次《みやもとまたじ》先生をはじめ、たくさんの業績があります——ように、武士に視点を転じることで、どんな交流が見えてくるかという関心です。

近世の身分制社会にあって武士は、どの地にあっても、一方で〈政事《せいじ》〉を担い、また一方で〈文事《ぶんじ》〉に通じたエリートでもありました。もちろん後者の度合いは、人によって変りますが、当時の武士たちには共通して〈文事〉への関心がありました。しかも大坂は、江戸・京都と並ぶ出版文化の一大センターであったのです。また海外情報の集積地長崎と繋がっていたという意味でも、〈文事〉への関心が、いやがうえにも高揚する土地柄です。そこで、〈文事〉を介した武士と町人の交流という問題が立てられることとなります。

一　武士たちの「政事」

「文事」を始めるまえに、まず「政事」から。ここでは、つぎの三つの問題を立ててみます。第一に、大坂に武士はどれ位いたか。第二に、武士はどこにいたか。そして第三に、武士たちの情報である「武鑑」について。

1　武士はどれ位いたか

この問題は、ある意味で、わたしのもっとも関心を引いたもので、最初の問題関心は、そこにあったといってていいくらい大きなものでした。その理由は、これまでの推計があまりにも杜撰だったからです。作家司馬遼太郎氏は二百人といい、大谷晃一『大阪学』は五百人、歴史家である脇田修氏でも千人、あるいは千五百人と一定せず、宮本又次氏などは数値を挙げないで、「きわめて少数」「いないも同然」といって憚らない状態だったのですから、「これは一体どうなっているのか」としばし考え込みました。

しかしよくよく考えてみればそれは、先学たちは一様に、武士にまったく関心がなかったからです。さほど関心のないものに、誰も一生懸命、その人数を数えようとするわけがありません。

そんななか、武士の人数をはじめて真面目に数えようとした人が現れます。元大阪市史編纂所の調査員であった渡邊忠司氏（現佛教大学名誉教授）です。さすがにその職掌にふさわしく、『公私要覧』という市制一覧を根拠に、約一万人という数値をはじき出したのです（『町人の都大坂物語』中公新書、一九九三）。

詳細は小著に譲りますが、結論として、わたしのはじき出した武士の人数は約八千人（少なく見積もって）と、渡辺説の一万人に近い数字となっています。今後、八千人から一万人が一つの目安となって、大坂の武士の存在がもっと仔細に検討されるようになると思います。

2　武士はどこにいたか

武士の人数を調べることは、いうまでもなく、誰が武士で、大坂のどこに居たのかが分かっていないと始まりません。そこから武士の数は、誰が武士で、どこに居たのかという問いに連続していきます。両者は強く関連していますが、ここでは「誰が武士か」という問題を後に残して、「どこに居たのか」について先に説明します。

次頁の表「大坂の城を中心とする武士の世界」は、大坂に居た武士を、その役職と居住地を指標にして整理したものです（付表）。この図の肝心な点は、在坂の武士の中心は、江戸から幕府によって派遣された侍たち（A）であるということにあります。与力・同心（B）や蔵屋敷の侍（C）は、大坂の武士の周辺部であっても、中核ではないと考えています。後者B・Cは、「町人の都」という通説を支持する論者が一様に挙げる侍ですが、彼らの視野には、前者の侍（A）が入っていません。だから、武士の人数もごく少数にしかならないのですが、もっと深刻なのは、前者（A）の武士を念頭におかないことで、徳川の大坂城を見落としてしまうことです。

それに対し、この図の中央に置かれた城代《じょうだい》・定番《じょうばん》・大番頭《おおばんがしら》・加番《かばん》は、大坂城内を勤務場所とする侍たちです。いうなれば軍事部隊ですが、将軍の命で派遣された「政事」の担い手たちでもありま

大坂城を中心とする武士の世界

御蔵奉行	2名　大坂市中に屋敷居住　家族同伴　旗本　出身地江戸
御金奉行	2名　大坂市中に屋敷居住　家族同伴　旗本　出身地江戸
御具足奉行	2名　大坂市中に屋敷居住　家族同伴　旗本　出身地江戸
御鉄砲奉行	2名　大坂市中に屋敷居住　家族同伴　旗本　出身地江戸
御弓奉行	2名　大坂市中に屋敷居住　家族同伴　旗本　出身地江戸
御破損奉行	3名　大坂市中に屋敷居住　家族同伴　旗本　出身地江戸
大番頭 2組	毎年8月交代　1、2万石大名クラス　家老以下家臣連れ　近畿・東日本 大坂城内（山里曲輪・中小屋・青屋口・雁木坂）駐留、大番は旗本
加　番 4名	毎年8月交代　1、2万石大名クラス　家老以下家臣連れ　近畿・東日本 大坂城内（山里曲輪・中小屋・青屋口・雁木坂）駐留、大名は家族同伴
定　番 2名	家老・公用人・家臣―上屋敷（玉造門・京橋門） 数万石譜代大名　中・下屋敷（大坂城外）家族同伴 与力・同心―――中屋敷周辺に居住　家族同居　東日本
城　代 1名	家老以下家臣――上屋敷（城内追手門）江戸と東日本 10万石以上の譜代大名　中・下屋敷（大坂城外）家族同伴
町奉行 （東・西）	家老・公用人―――町奉行屋敷　家族同伴 与力・同心――――天満屋敷　旗本　江戸
堺奉行	1名　与力・同心――――堺　家族同伴　旗本　江戸
船奉行	1名　同心――――――川口　家族同伴　旗本　江戸
代　官	2名　手付・手代―――代官屋敷　家族同伴　旗本　江戸 摂津・河内・和泉・播州の幕府領を統治する
目　付	2名　旗本クラス　城内目付屋敷　単身、毎年9月交代

最上段は大坂城守衛・修復・保全を主とする　→六役という、大坂城外市内に居住
上段の大番頭・加番は大阪城の守衛を主とする　→大坂城内に駐留、1年交代
中段の大坂城代と定番は双方に関与する　→上屋敷は城内、中・下屋敷は城外に
下段は大坂市中と堺の統治業務を主とする　→大坂城外市中に居住（目付を除く）

す。「武士の町」大坂の中心は、ほかでもない大坂城なのです。

その下段には、大坂とその周辺の民政を管轄する役人たちと監察機構が置かれています。彼らは目付《めつけ》を除き、大坂城外、いいかえると大坂市中に勤務場所を持っています。一方、上段の御蔵《おくら》奉行以下御破損《ごはそん》奉行までも大坂市中に住居を持っていますが、その勤務は、大坂城の維持管理に関わるという点で、町奉行たちと大きく性格を異にしています。飛び離れて船奉行が川口に居住しているように、その居場所は、彼らの職務に強く規定されています。

いまひとつ図には、彼ら江戸から派遣されてくる武士たちのランク、大名か旗本か、大名なら何万石クラスか、家族同伴か単身かが併記されています。それは大名には、石高に合わせて供奉すべき家臣の数が決まっていたからです。また家族をともなっていたかどうかも、人数はもちろん、在坂武士の姿をイメージする上で決定的に重要です。家族をともなうことで江戸と同じく大坂でも、彼らは大名屋敷に住み、そこには「表」のみならず「奥」まであったのです。

3　武士たちの情報

最後は、武士とは誰かという問いです。江戸の川柳に、「須原屋の桜木にのる人は武士」というものがあります。須原屋《すはらや》とは、江戸の大手出版者須原屋茂兵衛のことを指し、彼が、江戸の武鑑を独占販売していたことが背景にあります。「武鑑《ぶかん》」とは文字通り、武士の人事情報の決定版で、今で言うなら人事録に当たります。今日の人事録は社内名簿や学校名簿のように企業別ですが、武鑑

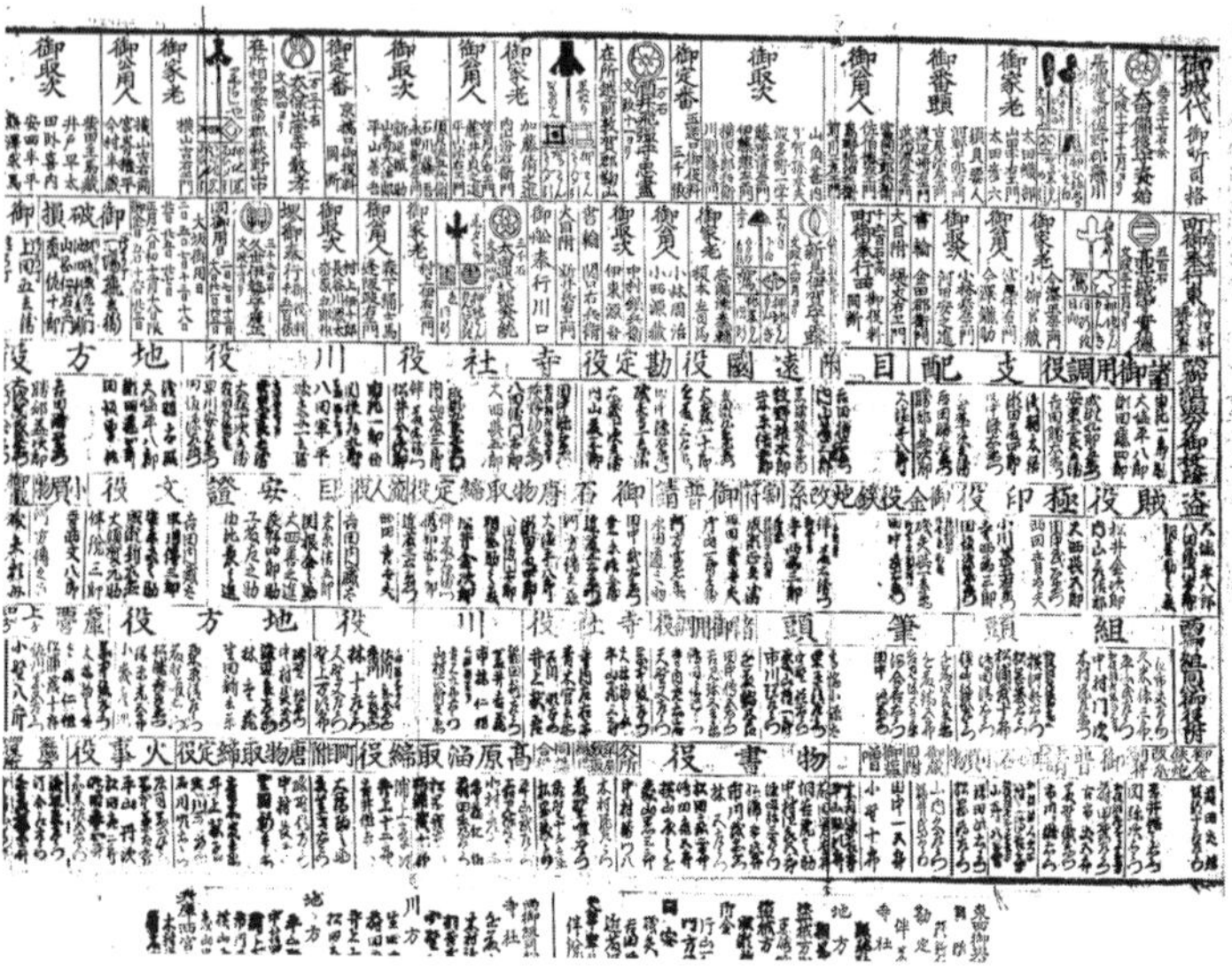

写真１　浪華御役録（表面、部分、大阪歴史博物館蔵）

は江戸の将軍家を筆頭に直属する大名や旗本などを将軍家との親疎やランク別に記載したもので、他方、役職ごとの情報もあり、そこに氏名があれば武士である証拠だというのが、先の川柳の意味です。同じ意味で、大坂で武士といえば、大坂の武鑑に記載されている人物だということになるのですが、果たして大坂に武鑑があったかどうか？

　興味深いことに武士の人数を数えることにあれほどいい加減であった大阪の歴史学界でも、武鑑については先覚者がおられます。とくに『浪華御役録《なにわおんやくろく》』という表裏一枚摺りの武鑑には、戦前から大きな関心が集まりました（**写真１**）。一つの契機を作ったのは、大塩平八郎です。天保八年に乱を起こし、逆賊となったために死後、資料の残らなかった彼の履歴を明らかにするために、毎年二回発行の『御役録』が注目されたのです。大阪城天守閣主任ながら『大塩平八郎』（一九七五年、創元社）を著した岡本良一氏は、その代表です。

しかし、大坂の武鑑は『御役録』以前に始まっており、その名も『大坂武鑑《おおさかぶかん》』という冊子体の情報誌があり、さらに遡ると「蘆分船《あしわけぶね》」などの大坂の地誌のなかに武士の情報が入っているのです。

その意味で大阪の地誌の成立は、ただちに武鑑の成立を意味していました。元和六年（一六二〇）に修築が始まった徳川大坂城が建って三〇年ほどたった、寛文・延宝期のことです。その後は武士情報が充実することで、地誌から武鑑が独立して『大坂武鑑』となり、さらに毎年発行から一年に二回発行という速報性を求めて『御役録』が生み出されてくるのです（写真1）。

二 「政事」と「文事」——日記は語る——

こうして主役である武士の登場となりますが、わたしが力を注いだのは、武士の具体的な姿です。それは、彼らの残した日記や随筆によって明らかとなります。

1　大坂町奉行新見正路《しんみまさみち》と大塩平八郎

新見正路は西町奉行として大川の浚渫、さらにその土砂で天保山を築いたことで知られ、幸田成友編の『大坂市史』でも詳しく紹介されています。その新見が大坂町奉行在任中（文政一二～天保元年）の日記を残しており、それを翻刻・出版しました（清文堂出版、二〇一〇）。興味深いことに新見は、公私二冊の日記を付けており、公務日誌が「政事」を、私日記が「文事」を表現する形になっているのです。その公私の間を縫って、与力大塩平八郎が姿を現します。公務日記には、与力時代の三大功績の記録を新見に渡し、養子格之助にバトンを渡した大塩がいるかと思えば、与力を辞めた大塩が私日記に姿を見せるのです。頼山陽の著した『日本外史』の稿本を新見に頼まれ、大塩が斡旋しているのはその一例です。「政事」の世界では切れても、「文事」の世界では両者は繋がっているといえます。

2　伊勢長島藩主増山雪斎《ましやませっさい》と木村蒹葭堂《けんかどう》

武士と町人の「文事」の繋がりとして最も典型的な間柄は、大阪の生んだ博物学者木村蒹葭堂と伊勢長島藩主増山雪斎の場合です。この場合は、蒹葭堂の側に日記が残ることで、その交流が明らかになります。すでに水田紀久《みずたのりひさ》先生の労作『水の中央に在り　木村蒹葭堂研究』（岩波書店、二〇〇二）が解き明かした関係ですが、わたしの関心は、増山雪斎が大坂城加番という役職に就くことで、蒹葭堂との文事の交流が可能となったという点です。

加番というのは一、二万石クラスの小藩大名家がほぼ世襲的に任命される役職で、増山雪斎も三度、任命され、一年間の滞在期間（八月から翌年七月まで）を利用して蒹葭堂と城内の加番小屋で会うのです。

城内には山里・中小屋・青屋口・雁木坂の四つの加番小屋があり、それぞれが一年交代で替わるので、勤務中、大坂の町人との交流のチャンスはかなりあったと言うことができるでしょう。『浪華の噂話』（中村幸彦・長友千代治編、汲古書院、二〇〇三）という随筆は、加番の常連であった上野《こうずけ》国七日市藩主前田侯に仕えた奥医師平亭銀鶏《へいていぎんけい》が、天保五年から六年の間、なんと城内ではなく、難波新地の茶店松洒尾《まつのお》に住んで書いた作品ですが、そこに収められた「難波金城在番中銀鶏雑記」には、狂歌師鶴廼屋乎佐麿《つるのやかさまろ》ら三一人の町民の名が見えます。筆頭に来るこの御仁、実は野里四郎左衛門《のざとしろうざえもん》といい、江戸の出身で大坂に来て二一年、当時は大坂三郷の惣年寄を務めるという別の顔を持っています。つまりそれが政事向きの顔なのですが、狂歌という文事の世界では、別の名前を使っているのです。政事と文事は表裏の関係にあった、と言えるかもしれません。

この御仁、天保八年二月九日の大塩の乱の最中、公務として西町奉行跡部山城守良弼邸に駆け付け、大塩邸への探索を命じられますが、「元来、跡部の実家である水野家とは唐津以来の出入り関係にあり、別して懇意」という間柄。大塩邸を探ったその報告は、「野里口伝」として知られています（『改定史籍集覧』一六冊）。

3　大坂代官竹垣直道《たけがきなおみち》と『浪華勝概帖《なにわしょうがいちょう》』

最後の例も、わたしたちが行った日記解読の成果（関西大学なにわ・大坂文化遺産学研究センター発刊、二〇〇七～二〇一〇）ですが、その名は大坂谷町代官竹垣直道といいます。約九年間、妻子とともに大坂に暮らした江戸の侍です。この代官、公務繁忙の傍らこまめに日記を書き残してくれたのですが、もっと凄いことは、大坂任務を終えて江戸に帰るに際し（嘉永元年）、大坂の絵師たちに大坂の情景を書かせ、それを折帖にして持って帰ったことです。題して『浪華勝概帖』、西山芳園《にしやまほうえん》・上田公長《うえだこうちょう》・石垣東山《いしがきとうざん》ら二九名の合作九五景からなる優品です（**写真2**、大阪歴史博物館蔵）。戦前から知られた優品ですが、持ち主が長年、不明。わたしたちの日記解読の結果、竹垣直道だと判明しました。「文事」の謎を、「政事」向きの日記が解き明かした好例と言えるでしょう。

写真2　浪華勝概帖（部分、大阪歴史博物館蔵）

三　「文事」の交流

江戸の侍たちが大坂で享受した文事は、これに止まりません。なぜなら大坂には、優秀な学者がたくさんいたからです。

1　懐徳堂《かいとくどう》・今橋《いまばし》学校と武士

大坂の私塾の代表は、いうまでもなく懐徳堂です。享保九年（一七二四）、道明寺屋吉左衛門ら五同志によって大坂今橋に開設され、講師に三宅石庵《みやけせきあん》・五井蘭州《ごいらんしゅう》・伊藤東涯《いとうとうがい》らを招いてスタートします。その後、享保一一年（一七二八）には幕府の官許を受け、いわば半官半民の姿をとります。懐徳堂といわれる一方、今橋学校と呼ばれたのは、その二重の姿の故です。さらに天明四年（一七八四）、塾主であった中井竹山が徳川家康の一代記である『逸史《いつし》』を著わし、寛政一一年（一七九九）、幕府に献上、竹山《ちくざん》・履軒《りけん》兄弟の下で、懐徳堂の黄金期を迎えることとなります（脇田修・岸田知子『懐徳堂とその人びと』大阪大学出版会、一九九七）。

江戸には湯島の聖堂が林家の私塾としてありましたが、寛政九年（一七九七）、幕府直轄の学問所となり、地名を取って昌平坂《しょうへいざか》学問所・昌平黌、あるいは江戸学問所と呼ばれました。こうして江戸の武士から見れば、江戸に官立の学問所、大坂に半官半民の学校があることになったのですから、江戸の武士たちが大坂に赴任した折、今橋学校を利用しない手はありません。実際、竹垣日記を読んでいると、彼らが廻り持ちで役宅を提供し、学校から並河寒泉《なみかわかんせん》を招いて、『逸史《いっし》』などの講義を受けているのです。その例は遡って新見正路にも確認でき、そこでは中井七郎（碩果、竹山の第七子）が『貞観政要』の講釈をし、与力たちも聴講しています。

懐徳堂が大阪の漢学塾として、山片蟠桃《やまがたばんとう》などの町人学者を生み出したことはよく知られていますが、その反面、江戸から大坂に赴任してきた武士たちに講義をしていたことはほとんど知られていません。「町人の都」という視線からのみ、懐徳堂を見ていた歪みだと言えるでしょう。

2　泊園《はくえん》書院と豊岡藩家老猪子清《いのこきよし》

その懐徳堂も幕末期には、学問的な力が衰えていたことが指摘されています。その間隙を縫うように活躍を始めるのが、藤澤東畡《ふじさわとうがい》の泊園書院です。泊園書院は文政八年（一八二五）、藤澤東畡によって淡路町に開かれ、その後、梶屋町・瓦町と移転しますが、天保一四年（一八四三）～安政六年（一八五九）には、寄宿生一八八名を数えるまでになります（吾妻重二『泊園書院歴史資料集』関西大学出版部、二〇一〇）。瓦町といえば天保九年（一八三八）、緒方洪庵《おがたこうあん》が適塾を開き、一八四五年、過書町に移転しますので、二つの新興塾は、船場の中で勢力を伸ばしていたのです。

そんな泊園書院の院主東畡を招いた藩主がいます。豊岡藩主京極高厚《きょうごくたかあつ》ですが、嘉永四年（一八五一）、大坂城加番として在坂しているチャンスを捉え、東畡を城内に招いて論語の講釈を受けたのです。

それは翌年七月末まで定期的に続けられ、藩主が大坂城を去った後は、藩士猪子清が藩主の許可を得て、入門し、寄宿生として門人帳に名を載せます。この猪子、後に同藩家老・大参事となる逸材です。

東畡はまた文久三年（一八六三）、広瀬旭荘《ひろせきょくそう》らとともに御城入儒者として大坂城代に講義をする一方、尼崎藩の賓師《ひんし》となるなど、武士たちに積極的な出講を果たしています。その意味で、懐徳堂・今橋学校に期待されたものは、泊園書院と藤澤東畡に取って代わられ続けられていたということができるでしょう（なお、Ⅱ大阪の学問所に収録した「懐徳堂と泊園書院」も合わせて参照してください）。

おわりに

以上、武士の概要から始め、大坂に赴任して「政事」を担当した武士たちが、その一方で、「文事」を介して、町人たちと交わっていた姿を紹介しました。宮本又次氏らが精力的に解き明かした金銭（商売）を介した交流とは別の次元で、文事を介した交流があったことを確認していただければ、これに過ぎる喜びはありません。ご清聴に感謝いたします。

（適塾記念会『適塾』四四、二〇一一年）

江戸時代の大坂の位置づけをめぐって

——幸田成友・宮本又次と『浪速叢書』——

二〇一六年

はじめに

知多半島総合研究所、われわれには「知多研《ちたけん》」という略称の方が馴染みがありますが、「知多研」といえば、三年前（二〇一三年七月一二日）に急逝された青木美智男さんを想起せざるを得ません。歴史研究者の兄貴分としていろいろと教えられた人ですが、日本福祉大学在籍中のことでいえば、「知多研」で進められた福井県の河野浦右近家の総合調査が強く印象に残っています。一九九三年八月二八日付の「福井総合新聞」の切り抜きが手元にありますが、九月二日に現地調査が実施されることを伝えた上で、調査団長であった青木さんの「同じ性格の尾州廻船《びしゅうかいせん》との比較研究のほか、両廻船を調べることで日本海と太平洋側まで広範囲の海運・物流を研究できる貴重な機会」とのコメントが掲載されています。青木さんばかりか永原慶二氏も参加され、ふたりとも鬼籍に入られたいま、とても懐かしく思い出されます。「知多研」が、廻船・物流研究のメッカと目されるに至る一里塚であったと思います。

さて本日は、そんな懐かしく、かつ学恩を蒙ってきた「知多研」歴史・民俗部の年次研究集会に招かれたのですが、今年の集会には「近世物流における伊勢湾と大坂湾」というタイトルが付けられています。まことに「知多研」らしい問題の設定ですが、わたし自身に物流史に関する蓄積も新知見もありません。むしろ、後で述べますように個人的には、それとは遠く離れた大坂の武士に関する研究に専念してきたのが実際のところです。ただし研究チームとしては、二〇〇四年から二〇一五年まで一〇年間にわたって、大阪の文化遺産研究を――なにわ・大阪文化遺産学研究センターと大阪都市遺産研究センター――を組織してきた関係から、折に触れ、海運史・物流史に触れる機会がありました。とくに今年（二〇一五）の前半に、日本海側のある家で、近世後期の大坂、「天下の台所」を描いた屏風「浪花名所図屏風」の発見に立ち会う機会がありましたので、講演の最後にそれを紹介することで、「近世物流における伊勢湾と大坂湾」という課題への責めを果たしたいと思います。

「知多研」もそうですが、研究者が個人的にするのでなく、集団として特定の研究に従事していると、研究者としての発想に変化が生まれるように思います。わたしの場合それは、「研究史という考え方」から「受継いだもの」「遺産という考え方」への推移だと捉えています。俗に言うなら研究史は「乗り越える」ことが求められるが、遺産は「受け継がれる」ことに重きが置かれることとなります。「乗り越える」ことばかり意識してきた身には、「受継いだもの」という発想は、きわめて有効であったと思います。本日の講話の趣旨はそんなところにある、と前もって理解して聞いていただけると幸いです。

一　近世大坂を見る視点

江戸時代の大坂という点ではわたしの場合、ここ一五年間、「武士の町」大坂という問い（仮説）を立てて研究してきました。小著『武士の町大坂―「天下の台所」の侍たち』（中公新書、二〇一〇）は、そのひとつの成果です。

「武士の町」大坂という問いを立てる上では、ひとりの人物との出会いが契機となりました。彼は、塩野清右衛門《しおのせいうえもん》という河内の旗本領の代官を務めた人物です。天保一四年（一八四三）六月、大坂周辺の大名領や旗本領をすべて幕府に取り上げるという「上知令《あげちれい》」が出されますが、その渦中にいた人物です。この人物、旗本領の代官、つまり武士として、他藩の侍たちと同様、町奉行所のある大坂で活躍するのですが、河内の家へ帰ると家自体はなんと百姓なのです。新町村という新興村の百姓で、代々の当主が庄屋を務め、彼の代に代官＝武士に取り立てられたのです。したがって河内に帰ったら〈百姓〉で、大坂に出てくると〈武士〉になるのです。しかも、塩野自身が河内で百姓をやっていることは、大坂の武士たちには全く知られていません。大坂では「どこそこの領地の代官である」ということで、れっきとした武士として通用しています。その彼を通して「兵と農の間」という問題に気付き、彼の著した史料をもとに『天保上知令騒動記』（清文堂、一九九八）を編むと同時に、『男と女の近世史』（青木書店、一九九八）で、彼の姿を紹介しました。

そのときに思ったのは、大坂の人が彼を〈武士〉と認めるということは、大坂には他にも武士がいるからだ、ということです。そこで、大坂にはどれだけの武士が、どんな武士がいたのだろうか、一度、大坂を「武士の町」として捉えてみてはどうか、と思ったのです。

その上で、制度史的な事実も加味しながら、以下の問いを立てました。

(1) 徳川幕府が天下普請として大名を動員して築造した大坂城があるのに、どうしてそこにいる武士のことを研究しないのか？

(2) 「天下の台所」あるいは「町人の都」などと大坂の代名詞を決まり文句のように使うが、それは誰が、いつ、どういう意味で言い出したものか？

(3) 武士がいたとして、その人数はどれほどで、政事と文事の関係、町人との関係はどうか？

この発想には研究史が強く意識されており、これまでの研究史に新生面を拓こうという野心も見えます。この研究を始めた当時、そう考えていたと思います。と同時に、研究・調査を進めるなかで、わたしの問いかけにも先駆者がいて、その人たちの研究を受け継いでいることを自覚するようになりました。特筆すべきは、在坂武士の人事録である『大坂武鑑《ぶかん》』と『浪華御役録《なにわおんやくろく》』が、大阪府立中之島図書館や大坂城天守閣、大阪市史編纂所、大阪市立博物館（現在、大阪歴史博物館）などに多数、収蔵されていることです。そのことはすなわち、江戸時代の大坂に武士がいたことは周知のことで、これらの武士の紳士録に関心を持ち、利用する人が少なくなかったことを意味します。このうち『浪華御役録』については、幸田成友《こうだしげとも》の先駆的な大塩研究（後述）が切り拓いたと見るのは異論のないことだろうと思います。天保八年（一八三七）の「大塩の乱」に、江戸・東京人であった幸田が、強い関心を示したことに源を発しているのです。

しかし、そんな資料的な蓄積がありながら、在坂武士への関心は高まりませんでした。声高に「武士の町」とわたしが唱えようと判断したのは、そんな状況を変えたいと思ったからです。同時に、幸田の「大塩研究」が、『浪華御役録』という資料の所在と重要性を教えたとするなら、わたしも「武士の町」大坂という以上、なにがしかの資料の所在と重要性を語るべきであると考え、着手したのは、大坂町奉行や代官の日記の調査・研究でした。これには一九九七年から、大阪城天守閣の手で「徳川時代大坂城関係史料集」の刊行が始まっていたという事情もあります。そこで城外の武士に注目するということで、まず町奉行に行き着いたのです。

現在まで、わたしの責任で公刊した日記はつぎの通りです。

● 新見正路（大坂西町奉行／文政一二〔一八二九〕～天保二〔一八三一〕）
東北大学附属図書館所蔵、『大坂西町奉行新見正路日記』清文堂、二〇一〇

● 竹垣直道（大坂谷町代官／天保一一〔一八四〇〕～嘉永二〔一八四九〕）

東京大学史料編纂所所蔵、『大坂代官竹垣直道日記』一～四、関西大学なにわ・大阪研究センター、二〇〇七～二〇一〇

● 久須美祐明（大坂西町奉行／天保一四〔一八四三〕～弘化元〔一八四四〕）
筑波大学附属図書館所蔵、『大坂西町奉行久須美祐明日記』清文堂、二〇一六

最初に出会ったのは、新見正路《しんみまさみち》（一七九一～一八四八）。面白いことに新見は、公務の日記と私用の日記をきれいに書き分けているのです。

聞いた話ですが、楽天の三木谷さんは非常に忙しい人なので、楽天の本社へ行っても彼と会う機会はほとんどないらしいです。そんな彼と出会え、議論ができる場所は野球場とサッカー場の二カ所だそうです。わたしたちの感覚では〈私事〉と思われる野球場とサッカースタジアムが、オーナーである三木谷さんにとっては〈公事〉だということです。この〈公事〉と〈私事〉は、新見の場合、公務の日記と私用の日記に相当し、双方の日記から、「政事」から見た大坂と、「文事」から見た大坂が顔を出します（後述）。

次に、竹垣直道《たけがきなおみち》という代官の日記に取り組みました。大坂にも代官がおり、摂津・河内・播磨などの直轄領を管轄していました。当時は二人いて、それぞれの直轄領の範囲は三万石ぐらいで、大名並みの広い土地を管轄していました。竹垣日記は小さな帳面に走り書きしてあり、非常に読みにくく悪戦苦闘の連続で、出版した時にはホットした記憶があります。

これを読んだときに何が面白かったかというと、代官なので年貢を集めるのは当然のことですが、

その他に、集めた年貢を江戸の浅草の蔵に送るために、大坂に入ってくる船の検査をするのです。しかもその船は、「天下の台所」大坂から江戸に年貢米を送る船なので非常に大きい。つまり、千石クラスの船の検査を、竹垣ともう一人の代官が、半年ごとに交代で担当するのです。他方、淀川や大和川の堤防の手当てを、これまた交代でします。後者には堤奉行という名称が付けられていますので、それに倣うなら前者は廻船改奉行と言えるでしょうが、こんな職務をもつ代官は、大坂以外におりません。これも辞書的説明では捉えられない大坂代官の姿です。

そして最後に、取り組んでいるのが西町奉行久須美《くすみ》祐明《すけあきら》の日記です。丁寧な筆跡で書かれた立派な日記です。彼は、新見のように文事に関心があるわけでもありませんが、七三歳という高齢になってから町奉行になった。しかも、新興の久須美家の三代目として初めて奉行になったということで、その自慢話がいっぱい出て来る。その意味で鼻持ちならない老人ですが、ところがこの人、一日三食、食べたものを全て記録しているのです。天保一三年五月六日に大坂へ来て、六月二日から書き始めて、翌年の一〇月二日に江戸へ帰るまでの間、一日三食のメニューを記録するという得意技があったのです。これには新見も叶いません。

久須美はウナギが大好きですが、江戸の背開きのウナギが好きなので、「大坂は腹開きだからけしからん」。大坂にも美味しいウナギはありますが、大坂はむしろハモで、江戸から来た彼はハモを食べたことがなく、旧暦六月の天神祭のときにハモを出されて、「ハモは、刺身で食べても、つけ焼きにしても、塩焼きにしても美味しい」ことを知るわけです。新見からは「本の町」大坂が見えましたが、久須美からは「食の町」大坂が見えてきます。

これら三人の記録に関して、大阪には先行する研究がありませんでした。受け継ぐべき遺産はありませんでした。「大阪に」としたのは、東京にはあったからです。なぜなら、「新見日記」と「竹垣日記」の所在をわたしは、東京大学教授（当時）藤田覚《さとる》氏による中央政治史研究によって知ったからです（藤田『幕藩制国家の政治史的研究』校倉書房、一九八七）。中央政治史研究なので、あくまで「中央」から地方を見るという視点で、それらの史料は使われているのですが、わたしはそれを、大坂という「地方」の史料として読もうと決めました。地方都市大坂の武士を語る上で良質の史料だろうと予想したからです。それが大正解であったことは、上記の史料集とあわせて小著『「武士の町」大坂』を読んでもらえば了解されると思います。

これらの日記の編集と公刊は、不思議な体験であったと言えます。江戸・東京人の目から見れば、近世の大坂に武士がいたことは自明のことなのに、大阪では、その事実と意味を長い間、問おうとしなかったのではないか、という問いが膨らんできたからです。大塩に注目したのも江戸・東京人の幸田であり、大坂代官と大坂町奉行の日記を使って中央政治史を描いたのも東京大学教授の藤田覚であるのは、偶然の一致とは言えないでしょう。江戸からは見える武士が、大阪では見えない――という不思議な関係が、成立していたというほかないでしょう。

幸いなことに近年では、大坂ばかりか畿内・近国の範囲で武士の存在を問う研究が、若い人たちによって発信されているばかりか、幕末の大阪湾海防問題を取り上げて、大坂城の軍事的な位置を測ろうという研究も進められています（註）。江戸・東京が持ち続けてきた武士への関心＝視点を受け継ぐことで、近世大坂の研究に新しい潮流が広がっています。

〔註〕岩城卓二『近世畿内・近国支配の構造』柏書房、二〇〇六年。小倉宗『江戸幕府上方支配機構の研究』塙書房、二〇一一年。菅良樹『近世京都・大坂の幕府支配機構』清文堂、二〇一四年など。

二 「天下の台所」と大坂（その1）

先に挙げた日記のうち、「久須美祐明日記」には異なった経緯があります。それは、大阪の研究遺産としてわたしが受け継いだ、という一面があるからです。

近代に入って生まれた実証的な歴史学は、帝国大学文科大学卒業の日本人研究者によって進められたのですが、そのひとりである幸田成友（一八七三〜一九五四）は、その若き手腕を「大阪市史」編纂という大事業に発揮しました。その作業途中、本編の『大阪市史』完成以前に『大塩平八郎』（一九一〇）を書き上げたのですが、弱冠三七歳のことです。近代日本の新興歴史学の勢いを見る思いがします。

後年幸田は、その頃を回顧して、つぎのように記しています（傍線は藪田による）。

① 私が市史編纂の任に当たりまして一番初めに当惑いたしましたのは、大阪に関係する材料が

極めて少ない事であります（戊辰戦争による持ち逃げ、火災、売却などを指す）。併し私が大阪へ参りましてから、公私の助力により若干の史料を集めまして、夫によつて大阪編年資料を作り、事実を正し、次に之を土台にして市史の編纂を致して居りますが、いかに大阪だけを調べても事実の真相が解らぬといふことを、言ひ換へれば他所との関係他所との比較研究に必要を、この頃に至つて感じるのであります。（「徳川時代の大阪市制」一九〇八／幸田成友著作集第一巻『日本経済史研究』）

着任当初の率直な感想とともに、作業途中ならではの期待感が込められており、格闘する幸田の姿が偲ばれますが、作業を通じて浮上してきたのが「天下の台所」大坂です。それは早速、処女作『大塩平八郎』に取り込まれ、「天下の台所」と大塩平八郎の奇妙な結合が見られます。

② 大阪と申しますれば昨晩も申し上げた通り、「町人の都」といふことを誰もが申すことであります。大阪は「天下の台所」日本全体の台所であつて、日本で消費するところのものを大阪が一手で引き受けて居るといふ言葉を、徳川時代にはよく申していたので御座います。「日本経済史上の大阪」（大大阪記念講演会の収録『大阪文化史』一九二五）

③ 大阪は天下の台所である。しかり台所であって書院または広間ではないが、台所の一小事は一家の煩いとなり、大阪に生じた異変は海内に波及する」『大塩平八郎』（一九一〇）

ここで注目したいのは、「天下の台所」大坂を幸田は、「徳川時代にはよく申していた」として、特段、史料を挙げていないことです。明治初年に生まれ、明治三〇年代の大阪に来た幸田にとってそれは、言説で十分であっただろうと思われます。

しかし史料に拘るなら、それはどこに書いてあるかと問題にしてもいいでしょう。果してその史料は、明治三二年に開始された「大阪商業史資料」の編纂のなかで発見され、「大阪の沿革」として収められました。それは、久須美祐雋《くすみすけとし》（蘭林、寛政八〔一七九六〕～文久三〔一八六三〕）の随想「浪花の風」の一節です。

④ 浪花之地は、日本国中船路之枢要にして、財物輻輳の地也。故に世俗の諺にも大坂ハ日本国中の賄所とも云。又は台所也ともいへり。実に其地巨商富沽軒を並べ、諸国の商船常に碇泊し、両川口よりして市中縦横に通船の川路ありて、米穀を始め日用の品はいふに及ばず、異国船来の品に至る迄、直ちに寄場と通商ある故、何一ツ欠るものなし。

古来よりかくの如き土地がら故、商沽専らにして人気もおのづから其気に移り、利を謀ること他国に超て叡敏なり。故に純朴質素の風は更に失ふて、只々利益に走るの風俗のミ。士といへども、土着のものは自然此風に浸潤して廉恥の心薄く質朴の風なし。これ浪花の風俗の大概なり。

この随想、大阪では「大阪商業誌資料」に収められますが、のちに東京では『近古文芸温知叢書』

と『日本随筆大成』第三期（一九二九）に収められ、江戸期の大坂を語る第一級の史料として広く知られるようになったのです。東京と大阪でほぼ同時に、注目された在坂武士の史料として記憶しておく必要があるでしょう。

ところが実証史学者としての幸田は、町奉行の随筆よりも町奉行の「生の史料」に拘っていました。

⑤「天保一四年九月、西町奉行久須美佐渡守祐明から、幕府に差し出した内密書類の中にも、彦次郎には先年祐明江戸在勤中面会し、御用談も致し、御用に立つべき者と見込みしが（略）この度の御用金につきても同人骨折にて、人気も立ち直り、御用も相整ひ申したと褒めて居る」（「御買米及び御用金」一九一五、『幸田成友著作集』第一巻近世経済史編、中央公論社、一九七二年）

⑥大阪町奉行久須美祐明から内密に幕府へ差し出した同年八月の書状を見ると（略）兎に角外記は一太郎を伴れて八月十二日に但馬へ出立し、同月晦日に帰つてきた。」（同前）

これらの史料は、「その後更に天保十四年の御用金に関する新史料を見出し得た」（「天保十四年の御用金」『商学研究』一九二五、『幸田成友著作集』第一巻所収）と書くように、五〇歳代となった幸田が、あらためて江戸時代の大坂に向き合い、史料調査した結果、見い出したものでした。そこで彼が挙げる史料は、「天保撰要類集、市中取締類集（江戸町奉行所編、帝国図書館保管）、大坂表御用金並上金増金等大辻書」などで、大半は今日、国立国会図書館所蔵「旧幕引継文書」として知られているものです。

最後の「大坂表御用金並上金増金等大辻書」に注釈して幸田は、「（一色山城守直温の旧蔵資料、佐渡守は一色の同僚祐雋、祐明はその先代と考へます）」と書いており、幕末期の大坂東町奉行一色直温《いっしきなおあつ》の旧蔵資料は、この時すでに商科大学教授幸田の手元にあったと思われます（現在は引き継がれて一橋大学図書館に所蔵されている）。したがって一色が出るのは当然として、「佐渡守は一色の同僚祐雋、祐明はその先代と考へます」という一文には説明が要るでしょう。なぜなら、祐雋が随筆「難波の風」の筆者であることを知っている幸田は、その名前から類推して、天保十四年の御用金記事に出る久須美佐渡守祐明を「その先代と考えます」と判断しているからです。当時、幸田には久須美祐明なる大坂町奉行の正体が掴めていなかったのです。

随想「浪花の風」は、じつは「在坂漫録」という随筆の一部であるとして大阪府立中之島図書館に勤務していた多治比郁夫《たじひいくお》は、それを元の形にして『随筆百花苑』第十四巻（吉川弘文館、一九八二）に収めました。その解説のなかで多治比は、久須美には在坂中に江戸の留守宅に送った書簡集「浪華のかり」というものがあり、両者は深くかかわるだろうと指摘しているのですが、それも現在、筑波大学附属図書館に所蔵されています。

筑波大学はもとをたどれば東京教育大学、さらに東京文理科大学、東京高等師範学校に至りますが、明治二九年（一八九六）に東京高等師範を卒業し、台湾で旧制中学校の教師をした元田脩三という人物が、昭和初期の『茗渓会雑誌』に「久須美文書解題」、それに前後して雑誌『歴史地理』四九巻三号、五号、六号と五〇巻一号に「久須美蘭林父子及びその一門」を連載しているのです。幸田の視野の外で、「その先代と考えます」と幸田が言う久須美祐明の正体が解明されていたのです。しかも元田は、「蘭林の名が「浪華の風」によってのみ記憶されるべきでない」と述べ、大坂町奉行の随筆を優先し、実務記事ばかりの「久須美祐明日記」や書簡集「浪華の雁」を軽視している傾向に警鐘を鳴らしています。

ここには「文事」を優先し「政事」を軽視する傾向、あるいは「政事」と「文事」の分離が見て取れます。このことは武士に注目することは、武士身分にある「政事」と「文事」に関心を注ぐことを意味します。ただし双方の世界には偏りがあるので、久須美祐利蘭林のように「文事」で目立つ人がいるかと思えば、その父祐明のように文事に疎く、「政事」に邁進した人もいます。どちらが後世の読者の目を引くかとすれば、よほどの変革期でないかぎり、華やかな「文事」に軍配が上がります。大坂西町奉行であった新見正路もその一人で、江戸時代の大坂への貴重な証言（新見正路『賜蘆書院儲蔵志』序文）を残していました（森銑三著作集続編第一巻、中央公論社、一九九二）。

⑦ 吾成童の昔、学に志てより聚書の癖有と雖も、力乏くして書籍を購る事意に任せず。（中略）天保改元の年、浪華市尹命じられ彼地に赴きしに、さすが畿甸の地、往古よりの名区にて、名にしおふ平安の京も遠からざれば、吾妻にも稀なる古版旧鈔の珍籍も多く現存して、往々見当りぬ。況其諸国船舶の輻輳する所にて崎陽の渡口なれば、漢籍を得るの便も亦宜し。ここに於て費を惜まず力を尽して是を購し、経史子集は更なり、国書草子の類までも吾少時に比すれば頗る蓄る所有と云うべし。然に三年を経ずして召還され、職遷り班進み、賜賚も亦若干なれば、益務て書を購し、架に挿み櫝に納と雖も、今は猶余あれば、几案の四隅文籍満て縦横堆くして、膝を容るの地もなき計也。

「天下の台所」を擁する「町人の都」であった大坂が、同時に「文芸と出版の町」でもあったことを新見は発見しているのです。「文事」に造詣の深かった新見ならではの観察ですが、日記が公刊されることの意義は、この辺りにあるのではないでしょうか。

「文事」の祐雋でなく、「政事」の祐明に注目した元田は、みずから久須美祐明「浪華日記」の刊行を企図していたのですが、諸般の事情で果たせなかったようです。来年、わたしの編で刊行予定の『大坂西町奉行久須美祐明日記』はその意味で、元田の遺志の継承と言うことができます（二〇一六年に出版）。それは、江戸・東京に残された遺産を、「武士の町」大坂という仮説を立てることで、わたしが引き継いだことになるのでしょう。

三　「天下の台所」と大坂（その2）

ところで、わたしが引き継いだ研究遺産には、もちろん大阪にもありました。その筆頭は、いうまでもなく宮本又次《みやもとまたじ》（一九〇七〜九一）の業績です。宮本が、郷里大阪の歴史研究に注いだエネルギーがどれほど大きなものであったかは、『宮本又次著作集』全一〇巻（有斐閣）のほか、多数の単行本に見ることができます。

その厖大さは、逆にその業績の特徴を捉える際の障害となるのですが、戦前から戦後にかけて経済史の大家であった宮本が、大阪の研究に専念した経緯について、息子である宮本又郎《みやもとまたお》氏が語るつぎの一節は大きな手掛かりとなります。

⑦　学術的な意味で、彼が大阪研究を始めたのは、京大時代の恩師本庄《ほんじょう》 栄治郎《えいじろう》博士（一八八八年京都生～一九七三）が主宰して進めた『明治大正大阪市史』編纂事業に参画してからというが、大阪への関心はもっと深く、彼の生い立ちに根ざしていた（心斎橋生まれ、北堀江育ち――藪田註）。このように又次の大阪への関心はもともと生まれ育った地への愛着によるところが大きいもので、風俗史、世相史、文化史に傾斜したものであったために、経済史という分野での学術的成果を求められた若い時代（『株仲間の研究』一九三八）には、その関心をある程度封印せざるをえなかった。封印を解き、大阪の歴史研究に大きなエネルギーを注ぐようになったのは、昭和二六年、阪大教授として大阪に帰ってきてからである。（『大阪商人列伝』一九五七、解説）

その語るところは、戦後、大阪大学教授として郷里大阪に戻ることで、宮本の大坂研究が本格化した、ということですが、問題は、その時、宮本がどういう視点＝関心をもって、大阪に向かったかです。又郎氏が語るように、生地大阪西区北堀江を含む船場へのノスタルジーは、その愛着が強い分、「風俗史、世相史、文化史に傾斜」し、専門であった経済史との温度差が広がらざるを得ません。とくに京都帝国大学経済学部教授本庄栄治郎の歴史経済学派として薫陶を受け、『株仲間の研究』『近世日本問屋制の研究』『小野組の研究』などの労作が生まれましたわけですから、その研究を通じて「なにがしかの視点」が用意されるようになっただろうと思われます。

宮本については、京都帝国大学を出たあと、彦根高等商業学校・九州帝国大学をそれぞれ転任し、敗戦後、大阪大学に移る、というキャリアーを通じて、宮本の周囲に研究グループが形成されていったことに注目したいと思います。その成果は、昭和二八年(一九五三)の『九州経済史研究』を皮切りに、『天草郡御領村石本家の研究』・『九州経済史論集』第一巻(一九五四)、『農村構造の史的分析』『商業的農業の展開』(一九五五)、『近畿農村の秩序と変貌』(一九五七)、『藩社会の研究』(一九六〇)と陸続と生み出され、戦後歴史学の一翼を担うようになったのです。つまり宮本個人としての業績ではなく、チームリーダーとしての宮本の名伯楽ぶりが、じつは宮本のもうひとつの業績であったといえるのです。

わたし自身は、これらの作品群のうち『近畿農村の秩序と変貌』所収の論考で、その後、単著『日本封建経済政策史論』(一九六〇)に収められた安岡重明氏の「畿内非領国」論に大きな影響を受けたのです(これについては小著『近世大坂地域の史的研究』二〇〇五を参照)が、宮本の周辺から、こうした発想が育ち、専門的な研究書が次々と著わされたことは特筆大書すべきことと考えます。こうした研究と議論を通じて宮本個人に、大阪を見る視点が構築されていったとわたしは考えるのですが、その内容は一言でいうと、「大阪＝「天下の台所」の「天下」は、幕府や藩の領国ではなく、いわば封建支配の真空地帯的性格を有しており、そこではかなりの程度、市場の原理が機能していた。」となります。これは宮本又郎氏による要約(宮本又次『大阪商人』講談社学術文庫解説、二〇一〇)ですが、『藩社会の研究』の冒頭を飾る序文「藩社会の構造と変動」のなかで宮本は、つぎのように論じています。

日本近世の国制を天下と国家に分けると、国家は大名領国として存在し、日本全国をいう天下と二元的に対立している。国家は藩札に示されるように紙幣を出し、信用経済の段階に達しているが、天下は終始、硬貨主義であったように、自然的経済の支配する社会であった。天下の意思は、国家には間接的にしか及ばず、天下の意思が直接的に現れるのは天領のみで、関東や畿内の非領国地帯は天下のものとなっていた。そこでの幕府権力の規制は国家統制に比べると緩く、その結果、大阪は藩際的な結び目になっていた。天下のものであるがゆえに大坂は、インターハン的に結びつけられていた。そこに大阪の経済的地位の特徴があった。

「町人の都」大坂、「天下の台所」大坂を見事に説明してみせた論考としていまも色褪せていません。天下対国家、自然性対意思性という論理も魅力的です。さらに「インター藩的な結び」は、グループの作道洋太郎や森泰博によって進められた蔵屋敷研究によって実証され、その後、「封建支配の真空地帯」としての大坂の市場分析は、宮本又郎『近世日本の市場経済』（一九八八）によって果たされ、ひとつの完成形を見せるに至りました。江戸時代の大坂研究における大きな達成点であり、遺産だということができます。

ここまで追究してくると戦後、宮本の大坂研究の独自性は、九州諸藩を中心に研究する中で得られた「大阪市場と諸藩との連携」という視点にある、ということができます。

いいかえれば大坂は市場として（A）米や国産品を売り込む西日本の藩の側から、（B）客体として整序される、こととなるのです。したがって蔵屋敷は視野に入るが、大坂城は視野の外、「与力同心といっても極めて僅か」という一言で、武士の全体性が無視される——という歪みを生じることとなります。わたしが、宮本とそのグループの研究に啓発を受けながらも、あえて「武士の町」大坂という問いを立てるようになったのは、そのことに気が付いたためだと思います。倣って言うなら、わたしの立論は大坂を「政事」の場として、江戸の側から見るように転換したといえるでしょうか。

幸い近年、「封建支配の真空地帯」論については、若い世代によって修正が図られつつありますが、江戸・東京で築かれた遺産と大阪の遺産の違いに留意してほしいと思います。

ところで本論では、研究史と対比して遺産という捉え方を提示していますが、本庄栄治郎—宮本又次—宮本グループ—宮本又郎という研究史の流れとは別のところで、もうひとつの大阪遺産が作られていました。

これ（本庄栄治郎著『日本社会経済史』一九二四）に佐古さん（一八八九船場生〜一九八九）がかみつきました。佐古さん（当時、京大国史三浦周行門下）は教え子の肥田昌三をさそって高商（一橋大学）の機関誌である『商業及経済研究』に「日本社会史の著者に先づ聴聞申す一箇条」を発表し、「材料をたくさん集めてきて、ただ形よく並べただけで、材料のよしあし、料理の仕方が全然分かっていない。」とその欠点をあげつらったのです。（略）こののち本庄は学界のドンとして君臨し、京阪の経済史学者は本庄の門下生のみで占められて行きます。佐古さんは完全に無視され、昭和二年、高商の教師を辞職。京大にも残れませんでした。（略）大阪に関することは、佐古さんがどのように書いているか、どのように云っているかを、かならず確かめるようにしています。

（肥田皓三「佐古慶三先生の業績」『藝能懇話』二十、二〇〇九）

やや暴露的な証言ですが、本庄―宮本の活躍の後景に、どういう事態があったかが語られています。「完全に無視され」た佐古慶三《さこけいぞう》は、大阪遺産の一つとして著名な船越政一郎編『浪速叢書』（一九二七～三二）の相談役として名を載せますが、研究者として知る人はほとんどいません。したがって宮本に対抗する研究史として語られることはありません。しかしながら、研究遺産としてはよく知られています。それは、大阪商業大学商業史博物館所蔵「佐古慶三教授収集文庫」と総称される古文書群で、近世大坂研究の宝庫になっているのです。同博物館の編として商業史博物館史料叢書『蔵屋敷』Ⅰ～Ⅱ（二〇〇〇～二〇〇二）などが出版されているのは、その一例です。研究史だけでなく、研究遺産という視点を立ててみることで、それを認識することができます。

〔補註〕

研究遺産として近世の大坂を考えるとき、宮本に先行して、かつ対極的な議論を「天下の町人考」で展開した国文学著中村幸彦（一九一一～九八）の業績を忘れてはならない（小著『武士の町大坂』で触れた）。『中村幸彦著述集』全一五巻（中央公論社）としてわたしたちの前に屹立している。

四　新発見「浪花名所図屏風」の紹介

最後に、大阪遺産としての画像資料について触れたいと思います。というのも七月四〜五日に、ロンドン大学SOAS（アジア・アフリカ研究所）で開かれた左記のシンポジウムに参加して、報告する機会があったからです。

Shifting Perspectives on Media and Materials in Early Modern Japan,
Interdisciplinary Perspectives on Early Modern Japan – History and Art History: Text and Image
交流する日本近世史――美術と歴史・絵画と史料――

古文書を含む文献を中心に歴史研究するわたしには珍しい機会でしたが『大坂代官竹垣直道日記』を読むなかで、美術資料に関して意外で重要な発見があったことを紹介しました。それは『浪華勝概帖』と題する画帳に関するものですが、『浪華勝概帖』は近世後期の大坂を描いた美術品として、一九八三年に出た『近世大坂画壇』（大阪市立美術館）によって知られています。同書では「大坂画壇の絵師二八人に九五景九八枚を描かせて江戸土産にしたもの」と解説が付けられ、上田公長・西山完瑛・森一鳳といった主だった画家たちに触れています。ところが不思議なことに、嘉永元年（一八四八）という年紀の付いた篠崎小竹《しのざきしょうちく》の序文に全く触れていません。その理由は、序文にある「竹

写真３　浪花名所図屏風（部分）
『新出「浪花名所図屏風」の研究』（関西大学なにわ大阪研究センター,2016）

垣君莅任此地五六年属画師近郊山水之諸勝」の「竹垣君」の正体が分からなかったからだと思われます。したがって注文主が不明のまま、委嘱されて描いた絵師だけの説明に終始することになったのです。

ところがわたしたちの「竹垣日記」の解読によって、その正体が判明したのですから、期せずして、美術史にとっても文献史がいかに大事であるかが証明されることとなりました（詳しくは大阪歴史博物館館蔵資料集八『浪華勝概帖』二〇一四を参照）。その間、約三〇年の歳月があります。「竹垣日記」の解読はなにも『浪華勝概帖』の注文者を明らかにするために始めたのではないのですが、「武士の町」大坂という問いがなければ、竹垣日記の解読も、そして竹垣その人のことも明らかにならなかっただろうと思います。その意味で、美術と歴史、絵画と史料の交流は積極的に進められるべきであることは論を俟ちません。

そこで紹介したいのが、近年、わたしたちが実見し、紹介する機会を与えられた新出「大坂名所図屏風」六曲一双（個人蔵）です（**写真３**）。

左隻　桜ノ宮、天満天神、天満青物市、浪花三橋、八軒家、川船、大坂城、桃山、高津宮、

道頓堀、北御堂、御霊社、新町

右隻　生国玉社、四天王寺、住吉大社、住吉浜、天保山、四ツ橋、堂島米市場、雑魚場、川口、廻船

描かれた名所をピックアップすると右記の通りですが、その特徴は、つぎのようにまとめられると思います。

① 大坂の名勝（名所）をキッチリ描くが、人物に目鼻がない
② 景観年代は江戸後期か？　天保山の位置づけがキーポイント
③ 川舟・廻船の占めるスペースが異常に大きく、海事資料としての読解の可能性
④「天下の台所」大坂の図像化のひとつ
⑤ 画家ならびに注文主（依頼者）が誰かは不明

よく知られているように都市図屏風といえば、「洛中洛外図屏風」が著名で、しかも一〇〇点以上の作品が残されていることから、比較研究も盛んです。それに比べると大坂を描いたものとしては、新出の「浪花名所図屏風」をふくめてわずか一一点という少なさです。古都京都に比べた時、大坂の新興都市としての位置を物語ります。

「名所図会」という絵入り版本のジャンルでも、まず京都が出て（『都名所図会』安永九年〔一七八〇〕）、

ついで住吉（『住吉名勝図』寛政六年〔一七九四〕）、大坂（『摂津名所図会』寛政八・一〇年〔一七九六・九八〕）と続きます。天保五年（一八三四）に『江戸名所図会』が出る江戸をひとまず置くとしても、京都の後塵を拝する大坂の位置が窺えます。

ところが「洛中洛外図屏風」が、京の町を二分し、左隻に西山、右隻に東山を背景に洛中の町並みを描くという構図をとるのを常態とするのに対し、大坂の場合、西から東を望む系統（A）と北から望む系統（B）が併存することに特徴があります。谷直樹氏は、こうした構図は、大坂城と城下町の変遷に関係があるとして、つぎのように説きます（「「浪花名所図屏風」発見の意味」『新出「「浪花名所図屏風」』、関西大学なにわ大阪研究センター、二〇一六）。

豊臣時代には北の大坂城と南の四天王寺がランドマークとして屹立し、その間に市街地があるという（西から見た）構図がふさわしい（A）。ところが江戸時代になり、淀川から大阪湾に至る臨海部の開発と徳川大坂城天守の焼失（一六六五年）とによって、都市軸は南北から東西に転換し、屏風の中心に淀川を置き、船場の市街を北から眺める構図が生まれます（、B）。その画期は、一七世紀末が景観年代とされる「浪華名所図屏風」です。

東西から南北への都市軸の転換・併存という問題は、江戸期に発展する都市図にも見ることができ、近刊の大作『近世刊行大坂図集成』（二〇一五）を開くと、その全貌が明らかとなります。一〇〇点を超える大坂図を眺めていると、最古の明暦図や貞享年間などの地図は一様に、東から西への展開となり、大坂城を地図の頂点に、大川が東から西に（画面の上から下に）一気に流れ下って大坂湾に注ぎ、その両側に天満・北・南の大坂三郷の町々が櫛比するという画面構成になっています（A）。東西に長く、南北に短い紙型も共通しています。

ところが後期には、北から南に展開する大坂図が登場します。「文政新改図」は、その一つですが、なによりも東西と南北の長さがほぼ均等で、正方形に近い紙型をもちます。画面は、北は天満から大川を超えて船場・島之内をへて天王寺に至り、東西は大坂城から大川に沿って西に展開し、河口部の新田に至るという構図を取ります（B）。東西に比べると、南北は大阪湾の印象がきわめて希薄ですが、都市部については詳細の度を高めています。大坂町奉行所の測量家大岡藤二が関与したという事情とも関わるのでしょう。

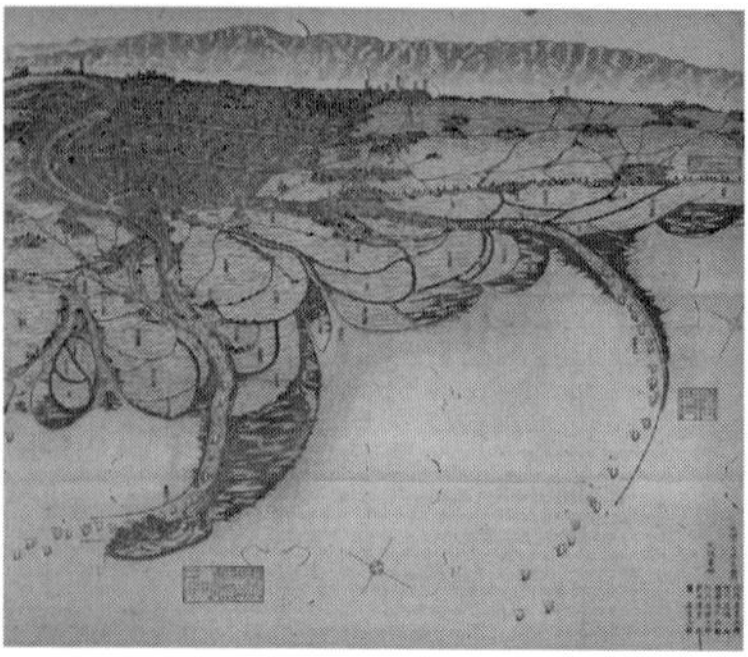

写真４　大湊一覧
（創元社『近世刊行大坂図集成』2015より、京都大学附属図書館蔵）

こうした大坂図の流れから見ると、「浪花名所図屏風」は逆行した東西の構図を持っています。その理由は、大坂城と四天王寺と並んで、住吉大社を含め、大坂の三大名所を視野に収める必要があるからだと思われます。北と南に離れた三者を、一つの視野に収めるとすれば視点は西に、大阪湾上に据えるほかありません。屏風には前例のないこの構図ですが、都市図にはあります。「大湊一覧」がそれで、「大坂市中と連なる海岸辺を近景に、遠景を生駒の山並み」とするタテ六〇センチメートル、ヨコ一〇〇センチメートルの長方形の絵図です。上田公朝門下の画家中川山長は、「難波ノ地形長遠ニシテ東西短狭ナリ」と西に視点を据えた理由を注記しています（**写真４**）。また天保五年（一八三四）

の年紀をもつ「題浪華新丘図并引」という題簽を付けた阪上九山によると、当初「遠客の需」に応じて手描きしたが、その「遠客」に木版画として出版することを求められたと述べています。

天保二年に「お救い大浚」によって築造された天保山の壮挙を称える「大湊一覧」ですが、画面いっぱいに、安治川・木津川と堺湊にそれぞれ一列となって入津する廻船を多数、描いています。「浪花名所図屛風」にも、屛風の前面に廻船・川船が所狭しと描かれ、その迫力は半端ではありません（森本幾子「「浪花名所図屛風」に描かれた船について」『新出「浪花名所図屛風」の研究』、関西大学なにわ・大阪研究センター、二〇一六）。「大湊一覧」を注文した「遠客」と同様に、「浪花名所図屛風」を注文した依頼主も、「天下の台所」大坂の視覚化を求めていたと思われますが、それはどこの人でしたでしょうか。

一幅の名所図絵とも言える『浪華勝概帖』の注文主が、江戸からやってきた大坂代官という地味な存在であったことは、「浪花名所図屛風」の注文主も、大坂以外の「遠客」であることも予想させます。いつの日か、それを確定する史料が出て来ることを期待したいと思います。

おわりに

知多半島総合研究所は、近世の物流史研究のセンターの役割を果たしておられますが、その守備範囲のなかに大坂もすっぽりと収まります。したがって研究所の成果は、わたしたち大阪を研究する者にとって大きな恩恵となっています。その一方、大坂はまた、江戸幕府の西国支配という守備範囲のなかに収まっていますので、その視点から見ることも重要です。この度、わたしを招いていただいたのは、そのことを考慮されてのことではないかと思います。したがってこの間、「武士の町」という問い＝仮説に導かれて学ぶ過程のなかでわたしが考えてきたことを中心に述べました。やや個人的な研究遍歴に終始した感がありますが、要約すると

1　近世の大坂に注がれた視点＝資料を大阪遺産として捉える
2　視点＝資料の偏在を認め、それを修正する視点＝資料を意識的に追加する
3　一つの視点＝資料から結論付けないで、複数の資料＝外からの視点を生かす

ということになるかと思います。

（日本福祉大学知多半島総合研究所『知多半島の歴史と現在』二〇、二〇一六年）

Ⅱ　大阪の学問所

「泊園書院址」碑

泊園書院の創立者藤澤東畡は旧讃岐、いまの香川県高松市塩江町の生まれ。32歳の時、大坂に出て淡路町に私塾泊園書院を構えた。その後、書院は南岳・黄鵠・黄坡と受け継がれ、明治末年、本院は東区平野町、分院は南区竹屋町にそれぞれ移動、さらに大正9年(1920)、竹屋町の分院が本院となり、昭和23年(1948)まで続いた。その竹屋町本院跡に建てられていた泊園書院址碑(藤沢桓夫揮毫)が平成22年(2010)10月、関西大学に寄贈され、泊園記念会創立50周年の慶事を祝うこととなった。

都市大坂の研究は、武士と並んで私塾への関心を生むこととなった。それはさらに、関西大学泊園記念会会長（平成二〇年〜二七年）を務めることで、増幅された。作家藤沢桓夫氏からの泊園文庫の寄贈を契機に設立された記念会であるが、石濱純太郎・大庭脩・藤善真澄の諸先輩の跡を受けて会長となった。漢学や中国史に造詣の深い教授が就く会長職に、日本史家が就くのは異例で、内心忸怩たるものがあったが、三世四代、約一二五年の歴史を誇る学術遺産の魅力に惹かれていった。

「泊園書院と初代院生藤澤東畡」は、『大阪春秋』誌が、二〇一四年夏号に特集「没後二五年　回想の藤澤桓夫——大阪文壇の大御所」を組んだ折、小特集「藤澤家三世四代と泊園書院」に寄稿した一文。

「藤沢東畡先生を語る」は、東畡先生生誕一五〇年に当たる平成二五年（二〇一三）一一月九日、高松市立塩江小中学校に招かれ、小学五年生から中学三年生の約八〇名と地元の藤澤会の有志を前にして話した記録。

「懐徳堂と泊園書院」は、大阪府が進める「新なにわ塾」事業に、大阪府立大学観光戦略研究所とともに関西大学大阪都市遺産研究センターが協力することから、二〇一四年度に取り上げられたテーマ「学校」の一つとして講演したもので、『「大阪の学校」草創期を読む』（編集・発行ブレーンセンター、二〇一五）に収められた。

なお表記に当たっては、藤沢と自著している桓夫を除き、基本的に藤澤を使用した。

泊園書院と初代院主藤澤東畡

――大阪と高松を結ぶ――

二〇一四年

一　関西大学と泊園書院

関西大学には泊園《はくえん》記念会がある。それは昭和二六年（一九五一）三月、作家藤沢桓夫《ふじさわたけお》によって泊園書院の蔵書が関西大学に一括、寄贈されたことに由来する。寄贈を受けたことで、新制大学として再出発した関西大学文学部に東洋文学科が開設され、さらに東西学術研究所が設立された。研究所では、史学科教授石濱純太郎《いしはまじゅんたろう》を中心に泊園文庫の整理が進められ、その後、『関西大学泊園文庫蔵書書目』『同索引之部』が相次いで刊行された。その後、昭和三六年（一九六一）に泊園記念会が設立され、六月三日、第一回泊園記念講座が、中之島の朝日新聞大阪本社講堂で開催された。寄贈から十年後の記念講座の冒頭、藤沢桓夫は、つぎのように述べた。

このたび関西大学に泊園講座が設置されることになったことを知り、泊園書院創立者の遺族の一人として、私は衷心からの喜びを禁じ得ない。学問の道は、それを志す人々のために、広く門戸を開放するのが最も望ましいことはいうまでもなく、この大阪の土地と文化にゆかりの深い泊園書院の漢学が、これを機会に、若き学徒諸君の自由なる研究の対象としての場を得たことは、泊園文庫を関西大学に寄贈した私どもにとって、まことにこの上ない光栄といわなければならない。

また藤沢は、「むかしは学問はおおむね世襲でもあったので、祖父（藤澤南岳）は孫の誰かが当然継ぐものと信じていたかも知れない」が、「みんな申し合わせたように家の学問をつごうなどてんで考えもしなかった」と、父藤澤黄坡《こうは》の死去（昭和二三年）後、泊園書院が、幕を閉じるに至った経緯を吐露している。

初代院主藤澤東畡《とうがい》による開設以後、南岳《なんがく》・黄鵠《こうこく》・黄坡と、百二十年余にわたって泊園書院は学統を誇っていたが、泊園書院と関西大学との関わりは、大正一一年（一九二二）、四代院主黄坡が関西大学予科に出講し、ついで一三年、専門部文学科講師となることで本格化した。この頃、明治一九年（一八八六）に関西法律学校として出発した関西大学は、大学昇格への準備を進めており、大正一一年一一月四日、大学昇格が認可された。

当時、専務理事として大学昇格準備の中心にいた宮島綱男《みやじまつなお》は、「大阪が経済的に全国で最も有力であると云ふ事こそ、実に今や其所に文科大学の起こるべきハイタイムである事を意味している」（『関西大学百年史資料編』平成八年）と述べ、文科大学をもつ総合大学への意気込みを語っているが、泊園書院院主黄坡の講師就任は、総合大学を目指す関西大学の教学の一翼を担うものであった。その後、黄坡は関西大学専門部教授となり、定年退職後の昭和二三年、関西大学初の名誉教授となったが、出講以来その歳月は二六年に及ぶ。その意味で泊園書院は、関西大学の知的伝統のひとつであるというのも過言ではない。

昭和三六年の記念会設立以降、泊園講座は中断することなく続けられ、三七年に創刊された雑誌『泊園』も今年度で五三号を数える。この間、平成二年（一九九〇）には、会長大庭脩《おおばおさむ》の主宰によって創立三周年記念行事が開催され、平成二二年（二〇一〇）には五〇周年を迎えた。一〇月二三日には、国際シンポジュウムと特別展示が催され、多数の来館者を得たが、五〇周年を寿ぐかのように、旧竹屋町の個人宅にあった「泊園書院址」碑（扉写真）が関西大学に寄贈され、同日朝の除幕式となった。

二　大阪での名声高まる

藤沢桓夫は『大阪自叙伝』（昭和四九年）のなかで、泊園書院をこう紹介している。

生まれた家は船場にあったけれど、私の家は商家ではなかった。曾祖父の東畡、祖父の南岳と、代々漢学者で、高松藩の藩儒をつとめ、曾祖父と祖父は明治の初年に大阪へ出て来て、船

泊園書院門人分布図
天保14 (1843) 年〜
安政 6 (1859) 年
泊園文庫蔵『泊園書生姓名録』による。同書は天保 14 年（1843）から安政 6 年（1859）の 17 年間の寄宿生について記している（通学生は含まない）。総勢 287 名。
佐渡
讃岐
摂津
河内
和泉
紀伊
不明

図１　泊園書院の門人分布１

場の淡路町で「泊園書院」という漢学塾を開いた。

曾祖父の東畡が大阪に出て、泊園書院を開いたのは文政八年（一八二五）のことなので、やや不正確な部分もあるが、東畡が「高松藩の藩儒」であると同時に、漢学塾の院主であったのは間違いない。元治元年（一八六四）の東畡没後、院主となった南岳も二重の役割を務めたが、明治六年（一八七三）、大阪に戻り、泊園書院を再興してからのちは、もっぱら漢学塾院主として励んだ。この経歴の違いは、東畡と南岳、それぞれの時代の門人分布に明瞭に現れている。

図１と**図２**は、東畡・南岳がそれぞれ院主であった時代の門人帳をもとに門人の分布を示したものであるが、東畡の代は讃岐出身者がもっとも多く、泊園書院のある地元摂津を凌駕している。寄宿生だけで通学

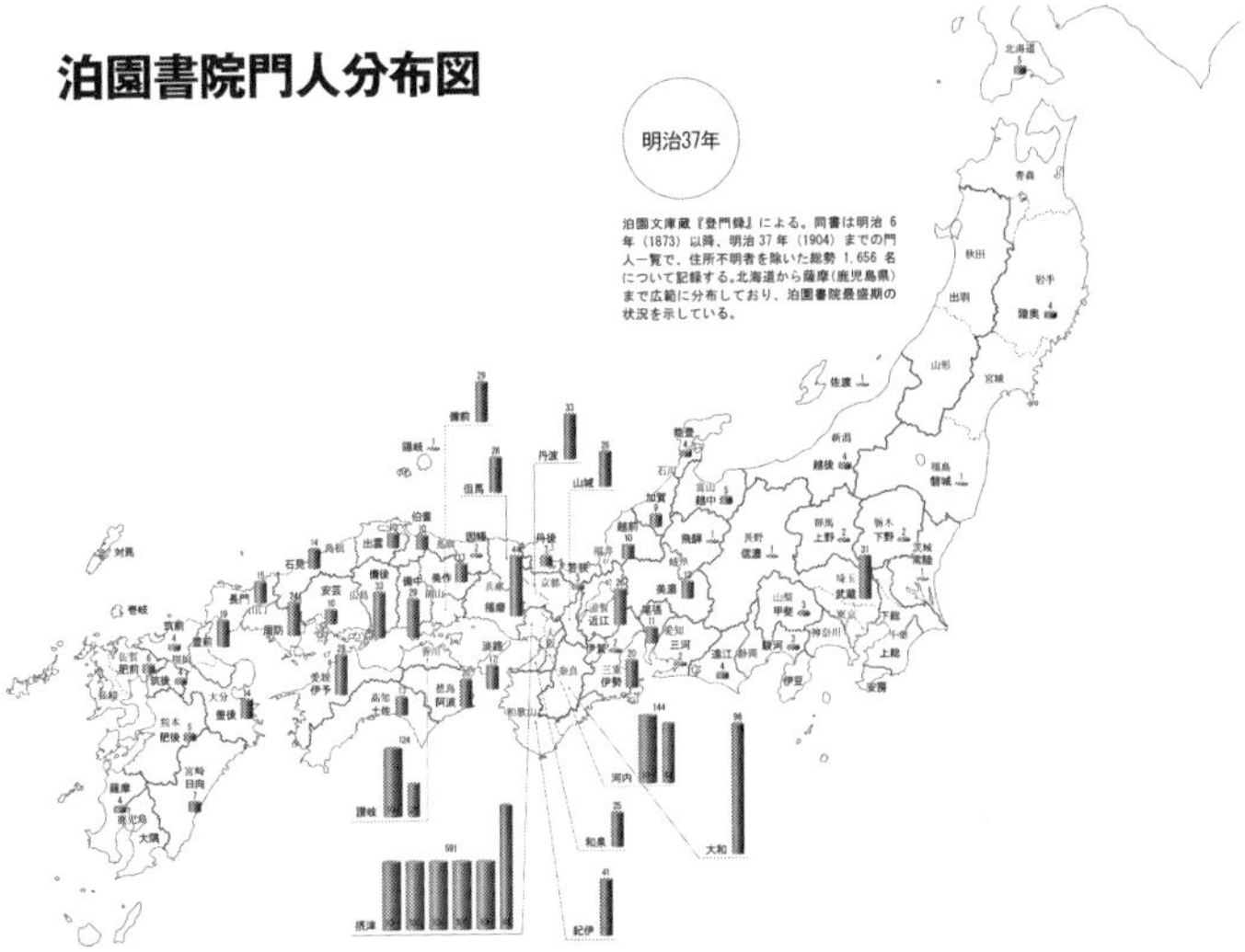
泊園書院門人分布図
明治37年
泊園文庫蔵『登門録』による。同書は明治 6 年（1873）以降、明治 37 年（1904）までの門人一覧で、住所不明者を除いた総勢 1,656 名について記録する。北海道から薩摩（鹿児島県）まで広範に分布しており、泊園書院最盛期の状況を示している。

図２　泊園書院の門人分布２

生を含まない数値である点を割り引いても、讃岐高松藩とのつながりが濃い。それに対し、南岳の代になると状況は一変し、摂津（大阪府）の比率が高まる。しかも大阪市中の船場・島之内に門人が密集している。「「衣食足りて礼節を知る」とは古人の言だが、ゆらい大阪の一流の商人の間には学問を尊ぶ気風があり、船場・島之内の商家で子弟を祖父の許に通わせた家も多かったようだ」、という『大阪自叙伝』の一節を証明する。

南岳の下での大阪関係者の門人の多さは、私たちが調べた碑文調査でも明らかである（『泊園書院関係碑文調査報告書』二〇一二）。その意味で泊園書院の歴史には、出身地讃岐高松と塾の所在地大坂の二つの足場を持った東畡の代と、大阪の漢学塾となった感の強い南岳時代との間に、大きな画期があるということができる。

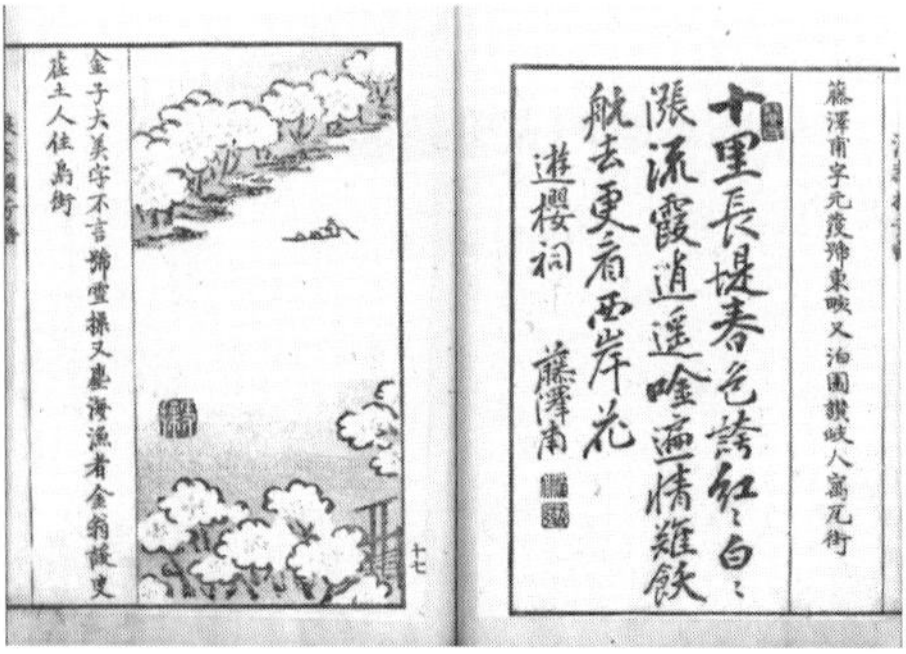

写真1　「浪華擷芳譜」の東畡と雪操

文政八年（一八二五）、大坂淡路町に泊園塾を開いた東畡が、その後、どのようにして塾生を集めたのか、詳しいことは分からない。一方、儒家として東畡の名は、弘化二年（一八四五）の『新撰浪華名流記』（『近世人名録集成』第一巻、昭和五一年）に見える。おそらくこれが、大阪人名録への最初の登場であろう。広瀬旭《ひろせきょく》荘《そう》の日記『日間瑣事備忘《にっかんさじびぼう》』に、その頃の東畡が登場する。それを拾うと弘化四年正月二日早朝、年賀の挨拶廻りに出かけた旭荘は瓦町の泊園書院を訪れ、東畡と当時六歳の嫡子恒太郎（のちの南岳）に会い、その後、篠崎小竹・中西耕石・後藤春草（松蔭）・篠崎訥堂（竹蔭）ら文人仲間宅を廻っている。弘化四年は、東畡が平野含翠堂に出講し始めた年で、以後、死去するまで続く。

嘉永元年（一八四八）刊行の『浪花当時人名録』には、淡路町堺筋として東畡の名が出るが、序列は、篠崎小竹・並河又一郎・中井脩二・後藤松蔭・斎藤鑾江に次ぐ六番手で、その後に旭荘が来る。また嘉永六年の年紀をもつ「浪華風流月旦評名橋長短録」は、大坂の文人の名声度を橋の長短になぞられた番付であるが、天満・天神・難波の大坂三橋に見立てられたのは、金子雪操（画人）・後藤松陰と藤澤東畡である。雪操と東畡の二人は、『浪華擷芳譜』に揃って出る。（**写真1**、浪華擷芳譜）。同番付を表した『浪華風流名橋競ノ評』は、「今日浪花ノ諸文人ヲ位置スルニ、儒ハ東畡春草旭荘小山ナルベシ」と記している。大坂文人仲間内での東畡の地位

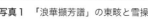

は、上昇が著しい。そして安政三年（一八五六）の『浪華名流記』では左記のとおり、落合雙石に次いで二番手に登場する。齢六〇歳を超え、東畡の大坂での地位が頂点を極めようとしていた。

儒学　藤澤東畡　名甫字元発号泊園称昌蔵、以寛政甲寅生讃岐高松府人、寓瓦坊第二街、少受業於本府中山城山、其学出自蘐園後受本藩俸

三　大阪と高松を結ぶ

このような東畡の地位上昇に大きく寄与したと思われる事績がある。嘉永四年（一八五一）の豊岡藩主京極高厚への進講である。この一件は後年（明治四四年）、二代院主南岳が「当時京極公より賜たる品目と、名代よりしての消息とを一巻に装し、尊道巻と題せられた」と箱書することで泊園書院の至宝となった（写真2、兵庫県立歴史博物館蔵）。

「尊道巻《そんどうかん》」と題せられた巻子は、前半六点が「京極公より賜たる品目」であり、後半七点が「名代よりしての消息」である。文中の京極公とは、但馬国豊岡を居城とした一万五〇〇〇石の大名豊岡藩主京極高厚《きょうごくたかあつ》のことで、彼が大坂城加番として城内中小屋にあった嘉永四年（一八五一）～五年の

写真２　「尊道巻」（兵庫県立歴史博物館）

間での出来事である。

　大坂城加番とは、大坂城内を警固する職務のひとつで、一万石前後の大名、とくに畿内近辺の諸大名が幕府の命で務めた。主力である大坂城代と、玉造・京橋の両定番を補助する意味から「加番」とされた。八月初めに入城し、城内にある四つの加番小屋、すなわち山里・中小屋・青屋口・雁木坂の四カ所に家臣を率いて駐留し、翌年七月末に交替するという一年任期であった。江戸と国許は参勤交代で往復することがあっても、容易には大坂勤務のチャンスに恵まれない大名たちにとって、大坂城の勤番勤務は、またとない大坂体験のチャンスであった（これについては小著『武士の町大坂』中公新書を参考）。

　この絶好の機会に、当時一九歳の若き藩主京極高厚は、東畡の城内への出講を要請した。初回は一一月八日で、以後、一八、二八日が講義日であった。「尊道巻」に収められた書簡からは、高厚の都合でキャンセルされることがあったことも知れるが、論語の講義は正午から二時間行われ、終了後には酒肴が振る舞われた。『東畡先生詩存』には、「且喜且懼《おそれ》而賦《ふす》」として七言律詩が見える。また『東畡先生文集』にも、「奉送豊岡侯序」と題する一文があり、「市中一書生、豈敢貪公侯之恩以為栄哉。雖然公之遇書生、尊道義也」と記され、関連する一巻が「尊道巻」と名付けられた背景を物語る。

この一件、郷里の高松藩にも伝えられたことが、高松藩家老で文人としても知られた木村黙老（一七七四～一八五六）の随筆「続聞まゝの記」（神宮文庫蔵）から分かる。巻五二には、「嘉永四辛亥大坂なる儒者藤澤甫東畡之詩」が筆録されている。ついで巻六〇には、「藤澤東畡大坂御城入次第」として、大坂蔵屋敷役人香西茂十郎の一一月一八日付書状が載せられている。その内容は、「帯刀人儒者藤澤東畡」の許に京極飛騨守が入門した次第を伝えるが、「飛騨守殿ニ者当年十九歳被相成候得共、殊之外文学被志、別而古学被相好候様子東畡物語」との一文がある。

古学を好む高厚との出会いが、市中の一塾主であった東畡を「御城入儒者」の仲間入りをさせたのである。その結果と言っていいであろう、翌年、高松藩は、東畡を大坂在住のまま士分に列し、儒官として俸禄を与えている。その後東畡は文久三年（一八六三）、大坂城代松平信古に出講、さらに尼崎藩主松平忠興の賓師《ひんし》として迎えられている。

その頃、面識のあった儒者岡鹿門《おかろくもん》は、「京摂間、塾徒五六十名、日々咿唔声不断ハ東畡アルノミ」（『在臆話記』、吾妻重二編『泊園書院歴史資料集』、二〇一〇）と、泊園書院の盛況を伝えている。また岡は、東畡の人となりを「人物純粋田舎翁、三都ニ住居ノ人トハ思ハレズ」と記している。この「田舎翁」が、郷里の門人揚《あげ》分潮・小四郎父子に宛て、長年にわたり、頻繁に文通を交わしていたことが、近年、明らかになった。香川県在住の個人の所蔵する二五〇点を超える東畡書簡が、高松市歴史資料館第六四回企画展「知の巨人藤澤東畡展～没後百五十年記念～」で、はじめて公開されたのである。その詳細は『藤澤東畡書簡集』（正木英生ほか編、二〇一二）に収められているが、天保八年の大塩騒動や能勢騒動から、木村蒹葭堂の評判、エレキテルの物色、京極侯への出講、南岳の成長など、内容は多岐にわたる。こうしてみると大坂にいながら東畡の目は、常に、郷里高松に向いていたと言っていいだろう。

東畡の墓碑は、大阪市内上寺町齢延寺《れいえんじ》に南岳と並んである。一方、出生の地である讃岐安原郷（高松市塩江町）には、明治三三年（一九〇〇）、地元の人々の手で建てられた「安原郷先府君碑」が残る。碑文は南岳の手によるもので、幼少の頃、農作業の間にも鎌で画を書き、河原の岩に小石で字を書いたため、地面は鳥の足跡の如く、川原の岩は字痕だらけになったと、地元に残された逸話を載せている。

（『大阪春秋』平成二六年夏号通巻一五五号、二〇一四年）

〔追記〕
文中に触れた「尊道巻」については別に「泊園書院と『尊道巻』—藤澤東畡とその周辺—」を著わし、巻子全体の文書を紹介している。陶徳民氏との共編著『泊園書院と大正蘭亭会百周年』関西大学出版部、二〇一五に所収。

藤澤東畡先生のことを君たちに伝える

二〇一四年

みなさん、こんにちは。今月の目標は「元気なあいさつ」ということなので、元気にあいさつしましょう。わたしは大阪の関西大学から来た藪田と申します。

関西大学は今年、創立一二七年を迎えます。明治一九年（一八八六）に関西法律学校として、つまり法律家を養成する専門学校としてスタートします。NHKの大河ドラマ「八重の桜」に出てくる同志社は、宣教師・牧師を養成する専門学校です。関西大学も同志社大学もどちらも、その後、大学となりますが、そのためには、国の法令にしたがって教養科目、つまり文学や歴史・宗教などを教える科目を設置しなければなりません。現在、「一般教育科目」と言っている科目群の整備が求められたのですが、関西大学の場合、その役割を、泊園書院《はくえんしょいん》に求めました。今日お話しする、藤澤東畡《ふじさわとうがい》先生が作った私塾である漢学塾の先生に、文学と教養を教えてもらうことになったのです。そこは江戸時代以来、大阪で漢学を教える学校として九〇年近く、教育活動をしてきたという実績があるので、助けてもらったのです。

その意味で、関西大学は、泊園書院がなければ生まれなかったということができます。関西大学文学部の教員である私が、今日、東畡先生の生れられた塩江で、みなさんの前で話をさせてもらうのは、そういう理由があるからです。

ところでみなさん、関西大学には現在、二万人を超える学生がいます（大学院生と留学生も含む）が、私が接するのはその一部、文学部の学生です。文学部では毎年四月、入学してきた七〇〇名近い新入生を、教員が分担して、一クラス二五名程度の学生を受け持ちます。「知のナビゲーター」という固い名前が付いていますが、そこでのわたしの授業のやり方はちょっと変わっています。入学したての一年生に自己紹介を三回させるのです。ふつう誰でも一回はしますが、それで終わりません。一回だと大体、ひとり一分で終わってしまうのですが、二回目は二分、三回目は三分、と自己紹介の時間を増やして行くのです。

最初、学生は困った顔をします。何を話せば三分も話せるのか、分からないからです。そこで私はこう、アドバイスします。「君たちの育ってきた過去を一分」、「これからの夢を一分」、というつもりで話していると、大体、三分くらいになるよと。

これまでの経験からの割り出したアドバイスですが、過去の話は、一八、一九歳までの歳月を思い出して、みんなそれなりのことを話します。とくに出身地が異なると、みんな知らない世界のことなので、とても新鮮に面白がって聞きます。今年は、受講生二五名のうち、同じ高校出身者は二名しかいなかったので、違う高校や出身地の話でとりわけ盛り上がりました。ところが難しいのは

「夢」で、夢を一分も語るのは難しいのです。なぜなら夢は漠然としていて、「学校の先生になりたい」「消防士になる」というと、五秒で終わってしまうからです。

そこでわたしはさらに「もし将来、自由に海外に行けるとなれば、どこの国に行きたいか、話すよう」に提案します。すると、いろんな国が出てきます。さらになぜ韓国か、なぜボリビアか、スウェーデンか、を説明しようすると、一分はアッという間です。こうして三分の自己紹介ができ、自分がこれまで育った地方と、自分が漠然とあこがれていた国が、同時に浮かんでくることとなります。これまで漠然と感じていたものが、人前でハッキリと言えたことで、今後、学ぶ科目を考える手助けになっているように思います。

「広島は路面電車の町です」として地元を紹介した女子学生は、その路面電車の最新車両がドイツで作られているからということで、昨年の夏休みにケルン大学に語学留学に行きました。また愛媛県の弓削《ゆげ》島から今年入学し、当初、電車の乗り方が分からないと困っていた男子学生が選んだ国はイタリアで、目的は、プロサッカーリーグの試合を見たいということでした。いうまでもなく彼は、少年時代からサッカーが好きだったからです。みなさんも高校生や大学生くらいになるときっと、「あそこに行ってみたい」という国・地域がはっきりと立ち現われてくることでしょう。

さて、塩江の大先輩である藤澤東畡先生――東畡は泊園と同様、学者としての名で、実名は甫《はじめ》、通称は昌蔵《しょうぞう》といい、寛政六年（一七九四）に生まれました。二〇〇年以上も前の江戸時代後半のことです。江戸時代のことは知っていますね。士農工商の身分制度があったことも。

お父さんは喜兵衛、お母さんはかねといいます。両親の職業は農業、したがって身分は百姓です。日本国中、どこにでもある農家の子どもとして生まれたのですが、甫くんには特別に優れた才能があり、しかも勉強が大好きでした。しかし両親の百姓仕事は忙しく、子どもといえども遊んでばかりいられません。だから甫くんは、農作業の傍ら勉強をしました。薪を背負いながら本を読んだ二宮金次郎は有名ですが、甫くんも、草刈りに出かけると鎌で地面に画を書き、塩江川の河原では硬い石（消し炭という説もあります）を柔らかな石に当てて、文字を書いていたので、川原の石は刻印（黒い炭）だらけになった、と地元では伝えられています。こんな少年時代のエピソードが残るほど、甫くんの勉強ぶりは、目立っていたのだと思います。

その後、数え歳九歳で、横堰《よこい》村の中山城山《なかやまじょうざん》という先生の下に通学します。もちろん歩いて行きました。そして一八歳の時にはもう、高松で教えていたそうです。みなさんも羨ましいほどの秀才ですね。でもここで知ってほしいのは、この秀才である甫くんが、地元香川を出てつぎに、どこに行きたいと考えたかということです。みなさん、どこだと思いますか。江戸、京都、それとも大阪？

答えは長崎です。二三歳の時、城山先生の許を去って、西国（西日本）を遊学し、山口・福岡を経て、長崎に向かったのです。城山先生には「同志を求めて遊学する」と伝えたそうです。「留学」と言わずに、「遊学」というのは、一カ所にとどまらず、各地の学校を訪問し、すぐれた指導者や友人を求める旅であったからで、当時は、それが普通でした。山形県出身の清河八郎という人は、生涯、日本六六州を旅して、「見ていないものはない」と自慢したそうですが、旅には、「学ぶ」という大きな意義がありました。「可愛い子には旅をさせろ」という諺には、真実味があったのです。

いまのように飛行機で移動し、メールで遣り取りできるグローバル化した社会から見れば、日本を旅したくらいで「世界を見た」というのは大袈裟かもしれませんが、船を除けば、人が徒歩でしか移動しなかった時代、しかも「鎖国」で海外と遮断されていた時代には、西日本を経て、長崎に至る旅路は、十分に世界を見るにふさわしいものでした。

とくに長崎は当時、世界と直結していた国際都市です。ある研究によると、江戸時代二七〇年の間に長崎に遊学した人は一〇五二名で、香川県の四一名は、東京、佐賀、福岡につぐ四位の多さです（平松勘治『長崎遊学者事典』渓水社、平成一一年）。甫くんのほか、師の中山城山先生、みなさんもよく知っている平賀源内《ひらがげんない》（一七二八〜七九）さんも、長崎遊学組です。長崎にはオランダ人が常駐し、中国船も頻繁に来航、その中国は世界に開かれていました。韓国人のある先生は「朝鮮には長崎がなかった」と言い、日本に比べて近代化が遅れた要因を、そう表現しています（姜在彦『朝鮮の攘夷と開化』平凡社選書、一九七七年）。甫君は、長崎に三年滞在し、とくに中国語を習得しようと頑張ったようです。

当時、漢学―儒学ともいい、英語では創始者の孔子の名をとってConfucianismといいますが、漢学でも蘭学・洋学でも、新しい学問の成果が次々と長崎に入ってきていました。もっとも最新の学問は、天文学・医学、そして軍事学でした。甫くんがお世話になった長崎の町年寄高島四郎兵衛さんの子どもは、のちに軍学者・砲術家として知られた高島秋帆《たかしましゅうはん》（一七九八〜一八六六）です。これらの最新の学問は、実際の応用を重視するので、応用学の部類に入りますが、甫くんは、それよりも基礎学問に関心が強かったようです。

歴史の教科書は間重富《はざましげとみ》や緒方洪庵・高島秋帆など、応用学で有名になった人を載せる傾向が強く、基礎学問で頑張った東畡先生が載せられていないのは残念ですが、その果した役割にはとても大きなものがありました。

その後三〇歳で、大阪に出て、一時帰国し、文政八年（一八二五）、三二歳で再び、大阪に出て私塾泊園書院を開きます。学者・教育者としてデビューします。資料は残っていませんが、郷里のご両親や中山城山先生の気持ちは、どうだったでしょうか？

甫くんはこうして東畡先生となりましたが、当時の大坂では、新興の私塾が次々と起こっていました。東畡先生は徂徠《そらい》学という流派ですが、大坂町奉行所与力の大塩平八郎は、陽明《ようめい》学という流派で門弟を集めていました。九州の大分からは広瀬旭荘《ひろせきょくそう》という青年学者もやってきており、本流の朱子学では懐徳堂、詩文では梅花社というグループもあり、さらに医学では漢方と蘭方が競い合い、少し遅れて緒方洪庵の適塾が創立されます。まさに私塾間の競争が激しくなっている時に、東畡先生は大坂に出て行ったのです。

当時の塾生には通学生と寄宿生がいました。残された門人帳からは、当時は香川から入門した学生が一番多くて、次が大坂の学生でしたので、香川は寄宿生、大坂は通学生だったと思います。一〇歳前後の少年から二〇歳前後の青年までいたようです。当時の塾の規律が残されていますので、すこし紹介しましょう。

●毎朝、交替で掃除すること。当番は早起きし、皆を起こし、掃除を終える。

もしこれを忘れた場合は、罰として掃除と洗濯をする。
●塾に入るときには名札を変える。忘れたら二日間の掃除・洗濯。
●定刻を過ぎて明かりをつけていれば、三日間の掃除・洗濯。

罰が掃除・洗濯ばかりというのが面白いですが、体罰がないのに注目してください。禁止されているのは、勝手な外出、夜間の外出、俗っぽい流行歌を歌うこと、酒を飲むことなどです。友達でカラオケには行けませんね。これも寄宿生を念頭に置いていることを忘れてはいけません。大坂は瓦町《かわらまち》（のち淡路町）という、今では高層ビルの立ち並ぶオフィス街、「天下の台所」大坂の心臓部――船場の一画に泊園書院はありましたので、当然、周囲には青年たちを魅了する楽しみが多かったに違いありません。いまでもそうですが、誘惑の多い大都会で学ぶには、勉強に専念する態度をいち早く身につけることが大事です。それを念頭に塾の規則が決められているのです。

当時、大阪天満で洗心洞《せんしんどう》という私塾を営んでいた大塩平八郎のばあい、教科は哲学書を先に学び、文学書はその後としなさい、もしそれを逆にすれば鞭を加える、という規則がありました。これから言えることは、東畡先生の塾は、かなり自由な学び舎であったと思われます。とくに先生自身、哲学や歴史・文学だけでなく、作詩や書画、囲碁、音楽を学んでおり、とくに七絃琴を膝に抱え、自分で作った漢詩を歌うという姿は、魅力的です。実際、江戸後期の大坂の漢学塾で、もっとも人気があったのは東畡先生の泊園書院だと、いくつかの史料に書かれています。

先生一人で四〇人余の学生、なかには少年もいるという規模のかなり大きな泊園書院では、おそらく東畡先生と奥さんの貞さんはかなり忙しかったことと思います。東畡先生は、七一歳で亡くなられるまでの間、教えた学生の数は三〇〇〇人と、のちに泊園書院を継いだ息子の南岳《なんがく》先生が書かれています。

先生と奥さんについては、ひとつエピソードがあります。晩年、東畡先生が重い病気で床に就いていたとき、奥さんの貞さんは一生懸命に看護されました。幸い、先生は回復されたのですが、看護に疲れた貞さんが急死されました。「まるで身代わりのように亡くなった」と、引田《ひけた》生まれの奥さんを詠んだ詩が残されています。

また先生の肖像画が残されています。写真などない時代に、よく肖像画が残されていたものですが、そこに東畡先生が自ら付けた詩があり、「顔は削った瓜のよう」と書かれています。みなさんのよく知っている嵐の五人組でいえば、相葉君に近いタイプですね。見るからに頑丈な体格とはとても言えないようですが、七一歳まで天寿を全うされました。その間、お父さんの喜兵衛さんは先生が三八歳の年、お母さんのかねさんは先生六四歳、奥さんの貞さんは先生六七歳の時に、それぞれ亡くなられています。

とくにお母さんは晩年、東畡先生とともに大坂におられ、先生五八歳の時、高松藩主松平頼胤《よりたね》公が、藩内の八〇歳以上の長寿者に羽織を贈られるということがありました。大坂にいるお母さんにも贈られ、先生の許にも届けられました。この時先生は、「忽《たちま》ちにして覚える庭闈《ていい》春色新たなり」で始まる七言絶句の詩を詠まれました。藩侯が下されたのは春三月ですが、先生の許に届いたのは六月、夏です。それにもかかわらず、羽織が届くことで、塾を兼ねた自宅の庭に再び春が来たようだ、と

写真３　藤澤東畡の庭（塩江小中学校）

詠まれたのですが、すごい感性ですね。

「青春」ということばがあるように、春は四季、春夏秋冬のひとつという以上の意味が込められています。この七字が刻まれた碑文が、塩江中学校の校庭に地元塩江の人びとによって建てられたのは、昭和三八年（一九六三）一二月に開かれた東畡先生百年祭のときです（写真3）。その時、今回の私と同様に、中学生諸君に講話をされたわたしの恩師でもある大庭《おおば》脩《おさむ》先生は、こう書いています。

「はたして百五十年祭にあたって、彼ら若人が東畡先生をいかに遇するだろうか」と。じつに今日が、一五〇年祭のその日なのです。

両親であれ、恩師であれ、先人に対する思いは「伝わる」のではなく、「伝える」のが人として大事なことだと思います。わたしの話が、二百年前の郷土の先人藤澤東畡先生を思い起こすきっかけになれば幸いです。

みなさんのご清聴に感謝いたします。


（関西大学泊園記念会『泊園』五三、二〇一四年）

懐徳堂と泊園書院
――私塾が果たした役割と大学――

二〇一五年

はじめに

新なにわ塾にはオルガナイザーとして関わっておりますので、私自身が何も講座を担当する必要はありません。適当な人を見つけてくればいいのですけれど、今回の「大阪の学校」については私自身が、ぜひともやりたいと思っておりました。というのは、さきほど紹介いただきましたように、一九歳で大阪大学に入学してから現在まで、ずっと大学におります。大学しかしらないという言う方が適当かもしれません。しかも一時期、京都の橘女子大学に勤めますが、また関西大学に職を得て、大阪の大学に戻ってきました。その結果、なぜ大阪に大学があるのか、大阪という都市で、大学が何をすべきなのか、などいろいろ考えるようになりました。しかも大阪で、大学の知的伝統が江戸時代の大坂につながっているところは、私の在籍した関西大学と大阪大学しかないのです。そういう意味で、『大学と大阪』という問いに答える責任があると思うようになりました。

しかもそれは、どうやら私だけの特例ではなさそうです。その先例といってもいいほど大阪の学問史での業績が豊かです。参考文献に挙げましたが、大阪大学時代の恩師である梅溪《うめたに》昇先生、脇田修先生のご両人は、その先例といっていいほど大阪の学問史での業績が豊かです。両先生は現在、八〇歳代と九〇歳代という高齢ですが、長らく大阪大学の教授をされているうちに、大阪の大学にいる人間として、大阪の大学や学問の歴史について考えなければならないと――直接、聞いてはおりませんけれども――お考えになったのかと思います。

両先生の場合、阪大教授として適塾や懐徳堂の保存と研究に関与されていたという経歴がありましたが、振り返ってみて私も、泊園記念会の会長を、かなり一生懸命やっております。こういうキャリアが、大学人として、大阪の大学については「私にやらせてください」とお願いさせていただいた要因ではないかと思います。

一　学校とは何か

さて、最初に見ていただきたい画像があります。「学校とは何か」を考えたら、要素は二つあると思います。一つは施設としての学校。もう一つは、そこに先生と生徒がいるということです。この二つがあると学校は成り立ちます。施設がボロでも学生は真剣に学ぶ、施設が立派でも学生や先生のやる気のない学校もあるというように。

過日、関西大学で泊園記念講座をしましたときに、茨城大学名誉教授の鈴木暎一《えいいち》先生に弘道館について話していただきました（「水戸藩校弘道館と私塾の教育」『泊園』五四、二〇一五）。その時に先生が紹介された資料をまず、見ていただきます。たいへん面白い資料なので、先生にお願いして使わせてもらいます（**写真4**）。

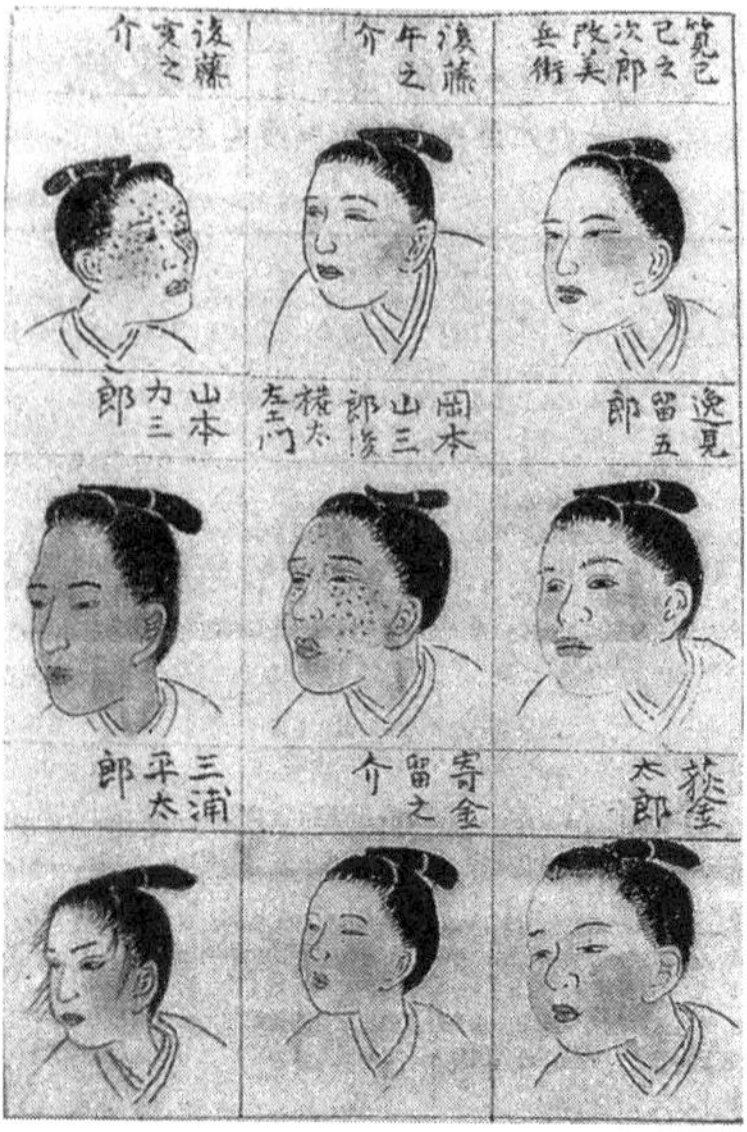

写真4　青門肖像
（部分、鈴木映一氏提供・偕楽園事務所蔵）

これは水戸藩の儒者青山拙斎《せっさい》が開いていた私塾の生徒たちを描いたもので、天保一〇年（一八三九）の年紀があります。その二年後には水戸に弘道館《こうどうかん》という藩校ができます。江戸の昌平黌《しょうへいこう》と並ぶ有名な藩校で、藤田東湖《とうこ》らののちの幕末維新期の急進的なリーダーを生み出します。青山拙斎が営んでいた私塾の卒業生からも、弘道館に進んだ人がいます。

この肖像画は青山拙斎の息子、延昌《のぶまさ》が描いたものです。お父さんの拙斎ほどには学問の力がなかったのですが、彼には絵の才能があった。あるとき、塾の先生である父拙斎が所用で外出をしたので、その代理を延昌が務めることになって塾に赴いたところ、こちらでは子どもたちがわめいているわ、向こうでは泣いてい

写真５　閑谷学校

写真６　陶山書院案内図

るわで、延昌の言うことを聞かない。ついに怒って「どうして君らはおれの言うことを聞かないのだ」と言ったら、子どもたちは「だって、あなたは私たちの先生ではないでしょう」と答えたというのです。

　塾には、「先生」の前だから「生徒」は座って講義を聞く、という約束が成り立っている。しかし代理の延昌では、その約束が成り立たないのだから、「学級崩壊」の様になっている。そう納得することで彼は、方向転換して塾生ひとりひとりの似顔絵をスケッチしたわけです。学生証のある現在ならともかく、江戸時代の私塾で生徒の顔が分かるのは。これぐらいでしょうか。すごい画像ですね。

　ここで皆さんに質問ですが、この絵は天保一〇年（一八三九）という時期の日本のある状況を見事に示しているのですが、何でしょうか。

○塾生A　疱瘡《ほうそう》。

　そう。天然痘《てんねんとう》がはびこっている時代だから、男の子九人の内二人に疱瘡の跡が見えますが、次のページにもいるのです。すごい確率だと思いませんか。彼らの場合、これは赤疱瘡だから疱瘡を遺

写真７　塾生の寮

写真８　図書室

す代わりに生き残ったのですが、黒疱瘡の場合は命を奪われるのです。これは男の子ですが、もし女の子だとしてご覧になればどうでしょうか。こんな状態で、子どもたちが生きていた時代です。緒方洪庵が種痘を成功させるまでの宿命だったのですよ。これが先生と生徒の話。

つぎは施設。江戸時代の学校、つまり私塾・藩校・郷校のなかで、一番よく遺構が残っているのは、ご承知のように閑谷《しずたに》学校です（写真５）。ところが、閑谷学校は、国宝である講堂しか残っていないので、学校の全体を知ることはできません。そこで代わって韓国の陶山《トサン》書院を紹介します（一九六九年史蹟指定）。五年前の三月末（二〇一〇年）に訪れたのですが、春の雪でした。慶尚道《キョンサンド》安東《アンドン》市からさらに山奥に入ったところに書院があります（写真６）。これは書院の見取り図です。正門を入って右手に行くと陶山書堂という小さな家屋。書堂の向かい側には塾生たちの寮、隴雲精舎（写真７）と、亦樂書齋《ゆうらくしょさい》。次は光明《こうみょう》室と見えますが、東西に左右対称に配置された図書室（写真８）。さらに進むと講堂の典教堂、朝鮮時代の名書家韓石峯《ハンソクボ》が書いた扁額が架かっています。その奥には李退渓《イテゲ》を祀る祠堂《しどう》。典教堂の東側には、書院で出版された図書の版木を収める蔵板閣があります。ここにはかつて版木が並んでいたのですが、現在、近くにある韓国国学振興院に収めてあります。

陶山書院は、一五四九年、官職を辞して故郷に帰ってきた李退渓が生前に建てた陶山書院と、死の四年後に弟子たちによって建てられた書院で構成され、韓国書院建築のモデルとなっています。李退渓は、朝鮮儒学の大成者として知られ、韓国の千ウォン紙幣に描かれています。嶺南学派という知識人グループのシンボル的存在で、もうひとりの学者栗谷李珥《ユルグクイイ》と並び称されています。書院は一五九二年、豊臣秀吉が朝鮮侵略をした時、日本の船団がソウルに向けて遡上した洛東江《ナクトンガン》の上流の畔にあり、川の中にそそり立つ塚が人目を惹きます（写真9）。これは一七九二年、正祖《せいそ》王がこの地で科挙（官吏になるための試験）を実施したことを記念して建てられた試士壇で、安東ダムの建設で水中に没するのを避けるために嵩上げされたそうです（韓国国学振興院『安東歴史文化紀行』二〇〇三）。

写真9　試士壇

写真で示しましたようにここには、学校の施設がすべて揃っています。一つ目は教室。二つ目は図書室。三つ目は印刷所。四つ目は寮。そして五つ目に祭祀施設。韓国ではこれらを含め、各地に残る書院建築を網羅することで、教育遺産として世界遺産入りを目指しています。

二　近代大阪の私塾と大学

本日の主題は「近代大阪の私塾と大学」ですが、近代に入って大学ができるときに大阪は、それまで「私塾の多い町」であったということが大きな基礎になります。江戸・東京はそうではありません。明治国家がポンと、帝国大学を作ります。その前に幕府の作った昌平黌がありますから、それを受け継いで、国家の人材養成の場所として大学を作り始めます。明治三〇年（一八九七）に京都帝国大学ができるまで、国家が必要とする人材は、すべて東京で養成するというのが明治政府の考え方です。

ところが、大阪とか地方の都市はそうではありません。自分たちのために、自分たちの跡を継ぐ人たちのために、大学を作っていくわけですが、その前提が江戸時代に蓄えられた私塾の遺産です。一回目の講座で辻本雅史さんが、江戸時代の京都は「学園都市」「学研都市」であったと言われましたけれど、その場合の学園は、ほぼ私立です。それが前提となって、近代の学校制度が始まることを理解しておいていただきたいと思います。その一例が、関西大学です。

関西大学は明治一九年（一八八六）に作られた関西法律学校を前身にもちますが、その設立主旨にはつぎの四点が書かれています。

●法律・経済の学は日常生活に必要不可欠である。

●東京には官立・私設を問わず学校の設立が盛んであるが、大阪はいまだに中学があるのみ。
●大阪は東京に次ぐ大都会で、内外交渉の事件・往来交通も頻繁な土地である。
●大阪は文学に優れた地で、中井竹山・履軒、大塩中斎、篠崎小竹などを輩出した。

主旨の四カ条目を紹介すると「我大坂《わが》は夙《つと》に文学に優なるの地にして、古来碩学能者《せきがくのうしゃ》を出す一にして足らず、就中《なかんずく》文政天保年間には大儒《たいじゅ》中井履軒《りけん》・竹山《ちくざん》、大塩中斎《ちゅうさい》の如き、降《くだっ》て、小竹《しょうちく》等、その他有名の文人学士彬々《ひんぴん》輩出」とあります。関西法律学校を設立し、法律の実用家を養成しようと思っているときに、わざわざ、江戸時代の大阪はこれだけの学者を生み出しましたと名を挙げて回想し、「我大坂は文学有素の地にして自今、先輩先覚者たるものは、務めて後進教養の方一《いち》に、その方嚮《ほうきょう》を実学実践の学科に指導するの労を取るべき」と、目下の急務である実学重視を強調するのです。つまり、作る学校が関西法律学校というように実学重視であったとしても、その前提に、江戸時代の大阪が「学問と文化の町」だったという事実があることを設立者たちは重視しているのです。

もちろん大阪で実学が求められたのは、それが日常の暮らしに役に立つからです。その当時、求められたのは裁判沙汰《ざた》を処理してくれる法律の専門家です。なぜならば近代になれば、商工業の発達とともに、金の貸し借り、負債の処理、あるいは離婚訴訟、海難事故などさまざまな民事事件が起こってまいります。刑事事件も起こってきます。そのときに、江戸時代のように少人数の奉行所では処理できない。しかも奉行所は、お上《かみ》の立場からしかものを見ないから、自分たちを守ってくれる人がいない。そのことを考えた時、大阪のような商工業都市であれば、必ず紛争が多発するので、それを処理できる人たちを、東京に負けないで大阪の町から育てよう、というのが関西法律学校の主旨です。その意味で「商業の町」大阪を象徴する学校だったのですが、その創立者たちが江戸時代の大阪の儒学者を回想するのです。

もうひとつ、今日の主題に関わる史料を見ましょう。大阪朝日新聞の記者であった西村天囚《てんしゅう》が中心となって進めた懐徳堂の復興運動が功を奏して、大正五年（一九一六）一〇月、重建《ちょうけん》懐徳堂が開校されるのですが、そのときに書いているのが、「学派にこだわらず、先賢《せんけん》の遺口《やりくち》のように学術の門戸を広くあけて、経学《けいがく》以外の史学・経済学等各方面の学者を大阪に迎え入れて、大阪の欠陥である文科大学たらしめる」という一文です。

大阪には大学が生まれ始めたが、「文科大学がない」と言うのです。要するに関西大学があったとしても、それは法律家専門の学校です。実用に徹する学校です。しかし、人を育てるときに一番大事なのが人文学。英語では humanity と言いますね。liberal arts とも言います。それを研鑽する大学が、大阪にはないと天囚は言ったのです。

では、文科大学はどこにあるのかというと、もちろん東京にあるのですが、東京帝国大学は一つの大学ではないのです。法科大学、理科大学、文科大学などからなる複合的な大学が東京帝国大学なのです。だから、いろいろな分野の人が、国家に必要な人材が育つわけです。その後、明治三〇年（一八九七）、京都帝国大学法科大学ができ、さらに文科大学もできて、京都が東京のあとを追っかけますが、大阪は取り残されて行きます。

大正七年（一九一八）、大学令が出され、翌八年、大阪府立医学校が大阪医科大学に昇格することで、名実ともに大阪に大学が生まれました。ついで大正一一年（一九二二）、私立関西大学（大学を名乗るが、法的には専門学校）も大学に昇格することで、やっと大阪は「大学のある町」になったのです。それでも片や医科大学、片や法科大学で、文科大学ではない。こういう歴史を前提におくとき、重建懐徳堂を「大阪の欠陥である文科大学たらしめ」ようとする西村天囚の思いには重みがあります。最終的に文科大学の不在という状態は、戦後になるまで解消されませんでしたが、「文学有素の地」であった大阪に文科大学がないという状態に、西村天囚《てんしゅう》をはじめとする有識者たちは大きな違和感を抱いていたのです。

ならば文科大学の不在の大阪で当時の人々は、文学はどこで学んだのか？　それを証言するのが、泊園書院で生まれた作家藤沢《ふじさわ》桓夫《たけお》のつぎの一文です。「「衣食足りて礼節を知る」とは古人の言だが、ゆらい大阪の一流の商人の間には学問を尊ぶ気風があり、船場・島之内の商家で子弟を祖父（南岳）の許に通わせた家も多かったようだ」（藤沢桓夫『大阪自叙伝』一九七四）。要するに私塾の泊園書院が、その役割を果たしていたのです。

三　近世大坂の漢学塾

西村天囚（時彦、一八六五〜一九二四）は鹿児島県生まれのジャーナリストです。二五歳で朝日新聞

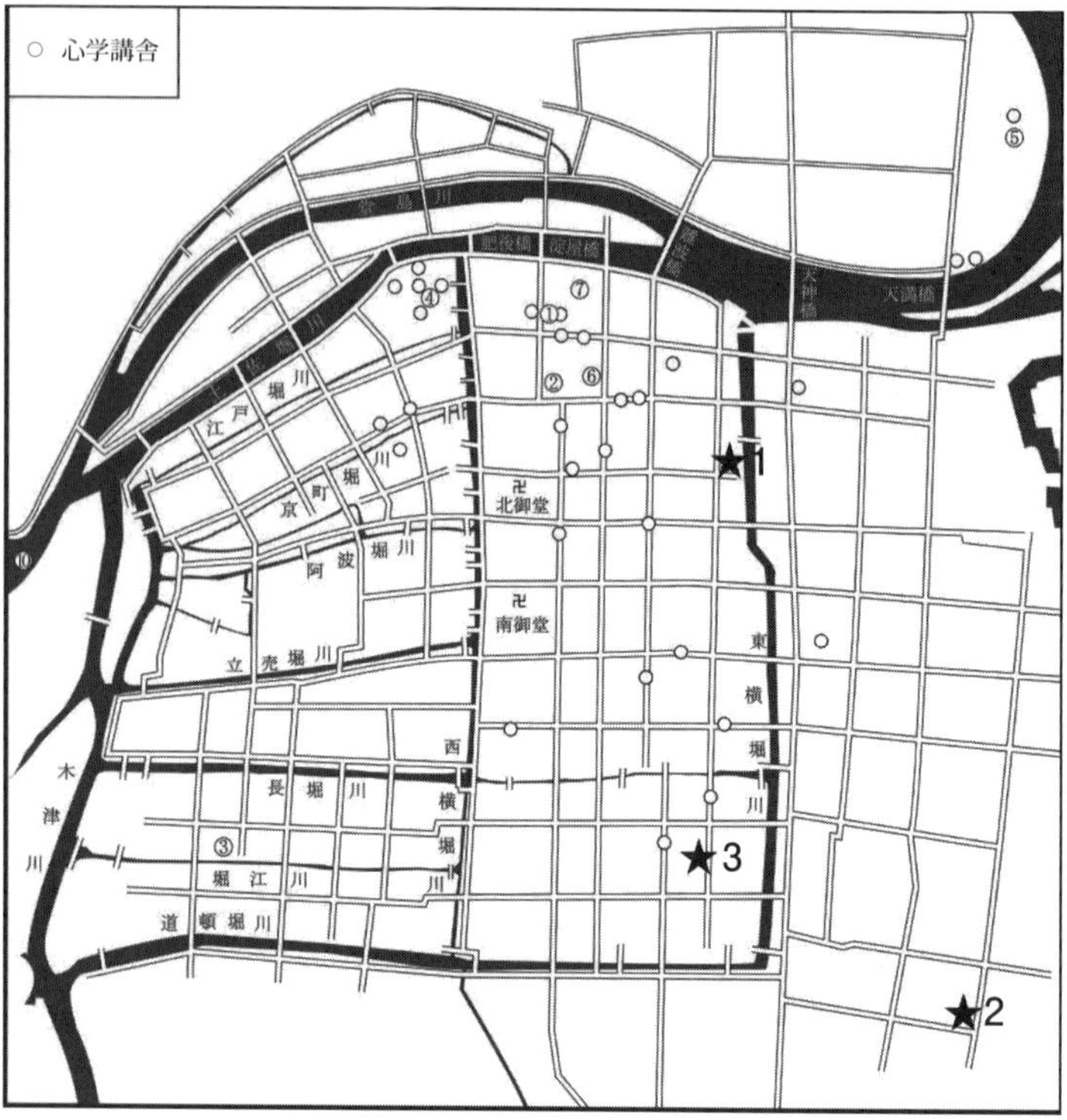

図　江戸時代後期の大坂の学問所
①懐徳堂 ②広瀬旭荘塾 ③木村蒹葭堂 ④梅花社（篠崎小竹） ⑤洗心洞（大塩平八郎） ⑥心学明誠社 ★１泊園書院（淡路町） ★２泊園書院（東平野町） ★３泊園書院（竹屋町）

社に入って記者として東京へ行ったり、大阪に戻ったりしたりする。そうすると東京に比べて大阪が、学術的にレベルが落ちていることを痛切に感じる。何とかこの大阪に、学問復興の糸口を作らなければならないということで、懐徳堂の復興を企画するわけですが、その口吻は、主著『懐徳堂考《こう》』（大正一四年）のつぎの一節に集約されています。

「大阪人たるも

の、徒《いたず》らに淀川や大阪城の石塊《いしくれ》や橋々を誇らんよりも、尤《もっと》も誇るべきは我が竹山《ちくざん》・履軒《りけん》の二代偉人を心の中に呼起《こき》して、死すと雖《いえど》も猶《なお》生《い》けるが如《ごと》き感化力に我心を委《ゆだ》ね、四世《よんせい》壱百四十年余の間、教育の恩を受けたる懐徳堂に感謝」（梅溪昇『大坂学問史の周辺』一九九一）。

天因にとって懐徳堂は、大阪の学校のシンボルだったのですね。

懐徳堂については、沢山の研究があります。私が泊園記念会会長を引き受けたとき、懐徳堂の研究と比べたら、泊園書院の研究が少ないので驚いた記憶があります。懐徳堂についてははっきりいえるのは、中井竹山・履軒の兄弟が教えた江戸時代の天明《てんめい》年間、一八世紀の終わり頃がピークでした。塾生の中から、著名な学者として教科書にも載る富永仲基《なかもと》や山《やま》片《がた》蟠《ばん》桃《とう》が出ています。しかしピークであるということは、その後、下るのです。下ったときに、どこが代わって大阪の学問を担ったか、という問題があります。

江戸時代後期の大坂の学問所の位置を示した図に従って述べると、まず篠崎三島・小竹の梅花社。これは漢詩中心の私塾。つぎに天満の洗心洞。大塩平八郎の主宰ですね。それから淡路町の泊園書院。心学講舎は市中の各地にできています。場所から見ても懐徳堂が一番いい場所にあって、江戸から老中松平定信《さだのぶ》がやってきて中井竹山と会ったとき、竹山が『草茅危言《そうぼうきげん》』という政治献策書を出します。そのことによって幕府に認められ、懐徳堂は官学化するのです。前期の懐徳堂は、幕府の官許を得ているとはいえ私塾で、スポンサーも道明寺屋をはじめとする町民で、学者もいろいろな人が入ってきて、その中から中井家がいわば学主になる。面白いことに、預人《あずかりにん》と教授という、今の大学の理事者と学長を併設する仕組みと似たものを備えています。ところが、松平定信に気に入られたために、後期の懐徳堂は幕府の学校化するわけです。江戸の昌平黌に次ぐランクの「学校」になります。

懐徳堂の塾則である「懐徳堂壁書《へきしょ》」（享保一一年〈一七二六〉）には、こう書かれています（湯浅邦弘『懐徳堂辞典』二〇〇一）。

(1)「学問とは忠孝を尽し職業を勤むる等の上に之《これ》有るの事にて候《そうろう》。講釈も唯《た》だ右の趣《おもむき》を説きすすむる義第一に候へば、書物持たざる人も聴聞《ちょうもん》くるしかるまじく候事」

(2)「武家方は上座《じょうざ》と為すべく候事。但し講釈始まり候後《のち》出席候はば、其の差別之あるまじく候」

第一条では町人の私塾らしく、それぞれの職業を前提にした勉学を想定していますが、第二条には受講生として武士を明記しています。この武家とは誰でしょうか。懐徳堂は創立されたとき、武士と町人を前提として塾の規則を作っている。それなのに、その武士が誰であるかを一切問わないで、懐徳堂は「町人の学校」だという話だけ繰り返す。これでは片手落ちではないか——という想いは、わたしが『武士の町大坂』を書いたときに抱いたもののひとつです。つまり懐徳堂は、武士と町人に向けて開かれたのです。その中で富永仲基みたいな人が出てくるから、すぐれた町人学者を生み出した塾という評価になるのですが、そういう町人学者が出てこなくなると、武士の学校にシフトし、懐徳堂の勢いは落ちてまいります。それが後期懐徳堂の姿です。

後期懐徳堂になると、地理的にいい場所にあっても人が集まらない。ではどこに行くかといえば、梅花社に行く。廣瀬旭荘《ひろせきょくそう》塾に行く。洗心洞に行く。あるいは泊園書院に行くという形で、学生が散らばり始めるのです。その状況を、西村天囚は『懐徳堂考』でつぎのように書いています。

「寒泉《かんせん》桐園の懐徳堂を管理せしは、天保十一年より明治二年に至る三十年間なり。此の間に於ける大阪の學者には、篠崎小竹《しょうちく》、後藤松蔭《しょういん》、藤澤東畡《とうがい》、廣瀬旭荘、緒方洪庵等あり。小竹は三島以来の門望《もんぼう》に加わるに天才を以《もっ》てし、頼山陽《らいさんよう》と角逐《かくちく》して、名を成すこと尤《もっと》も早く（略）、蓋《けだ》し小竹の聲望《せいぼう》は、文天弘嘉（文政・天保・弘化・嘉永）に渉《わた》りて諸儒《しょじゅ》を壓倒《あっとう》せり」（吾妻重二『泊園書院歴史資料集』二〇一〇）

篠崎小竹は大坂に生まれ、篠崎三島の養子となり江戸に行って昌平黌で学びます。帰坂後養父三島の跡を継ぎ、梅花社を主宰しているのですが、彼が、江戸時代の終わりの大坂の学芸の中心人物です。

次に「関西一の大才子《たいさいし》と稱《しょう》せられし廣瀬旭荘なれど、門下の盛は小竹に譲《ゆず》れり、時を同じくして一赤花幟を樹《た》て、新學術を以《もっ》て風氣《ふうき》を開發せしは緒方洪庵なれども、其の道同じからざれば」という状況になりますが、医学に進んだ洪庵はジャンルが違うとして、そのあとに出てくるのが藤澤東畡（一八二五～六四）の泊園書院です。天囚の言葉によれば「然れば弘嘉（弘化・嘉永）以前は小竹を推して盟主と爲《な》し、嘉安（嘉永・安政）以降は東畡を推して泰斗《たいと》と爲す。是《こ》れ大阪學問界の實状《じつじょう》なり」

となります。

わたしの考えでは、近世大坂の学問社会にとっては、懐徳堂の地位が低下してもいいのです。学問というのは、競合状態にある方が健全です。ここでいえば、篠崎小竹の梅花社、大塩平八郎の洗心洞、廣瀬旭荘の塾、そして泊園書院——それらが競い合う状態になったということです。すると、どの先生を選ぶかが大問題になります。歴史の古さでもなく、有名度でもなく、どの先生が魅力的で学生を呼べるか、ということです。「陽明学は、ちょっと魂をゆすぶりそうやな。行ってみようか」「いや、そんなところよりオーソドックスな懐徳堂がまだ、将来を保証しているかもしれない」「いや、そんな堅苦しいことよりもまず漢詩やで。詩が詠めんと付き合いができないから、梅花社に行って詩を詠ませてもらおうか」「いや、いまは朱子学ではなく、ニューウエーブの徂徠学、藤澤東畡先生だよ」という具合に、近世後期の大阪で学校は競合状態だったのです。

四　競合する私塾

ところで学校（私塾）を選ぶとき、もちろん先生が一番ですが、もうひとつは学校の特色を示すものとして塾の規則があります。規則には、その学校の校風が表現されます。安永七年（一七七八）の懐徳堂の定には「学談・雅談《がだん》の外《ほか》、無益の雑談相慎み、場所柄不相応の俗談、堅く停止と為すべき事」とあります（湯浅邦弘『懐徳堂事典』二〇〇一）。「談」だけで四つ出てきます。「今日、晩ご飯は何を食べる」と言ったら、どこに入るのでしょう、俗談かな。塾生同士が話すことでも、学談・雅談・雑談・俗談の四つに分けてあるのです。この違いが分かる人でないと懐徳堂でやっていけない。

最後に「碁将棋謡《ごしょうぎうたい》などは世の交《まじ》り並《ならび》に学業退屈の気を転じ候為に兼ねて差免《さしめん》じ之有り候へども、休日の外は昼迄の内、右様《うよう》の雑芸《ざつげい》に懸《かかわ》り候事、無用と為すべく候事」とあり、囲碁・将棋などは、休日にしかやってはいけない、と明記されています。この点で泊園書院は違うのです。泊園書院は禁止していません。というよりも東畡先生は琴棋書画《きんきしょが》が好きで、一弦琴を膝にのせて弾く姿を詠んだ詩が残されています。さらに興味深いのは、「淫遊《いんゆう》妄出《もうしゅつ》」、例えば、新町の遊郭なんかには行くな、順慶町に夜店が出ているからといって行くなと禁止する一方で、「朔望佳節《さくぼうかせつ》訪朋友賞山水《ほうゆうをたずねさんすいをめでる》」のは許す（吾妻重二『泊園書院歴史資料集』二〇一〇）。季節のいい時に、友だちを訪ね、山水を愛《め》でることはいいのです。その意味で泊園書院の塾則は、懐徳堂と比べてどこか大らかに感じられます。

一番厳しいのはどこかといえば、予想通り洗心洞です。大塩先生の塾は厳しい。

「第一、我門人たる者は忠信を主とし聖学の意を失ふべからず」は、他と変わりませんが、「第二、自ら孝《こう》（悌《てい》）仁義を行ふを以て門学の要とす。故に小説及び雑書を読むべからず。若《も》し之を犯せば、少長《しょうちょう》となく鞭朴《べんぼく》若干を加ふること」と、教科書以外の小説など読めば、鞭《むち》でたたくというのです。

「第三、毎日の業《ぎょう》は経業を先にし、詩章《ししょう》を後にす。若しこの順序を転倒せば鞭朴若干を加ふること」と、ここでも体罰が書かれています（宮城公子『大塩平八郎』一九七七）。この点でも泊園書院の塾則はユニークです。原文は漢文ですが、意訳すると「毎朝輪番で掃除しなさい。当番の者は早く起きて衆人を起こしなさい。掃き終ったら、次の者に伝えなさい。もしこれを忘れて夜になったら、水掃き掃除を罰として一日与える」（「泊園塾社中姓名簿」『泊園書院歴史資料集』）と、罰則は掃除なのです。洗心洞のように鞭朴は加えられない。こうしてみると学生の側に、私塾の選択肢がたくさんあったことが想定できます。

田結庄千里《たゆいのしょうせんり》（幼名不動次郎、一八一五～九六）という大塩門人がいます。彼の史料は中之島図書館に玄武洞文庫として残されているのですが、父親の但馬天民は藤澤東畡と親しく、不動次郎は洗心洞に入塾、大塩の主著『洗心洞箚記』の校注を担うほどの学力を示します。その後、大塩の乱が起き、決起に加わっていなかったので命は助かりますが、取り調べで拷問を受けたことで生死の境を彷徨。許されて後、東畡に拾われ、泊園書院の門人として育ちます。墓碑銘は東畡の跡を受けた藤澤南岳によって記されています（写真10）。複数の私塾が競い合うようにしてあったので、田結庄千里は救われたと言えるでしょう。偉い町人学者が生まれたことも貴重ですが、若い人に選択の自由を与えている世界にも価値を認めたいとわたしは思うわけです。

写真10　田結庄千里墓碑（大阪市内禅林寺）

もうひとつ、当時の文人社会の状況を物語る逸話を紹介しましょう。大塩の乱のとき、大塩を鎮圧した功績で、譜代に取り立てられた坂本鉉之助《げんのすけ》が書いているものです。坂本鉉之助と大塩は、城方と町方の違いはありますけれども同じ与力で、若い頃、篠崎三島の下で机を並べていたことから互いに相知る関係でした。しかし大塩が乱を起こし、敵として相見えたのですが、その後、「どうして大塩があんな無謀なことをしたのか、誰か止められなかったのか」、という話が坂本の周辺で囁かれます。直接、町人に問われて、坂本（文中の貞）はつぎのように答えます（『咬菜秘記』）。

「富商の説如何にも尤もに候」――あなたが言っていることはもっともだ。「それに付小竹子《つきしょうちくし》にも少し其罪有之様《そのつみこれあるよう》に貞は存じ候」――篠崎小竹に責任の一班があるとして、こう言います。「平八郎が申説《もうすせつ》を非邪正《じゃせい》の批判教諭なく其儘《そのまま》によけて通され候故《ゆえ》、驕慢弥々《きょうまんいよいよ》増長せし所もあるべし。浪華《なにわ》にて小竹先生斯《かく》の如くなれば其他《そのほか》に頭を押ゆるものはあらじ」。門弟を千人以上も集める実力者、かつて昌平黌で学んだエリート、そして大塩より年長である篠崎小竹が、大塩を批判もしなければ説教もしなかった。それが責任の一半だ、と坂本は言うのです。旧知の間柄である篠崎小竹と大塩が侃侃諤々《かんかんがくがく》と議論していたら、乱にならなかった可能性がある。ところが、篠崎小竹はそれを避けてしまった。だから大塩は暴発してしまった、というのが坂本鉉之助の意見です。大坂は「学問の町」であったことを背景に大塩の乱を説得的に語った貴重な証言だとわたしは思います。

ここまでで江戸時代の大坂の話は終わりにします。もし関心があれば、私の『武士の町大坂』（中公新書）を読んでください。

五　明治・大正期の泊園書院

ここからは近代の大阪と学問に移ります。

懐徳堂が、明治二年（一八六九）に閉校となります。地位が低下していたところに、幕府が倒れましたので、もうもちません。その後、伝統ある大阪の漢学塾を守ったのは誰かというと、藤澤南岳と近藤南州（一八五〇～一九二二）の二人です。時間の関係で今回、近藤南州の話をすることはできませんが、この二人が、近代化している大阪で、漢学の伝統を守り、復興するわけです。とくに泊園書院は、①懐徳堂が閉鎖され、重建懐徳堂ができるまでの四四年間、第二代院主藤澤南岳（一八四二～一九二〇）の下で近代大阪の人文教育を引率していくと同時に、②第三代黄鵠

写真11　三世四代の泊園書院（関西大学泊園記念会）

（一八七四～一九二〇）、第四代黄坡（一八七六～一九四八）と続くことで、昭和二〇年（一九四五）の敗戦まで、大阪に漢学塾の灯を灯し続けた歴史をもちます（写真11）。そのすごさは、懐徳堂の陰に隠れてこれまで余り知られていませんが、たいへん重要なことだと思います。

関西大学図書館に所蔵されている泊園文庫の資料のうち、初代院主藤澤東畡と二代院主藤澤南岳のときの門人帳をもとにその分布を示した図をご覧ください（九四頁参照）。初代藤澤東畡のデータは寄宿生の数なので、大阪人のカウントは少ないという点を考慮する必要がありますが、一番多いのは東畡の地元讃岐（香川県）の出身者です。

ところが、明治三七年（一九〇四）の南岳先生のときには、北は北海道から南は鹿児島まで、ほぼ全国に門人は分布し、その数一六〇〇人。篠崎小竹の梅花社の門人数に並ぶ数です。しかもすでに東京と京都に帝国大学文科大学ができているのです。それにもかかわらず、全国でこれだけいるのです。そのときに最も多いのは大阪です。しかも大阪の門人は、ほとんど船場に集中しているのです。産業革命後、大阪が東洋のマンチェスターになろうとしている頃の状況です。

関西大学図書館の泊園文庫には藤澤南岳の日記「七香斎日程」（漢文）が収蔵されているのですが、その一部を紹介しますと、

明治四十二年（一九〇九）、三月三日、墨林《ぼくりん》会員銀水楼《ぎんすいろう》に集まる。余《よ》招かれ申《さる》の刻《こく》（午後四時ごろ）に行く。会する者は村山香雪《こうせつ》、小川簡斎《かんさい》、本山松陰、緒方相山《しょうざん》、高谷桂造《たかたにけいぞう》、上野有竹《ゆうちく》、磯野秋渚《しゅうしょ》、木《き》蘇岐《そぎ》山《ざん》、おのおのその製蔵《ぞう》する奇幅《きふく》妙帖を携えて来る

とあります。墨林会とは、自分たちが持っている和漢のコレクションを見せ合う会なのですが、そこに集まったメンバーは、村山香雪は朝日新聞社初代社長村山龍平（号香雪）、大阪毎日新聞初代社長本山彦一（号松陰）、ジャーナリストの磯野秋渚など、近代大阪を代表する人士たち。手に携えてくるのは、日本・中国の古物品。その遺品の一部はいまも、村山の創設した香雪美術館で見ることができます。

三月二一日には、博物場に走車（人力車）で行き、美術館で明《みん》・清《しん》人の書幅《しょふく》を見て高谷桂造らと批評する。

六月四日には、「書数幅《しょすうふく》を作り、午后森下博・安藤豊来たり話す」とありますが、森下はかの森下仁丹《じんたん》の創業者で泊園門人です。六月一二日には、「清水谷《しみずだに》女学校に行く。高崎府知事と共に戒諭《かいゆ》」、と女学生に講演しています。そのほか学校では、汎愛《はんあい》小学校や愛日《あいじつ》小学校、道仁《どうじん》小学校の名は南岳が付けています。新しい教育・文化施設が西洋風にできているけれど、命名しているのが藤澤南岳だということです。代表格は創建百年を迎えた通天閣で、命名者は南岳です。次男の藤澤黄坡にも、北浜の和菓子商菊屋の扁額という傑作がありますが、漢学・古典のもつ表現力の高さと言い換えることもできるでしょう。残念ながら現物は大阪になくて、高松にあるのですが、南岳作『新浪華十二勝屏風《びょうぶ》』と題する金屏風があります（**写真12**、口絵参照）。新築港春潮・造幣局櫻花・砲兵廠電燈といった近代的施設を詠みこんだ漢詩と、天王寺驟雨、無臀川（尻無川）紅葉、望烟亭（高津神社）晴雪といった近世以来の名所を詠みこんだ漢詩が一二カ月に配されている逸品で、新旧の文化が、微

写真12　新浪華十二勝屏風（右隻、高松市歴史資料館蔵）

妙なバランスで保《たも》たれている時代、それが明治・大正時代だと認識させてくれます。

　さらに当時の私塾教育が実際、どんなものであったかということで証言を紹介します。もちろんその筆頭は福沢諭吉の『福翁《ふくおう》自傳《じでん》』で、適塾の内部が活写されていることで有名ですが、泊園書院の場合、「月旦」には何級上下といふ處《ところ》に各自の牌《はい》が掲揚黜陟《ちゅっちょく》される」――月旦というのは月の一日にある試験、その成績に応じて掛けた名札が上下される。「今日《こんにち》の諸學校では一ケ年を以て一學年を示し、一年毎に逐次進級するのであるから、五カ年を經過《けいか》して順よく行けばもう卒業といふことに成るのだけれど、我が書院では年次を以て階級の基準としてゐるのでは無くて、學びたい人は五年でも、八年でも、將《ま》た十何年でも十五年でも、ぢつと勉強してゐる」（岡本勝「泊園の憶出」『泊園』四一号、一九三九）と、上に進級すればするほど、学生が溜まる様子が描かれています。

　ここに今日の、エスカレーター式に上がって行く学校制度との大きな違いがあります。また近代的な学校制度ができても、旧来の私塾がなぜ残るか、という問題を考える手がかりがあります。

六　「文科大学不在」の時代

泊園書院第二代院主藤澤南岳の時代には、大阪につぎつぎと近代的な施設が生まれたと言いましたが、その代表的な施設のひとつ大阪博物場は、江戸時代の西町奉行所の跡に出来ましたが、内部には洋館の美術館や商品陳列所、その一方、正面は奉行所長屋門のままです。このように新旧が混じった姿が多かったなか、完全な洋風建築として登場したのが明治三七年（一九〇四）二月二五日開館の大阪（中之島）図書館です。

かつて大阪府知事と大阪市長から中之島図書館を美術館に模様替えするという案が出た時、私は強く反対しました。なぜなら、近代の大阪が、本格的に文化施設を作ろうとしたときのシンボルが中之島図書館だからです。それを図書館でなくしたら、明治・大正時代の先人たちの大阪の文化施設を造ろう、文化事業を起こそうという思いが全部崩れる。一つの図書館をつぶすだけではなく、大阪の文化事業の歴史を全部、否定することになると訴えました。

この見事な近代的図書館（国の重要文化財）を造ったのは、住友吉左衛門と建築家野口孫市。そしてそこに『正平版論語』という宝物、室町時代後期に堺で出版された論語という貴重書を、京都の古本屋からわざわざ買い取り、図書館開館記念として寄贈した書肆鹿田静七《せいしち》。この書籍商については、岡鹿門（一八三三～一九一四）という学者がつぎのように書いています。

「浪華の心斎橋は書肆《しょし》の薈《あつ》まる所と為る。往年、余、浪華に寓《ぐう》し、河内屋新次郎の豪肆《ごうし》為るを識《し》る」「発巳（明治二六年）の夏、浪華に遊べば、河新衰へて鹿田氏方《まさ》に興らんとす。余、河新の故《ゆえ》を識るを以て、今の鹿田氏と一見《いっけん》、旧の如し。維新以来、漢学、地を掃《はら》ひ、書肆、競《きそ》ひて洋書と新刊書とを販《う》り、奇利を射《しゃ》せんと謀《はか》る。独り鹿田氏に見る所有り。分かちて両肆と為し、一つは洋書と新刊書とを販り、一は和漢の古書を販ること、故の如し」（四元弥寿『なにわ古書肆《し》鹿田松雲堂五代のあゆみ』二〇一二）

要するに、明治政府や大阪府が出す情報誌や、欧米の書物も出すが、和漢の古典書も扱うというのが鹿田松雲堂の戦略です。戦前に『大阪市史』を完成させた東京出身の歴史学者幸田成友は、「最大の恩人」と讃えています。中之島図書館に寄贈された『正平版論語』の現物を見る機会をまだ得ていませんが、近いうちにぜひとも見たいものです。

最後に、懐徳堂の話題に戻って、重建懐徳堂の話をしましょう。おさらいになりますが、懐徳堂の重建は、文科大学不在の大阪に、その代わりを象徴するモノであったからです。

大阪で最初に、大学を名乗ったのは関西大学です。明治三八年（一九〇五）のこと。ところが大正八年（一九一九）の大学令に基づいて、名実とも大学第一号となったのは大阪医科大学（のちの大阪大学医学部）です。次に大正一一年、関西大学が大学に昇格します。一方は医科大学で、他方は法学部と商学部の大学で、ともに単科大学です。昭和三年（一九二八）には、大阪商科大学（のちの大阪市立大学）と大阪工業大学（のちの大阪大学工学部）を合わせて四大学となりますが、文科大学はないのです。その点を西村天囚は「文科大学不在」と指摘したわけです。

ところが面白いことに、大正一一年、大学に昇格になった直後の関西大学の理事会で、専務理事宮島綱男がこう述べています。「大阪が経済的に全国で最も有力であると云ふ事こそ、実に今や其所《そのところ》に文科大学の起るべきハイタイムである事を意味してゐる」。西村天囚が言った言葉と瓜二つです。その意味するところは、関西大学は法律と経済の大学だけで満足しては駄目だ、総合大学にならなければならない。そのためには文科大学を設けるプランを立てるべきだと。どちらも文科大学の新設を強烈に意識しています。

懐徳堂の再興に、西村天因とともに尽力したのは、大阪（中之島）図書館長今井貫一《かんいち》でした。しかも、実行の拠点は大阪図書館です。今井は、さらに大阪美術館（現在の大阪市立天王寺美術館）の設立にもかかわるので、大阪図書館は、近代大阪の新たな文化事業の母胎だったのです。

明治四四年、再興を期す懐徳堂の祭典が懐徳堂記念会の主催で中之島公会堂で行われます。住友吉左衛門をはじめとする大阪の政財界の人たちが集まり、天王寺雅亮会による舞楽演奏や講演会が催され、京都帝国大学文科大学から内田銀蔵、星野亘《わたる》、狩野直喜《かのうなおき》、内藤虎次郎（湖南）らが講師としてやってきます（**写真13**）。

そうして大正五年（一九一六）に、重建懐徳堂が大阪博物場の跡地に竣工します。敷地三六一坪、平屋建という小さなものですが、西村天因の想い描いた文科大学は、この程度のものでした。

一方、大学令に基づく大学の方はどうでしょうか？　**表**は、大正期の東京と関西のおもだった私立大学の設立状況を示したものですが、ほとんど単科大学です。総合大学化しているのは慶應大学と早稲田大学だけです。大学作りの先進的な営みと同時に、わたしが注目したいのは用地。高田馬場に近い早稲田の校地は大隈の別邸跡、慶應は旧中津藩屋敷跡で、両大学とも大学化にあたって用地問題に悩む必要がありませんでした。

それに対し大阪はどうでしょうか？　関西大学は明治一九年（一八八六）、間借りした寺から出発

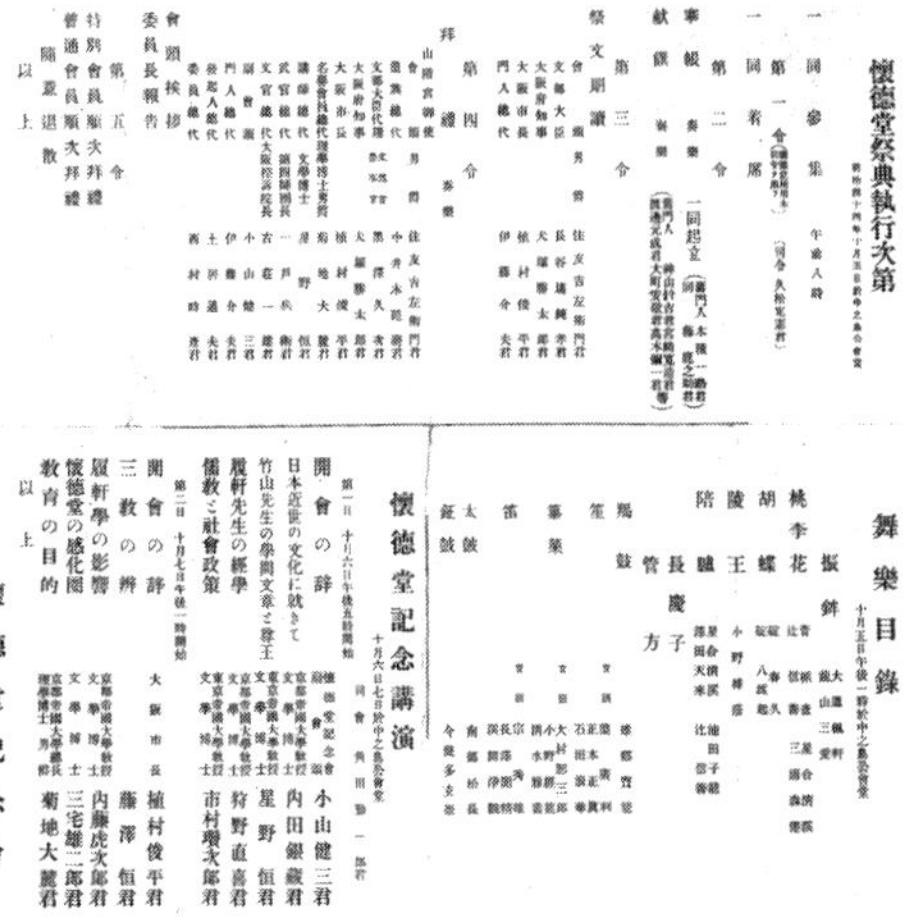

写真13　懐徳堂の祭典（八尾安中新田会所跡旧植田家住宅提供）

慶應義塾大学	東京都	大正9年２月	文・経済・法・医
早稲田大学	東京都	大正9年2月	政経・法・文・商・理工
明治大学	東京都	大正9年４月	法・商
法政大学	東京都	大正9年４月	法・経
中央大学	東京都	大正9年４月	法・経・商
日本大学	東京都	大正9年４月	法文・商
國學院大学	東京都	大正9年４月	文
同志社大学	京都府	大正9年４月	文
龍谷大学	京都府	大正11年５月	文
大谷大学	京都府	大正11年５月	文
専修大学	東京都	大正11年５月	法・商
立教大学	東京都	大正11年５月	法・文
立命館大学	京都府	大正11年６月	法
関西大学	大阪府	大正11年６月	法・商
立正大学	東京都	大正13年５月	文
駒澤大学	東京都	大正14年３月	文
東京農業大学	東京都	大正14年５月	農
関西学院大学	兵庫県	昭和７年３月	法文・商経

表　私立大学の設立（天野郁夫『大学の誕生』下、2009）

して、専門学校・大学と昇格するに合わせて、より広い用地取得のために大阪を転々と移動します。一方、大阪医科大学は、もと蔵屋敷だった中之島の土地を国から大阪府がもらい、そこに大学が建ったから、中之島の一等地から動かなくてよかったので、それと比べると私立大学の困難さが見て取れます。その挙句、学校用地を求めて大阪市内を動いていた関西大学は、大学昇格にともない大阪市内を離れます。なんと北大阪の千里に進出するのです。しかも現在の阪急（当時の北大阪電車十三〜千里山線、のち新京阪に買収）と組んで。こののち住友から建て替えで不要となった合資会社本社社屋をもらって、千里山に関西大学本館ができるのは昭和二年（一九二七）のことです。

おわりに

長く不在であった大阪に名実ともに文科大学ができたのは、戦後、昭和二三年（一九四八）のことです。新制の大学令にしたがって、関西大学・大阪大学・大阪市立大学に一斉に文学部ができたのです。そのとき、わたしの日本史学の分野でいえば、おもに京都帝国大学で学んだ人たちが、わたしたちの先生になりました。お名前を挙げれば、関西大学に行けば横田健一先生、大阪大学に行けば梅溪昇先生、大阪市立大学なら直木孝次郎先生というように。江戸時代後期の青年が、大塩中斎（平八郎）のところに行くか、篠崎小竹に行くか、あるいは緒方洪庵のところに行くか、それぞれ選択ができたのと同じ状態が、戦後に、出現したわけです。その恩恵を被りわたしは大阪大学に行き学び、関西大学で教えています。戦後の文科大学（文学部）の恩恵に、大いに感謝したいと思います。

一方、別の問題も顕在化しました。関大も阪大も市大も、いつの間にか揃いも揃って大阪市中から出てしまったのです。重建懐徳堂のあった船場、泊園書院のあった島之内から大学が一斉に姿を消したのです。そうすると何が起こるかといえば、四〇〇年の歴史を持つ大阪の町を、若い学生たちが歩く機会がなくなります。大阪市立大学の学生なら杉本町と阿倍野、関西大学の学生なら吹田か梅田、大阪大学の学生は石橋・豊中か千里中央しか歩かない…という具合に。

その結果、USJを知らない大学生はいないが、四天王寺と住吉大社には行ったことのない学生。中之島図書館と国立文楽劇場は、その存在すら知らない学生が増加しているのです（一二七頁参照）。

今や大阪では、文化に大きなジェネレーションギャップが生じているのです。戦後、文学部をもち総合大学となった大学がいずれも、四〇〇年の歴史都市大阪を出て、郊外に走ったツケは少なくないと思います。

（新なにわ塾実行委員会『「大阪の学校」草創期を読む』、ブレーンセンター、二〇一五年）

Ⅲ　大阪の都市遺産

復元模型「幻の浪花座」

大阪の劇場大工中村儀右衛門資料のなかに、明治37年(1904)に焼失し、43年に再建された浪花座の仕様書などと並んで複数の図面があった。そのうち正面図(縮尺50分の1)には、中央にドームをもつ洋風の浪花座が描かれていた。再建されたのは、千鳥破風と櫓を持つ伝統的な芝居小屋であったから、それは図面にしか存在しない幻の浪花座であった。秋田県小坂町にある芝居小屋康楽館(明治43年〔1910〕建築)のミニチュアを創作していた青森市在住の大工藤野勇氏の手で復元模型が作られ、平成26年(2014)4月、関西大学なにわ大阪研究センターでの公開となった。

大阪都市遺産研究センターの事業のハイライトは、芝居町道頓堀を再現したCG「芝居町五座の風景」の制作であった。大正初年、芝居町最盛期の道頓堀の両側―芝居側と浜側―をコンピューターグラフィックスC.G.で描くという大胆な試みは大きな反響を呼び、新聞紙面はもちろん、道頓堀の街頭でも上映され話題となった。

CGの制作はさらに、大阪の劇場大工中村儀右衛門資料との出会いをもたらした。その経緯と儀右衛門資料の紹介を兼ねて「大阪都市遺産と道頓堀」を発表した。研究員藤岡真衣氏との共同執筆で、四五五点の儀右衛門資料から作成した劇場別資料リストと大道具帳一覧は『大阪都市遺産研究』第三号（関西大学大阪都市遺産研究センター、二〇一三年三月）に収められている。

芝居町道頓堀の伝統は現在、文楽の定席である国立文楽劇場と松竹座に継承されているが、その文楽への補助金カットが橋下徹市長（当時）によって進められ、大きな話題となった。くわえて、中之島図書館を美術館に転用する計画まで持ち上がり、大阪の都市遺産は政治上の争点と化した。こうした状況のなか、「明日の中之島図書館を考える会」の創立総会で講演したのが「明日の図書館・明日の大阪」、大阪の歴史教育関係者の研修の場で語ったのが「大阪の文化力」である。

大阪の文化力

二〇一三年

一　大阪のキーワード

現在の大阪を語るとき、そのキーワードは〈文化〉である。食でも景気でも、豹柄のおばちゃんでもなく、文化である。大阪の府民・市民にとって、〈文化〉がどれほど大事なものかが、問われている。その問いは、橋下徹というひとりの政治家が率いる政治勢力の台頭によって、俄然、熱を帯び出した。

政治家橋下氏の表看板は「大阪都」構想であるが、その裏面で進行するのは、歴史都市大阪が育んだ文化への軽視と蔑視、そして文化諸施設への攻撃である。大阪府知事時代は、府立弥生文化博物館や近つ飛鳥博物館への予算の締め付け、大阪市長に転じてからは、大阪フィルハーモニーや文楽協会への補助金カット、「中之島図書館を美術館に転用せよ」という暴言など、文化への敵視が顕著である。その結果、〈文化〉が大阪のホットな話題となっている。

彼個人が、「文楽などわからん」とうそぶいても、図書館より美術館の方が儲かると考えても、それは自由である。問題なのは、そんな彼の政治姿勢（マスコミによって「ハシズム」と名付けられた）が、府民・市民の高い支持を受けているという、いまなお続く現実である。問題の根っこは、わたしたち府民・市民の側にあるというべきである。

二　文化の世代間ギャップ

話が変わるが、わたしは大阪の大学に勤める教員として、また江戸時代の大阪を研究するものとして、さらには大阪都市遺産研究センターという研究組織を率いる者として、ハシズムに強いこだわりを持っている。それは、大阪の「歴史と文化」という観点、いいかえれば大阪の「文化力」という視点から、現実の動きを捉えてみたいという欲求でもある。

ここにひとつのデーターがある（表、「大阪度チェック」）。関西大学文学部の一年生相手に昨年（二〇一二年）七月に、取ったアンケートで、大阪の名所一〇カ所について、①行ったことがある○、②名前は知っているが行ったことはない△、③名前も知らない×、のどれかを聞いた。学生総数は九八名であるから、ＵＳＪ（ユニバーサルスタジオジャパン）には九割近く、行っている（ちなみにわたしは行っ

大学１年生の大阪度チェック

	場　所	○	△	×	総計
1	大阪城	67	29	1	97
2	四天王寺	15	74	7	96
3	住吉大社	15	73	10	98
4	大阪天満宮	17	53	26	96
5	道頓堀	69	27	2	98
6	中之島図書館	3	45	48	96
7	天保山	36	39	22	97
8	USJ	88	9	1	98
9	適　塾	4	75	17	96
10	国立文楽劇場	19	30	48	97

備考：○は行ったことがある、
△は名前を知っている、×は知らない。
学生の総数は 98 名、無回答もある。

表　大阪度チェック

たことがない）。ついで大阪城・道頓堀となるが、この三者と比べると、他の場所は惨憺たるモノで、とくに四天王寺と住吉大社・適塾は、名前がよく知られているのに比べ、行った人が極端に少ない（大阪天満宮もこの部類）。中之島図書館と国立文楽劇場は、名前も知らない率がもっとも高い。期せずしてこの両施設が、ハシズムの攻撃ターゲットであったのは、果たして単なる偶然であろうか。

どうしてこんな結果になったのか。推測するに、幼少の頃から高校在学中にいたるまでの、彼らの歴史・文化体験に大きな偏りがあるのだろう。子ども会で行くところはＵＳＪ、小学校の遠足では大阪城、道頓堀には家族や友人で行くが、四天王寺や住吉大社には、春秋の彼岸にも初詣にも家族で行くことがなく、中学・高校の社会見学で文楽劇場や適塾に行くこともしない。子どもの時以来、このような経験を繰り返していれば、先に見たデータの示す大学生が生まれるのも納得がいく。ここにあるのは、「わたしたち」と「今時の若者」との文化の世代間ギャップである。

彼らの「歴史・文化ばなれ」の根元は、彼らの両親や家族、学校の先生にあるというべきではないだろうか。大阪の歴史と文化を「教えない」という以上に、「体験する」機会を与えられていないことに、問題の根っこがあるのではないか。文楽劇場で閑古鳥が鳴いていれば、そこに目を付け、補助金削減を言い出すのは容易なことで、なにもハシズムに限定されない。大阪が生み出した古典芸能である文楽を見る人が極端に少ないという現実に、大阪で「文化」がキーワードになっている原因がある、とわたしは考える。要するに大阪の歴史と文化が追体験されず、忘れ去られているのである。

三　受け継ぐ文化遺産

勤務する関西大学に、国と大学双方からの補助金を得て、大阪を「文化遺産」という視点から調査・研究する機関を同僚たちと立ち上げて八年になる。二〇〇五年から五年間は、「なにわ・大阪文化遺産学研究センター」、二〇一〇年からは「大阪都市遺産研究センター」と名付けて、調査研究活動を続けているが、勘所《かんどころ》は〈遺産〉である。遺産という以上、誰かが「残した」もので、それを誰が「受け継ぐ」という関係性がある。歴史が長ければ長いほど、遺産のバトンタッチが繰返されており、遺産のバトンタッチが上手く行かなければ、遺産は行方不明となる。およそすべての文化を、その価値とか様式とかでなく、「継承」という切り口から見つめなおす——それが文化遺産に込められた含意である。

変転の激しい大阪という場所を、文化遺産という目で眺めてみると、思いがけないものが発見される。その第一は、野菜である。今日、大阪府と大阪市によってそれぞれ、「なにわ伝統野菜」として品目が指定されているが、興味深かったのは、市内の小学校で進んでいた伝統野菜の栽培実習であった（「序」一五〜一六頁参照）。理科で学んだ知識を実践する場として、チューリップの花壇が野菜畑に変わり、夏と冬には、収穫の機会が生まれたが、野菜嫌いの小学生が、自分たちで作った大根を率先して食べる、という激変が起きていた。七〇歳を越えた古老の指示の下、畑を耕す小学生の姿は、文化は「継承」されなければ、確実に「死滅」することを教えた。

いまひとつは、夏祭りカレンダーの作成である（「序」一〇〜一一頁参照）。天神祭りや住吉祭りが大阪の夏の祭りを代表するものであることはガイドブックにも触れられ、知る人も多いが、一度、大阪府下の夏祭りを七月のカレンダーに書き込んでみればどうか、という提案で始められた作業だった。出来上がってカレンダーを見て、驚いた。ほぼ連日、府下のどこかで祭りが催されている。土・日に祭礼がシフトすることの多い昨今の風潮を裏切るかのように、ほぼ連日、祭りが行なわれている。この驚きは、旅人として近世の大阪に滞在した大田南畝（江戸の人、一七四九〜一八二三、『芦の若葉』）や清河八郎（出羽の人、一八三〇〜六三、『西遊草』）と同一のものであった。

四　都市遺産と景観

こうして「なにわ・大阪文化遺産学研究センター」で学んだ手法を、都市大阪に即して検討しようとして始めたのが、現行の「大阪都市遺産研究センター」である。ここでは区域を大阪市内（江戸時代の上町と北・南・天満の大坂三郷）に限定するとともに、検討する時期の中心を明治～戦後に置いた。つまり豊臣秀吉の大坂改造以後、およそ四〇〇年の歴史をもつ都市大阪の、「近代」以後の変貌を、〈都市遺産〉という視点から調査・研究しようというのである。

遺産を検証する手法の特徴は、①建物と②人と③資料によって検証すること。近代は、近世などと比べて建物の個性が圧倒的に強く、人々に強い印象を与える。その結果、人々の記憶を構成する大きな要因となる。しかし建物には寿命があり、技術と意匠の変化は、建物の変転を推し進める。かくて街は変る。人も寿命とともに変るが、記憶は祖父から父、子へ継承される。しかし記憶はおぼろげで、不安定である。そこで資料の出番となる。祖父の日記、新聞・雑誌、一枚の写真、絵葉書、設計図面などが残ることで、都市の記憶が総合化される。

このような目論見の下、わたしたちは明治末～大正初年の芝居町道頓堀の風景をＣＧ（コンピュータグラフィック）で復元した。現在ホームページで公開しているが、それを道頓堀商店会の求めに応じて公開したとき、その場で見つめていた商店会会長（当時）今井徹氏の一言が忘れられない。「芝居小屋は道頓堀のＤＮＡです。わたしたちはそれを、このＣＧを見ることで思い出しました」。

現在、「うどんの今井」として有名な店のオーナーであるが、うどんは戦後、父親が始め、祖父の代は楽器店、さらにその前は芝居茶屋であったという。時代に合わせて道頓堀は変ったが、これから先の道頓堀の再生に向け、芝居町というＤＮＡを想い起こしたいというのが今井会長の信念である。大阪の文化力は、世代を超えて思い出し、追体験することで、大きく蘇る可能性をもっている。

（『歴史地理教育』八〇六、二〇一三年七月）

大阪都市遺産と道頓堀

――大阪の劇場大工・中村儀右衛門資料の紹介を兼ねて――

二〇一三年

一　道頓堀との縁

道頓堀《どうとんぼり》は、昔も今も大阪第一の名所である。戎橋の辺りで集い東へ、狭い道筋を行き交う人の波は、朝から夜遅くまで絶えることがない。堺筋に観光バスを止めて写真を撮る外国人観光客をふくめ、人出の凄さは大阪随一である。しかし、道頓堀ほど都市として変貌を遂げたところもほかにない。元和元年（一六一五）の道頓堀開削、その後の新地開発と芝居・茶屋の誘致以来、道頓堀といえば芝居町であった。江戸・明治・大正・昭和と三五〇年を超え、芝居小屋を中心に栄えた町であった。しかし一九八〇年代以降、中座・角座・朝日座などでの芝居興行が途絶え、平成一一年（一九九九）の中座閉館を最後に、道頓堀から劇場が姿を消し、写真集や映画、人々の記憶の中にその姿をとどめるのみである。大正一二年（一九二三）創建の松竹座は健在というが、道頓堀五座は跡形もなく、

写真1　道頓堀ジオラマ
（関西大学なにわ大阪研究センター）

代わってカニやフグの大看板と機械仕掛けの人形が、「食い倒れ」の町道頓堀をアピールしている（**写真1**）。これほど大きく変貌を遂げながら、なお人々を寄せ付けて止まない魅力を持つ都市は珍しい。

そんな都市道頓堀に、大阪都市遺産研究センター（平成二二〔二〇一〇〕年四月設立）が関わるようになったのは、関西大学校友からのひとつの寄贈品に端を発する。センターが立ち上がった平成二二年（二〇一〇）の暮れ、校友の上田浩二氏から大阪生まれの芝居画家山田伸吉《やまだしんきち》（一九〇一～八一）の絵画二点が寄贈された。一点は「住吉大社夏祭り」、もう一点は「道頓堀今昔」（本書口絵参照）である。どちらも無題であったが、前者は描かれた情景から画題はすぐに決まった。それに対し、道頓堀川越に芝居町の夜の情景を描いた後者は、劇作家長谷川幸延《はせがわこうえん》（一九〇四～七七）によって書き加えられた句「道頓堀の今昔《こんじゃく》問はんアスファルト」から、「道頓堀今昔」と名付けられた。

この両作品だが、かつては道頓堀の寿司店「すし半松五郎」の店内に飾られていたもので、平成一二年（二〇〇〇）、同店の解体工事にともなって上田氏が譲り受けたものである（跡地はパチンコ・スロットの店となっている）。上田氏から当時の話を聞くなかでわたしは、「譲り受け」でなく、解体工事に立ち会った同氏が、ゴミくずとして処分される中から「救出した」物との印象を持った。なぜなら、寄贈の話が決まる少し前、同氏の事務所を訪問した折、みずから丁寧に額装され、壁に飾られていたのを目にしていたからである。救出から一〇年たって、それをあらためてセンターに寄贈したいと提案されたのは、「個人で持っておくよりは、大学などに贈って広く役立てた方がいい」と同氏が考えられたからである。この瞬間、上記の二作品は大阪の〈文化遺産〉となった。

人から人へ渡されることで、大阪に生まれたひとつの文化が、確実に、後世に伝えられる道が用意されたからである。こうして「住吉大社夏祭り」と「道頓堀今昔」は、大阪の都市遺産として、わたしたちのセンターに委託されたのである。この遺産を活用し、大阪の町づくりに生かすことが、取りも直さず、わたしたちの責務となった。

その最初の機会は、平成二三年（二〇一一）二月二六日に開かれた第一回大阪都市遺産フォーラム「大大阪時代の社会・文化」であった。「道頓堀今昔」がフォーラムのポスターを飾り、「息遣いが伝わる都市遺産」と題して、センター長であるわたしが紹介をした。また「住吉大社夏祭り」の方は、平成二四年（二〇一二）七月二一日、住吉大社吉祥殿で開催されたシンポジウム「住吉大社と豊臣期大坂図屏風―都市の祭礼と信仰をさぐる―」の場で特別展示された。

こうして山田伸吉《やまだしんきち》というひとりの芝居画家が、わたしたちの前に立ち現れたが、不思議なことに、ほどなく彼宛の書簡・葉書と原画・舞台書割などの資料が古書店に出て、一括してセンターに収められることとなった（平成二三年度収集）。明らかに山田の遺族から出たとしか思えない個人蔵の資料で、どういう奇縁かとわたしたちは一様に驚いたが、「住吉大社夏祭り」と「道頓堀今昔」が呼び込んだとしか思えない。早速、山田伸吉関係資料の整理に着手し、一年余をへて平成二四年一二月、

第四回センター特別企画展「道頓堀今昔―芝居画家山田伸吉の世界―」で公表した。

松竹座の芝居画家として活躍した山田の出現はわたしたちに、大正から昭和五〇年代にかけての芝居町道頓堀の雰囲気をたっぷりと蘇らせてくれた。山田の晩年に、少しだけだが付き合いのあった肥田皓三《ひだこうぞう》氏から聞く回想も、かつての芝居町道頓堀の証言として、往時をイメージさせるに十分な迫力をもった。いいかえれば山田の「道頓堀今昔」を手がかりに、わたしたちは芝居町道頓堀という極上の都市遺産に魅了され、研究プロジェクトとして取り組むようになっていったのである。その一連の取り組みの中に、話題となった「道頓堀五座の風景」のCG復元がある。

二　CG「道頓堀五座の風景」と道頓堀商店会

近代大阪の〈失われた〉都市景観の復元は、大阪都市遺産研究センターを立ち上げるにあたって、所期の目標であった。そのためにセンターの組織として、CGによる都市景観の可視化チームが置かれている。問題は、どの場所をCGによる可視化の対象とするかであった。その際、大きな参考事例となったのは、原爆の被災地広島である。

現在、平和公園となっている旧中島地区をCG復元することで、失われた時代と場所・生活・記憶を蘇えらせようとする取組みが、先行していたのである。平成二二年（二〇一〇）一一月六日、原爆記念館で聞いた製作者田辺茂章《たなべしげあき》氏の話は、強烈だった。冒頭、彼はこう言った（わたしの記憶による再現である）。

「平和公園となって今、誰もこの地区に住んでいない。したがって、もともと誰も住んでいなかったかのような印象を与えるが、そうではない。原爆が投下された昭和二〇年八月六日まで、そこには人々の濃密な暮らしがあった。市内でも有数の繁華街としての商いと生活。左右を河川に挟まれ、夏には子どもたちが川に飛び込んで遊ぶ、楽しい思い出が詰まっていた。それが一瞬にして消去され、その後、ここには人が住まなくなった」。

目を開かされるとは、こういうことを言うのだろう。現に、この地を訪れる体験を何度かしているわたし自身、慰霊塔の前で祈ることはあっても、この場所に以前、住んでいた人々を思い描いたことはなかった。一度として、なかった。中島地区の人々を、忘却していたのである。これを、悟りといわずしてなんといおう。CGによる景観の復元という真の意味が、腑に落ちた瞬間である。さらに田辺さんは、二〇年近くにわたって続けている旧中島地区のCG復元の手法を、わたしたちに教えた。写真を何百枚も何千枚も集めて検討しないと、建物や看板の質量感が正確に再現できないこと、写真と同じくらい当時の証言を集めることが大事であること、また当時、少年であった人々の証言は、高さにしても大きさにしても、自分の身体を基にしていてそれほど正確でないこと、などである。映画監督新藤兼人の助手をしていた経歴が示すように映像の世界をよく知り、同時に、中島地区で被爆した田辺氏の言である。どれだけわたしたちが理解できたか不安なしとしないが、いまも耳の奥で響いている。

要するに彼の作るCGは、都市広島の「壊滅と再生」の物語である。同じ壊滅と再生の物語は、昭和二〇年三月を中心に米軍の大空襲を受けた大阪にもある。ここでも問題は、大阪の「どの場所か」である。もちろん道頓堀も空襲に遭い、芝居小屋は炎上、道頓堀地区は壊滅している。しかし、センターのCG制作が、芝居町道頓堀に向かったのには別の事情があった。それは、道頓堀が浜（北）側と芝居（南）側を描いた景観資料に恵まれていることであった。

CGによって景観を復元する場合、対象がひとつの建物であれば、その建物の平面図はもちろん、正面・側面の情報も、また内部の地階から最上階までのデーターが必要となるのはいうまでもない。情報は間口や高さという数値とともに、色や模様という質量感が重視される。そのどちらの情報も揃っていなければならない。一方、道頓堀という一定の範囲の地区の景観を復元するには、道頓堀川の両岸、道頓堀筋の左右の建物が、シームレスで再現されなければならない。中座は分かるが、その左右は不明では話にならない。ところが道頓堀は、それが分かる。堺筋から戎橋筋まで約五〇〇メートル前後の空間がシームレスで、地続きで分かるのである。

道頓堀はその一帯が芝居町として公認されたために、江戸時代後半の『摂津名所図会』（寛政一〇年［一七九八］）と『戯場一覧』（寛政一二年［一八〇〇］）を皮切りに、昭和初年の空中写真まで、ほぼ五〇年の単位で全体の景観を知りうる資料が存在するのである（写真2）。これを教えたのは、本プロジェクトに特別に関わってもらった肥田晧三氏である（一四九～一六八頁参照）。この事実は、芝居

写真２　「摂津名所図会」に描かれた芝居小屋

町道頓堀のＣＧ化を大きく進める要因となった。そのなかでも、わたしたちがとくに注目したのは、雑誌『道頓堀』第二〇号（大正九年（一九二〇））に掲載された道頓堀南側（芝居側）と北側（浜側）の情景であった。これを起点に、道頓堀のＣＧ化は大きく進み、平成二三年（二〇一一）一二月二一日、「道頓堀五座の風景」として公開された。

最新作のＣＧ「道頓堀五座の風景」に、いち早く反応したのは地元の道頓堀商店会であった。年頭恒例の新年互礼会に招かれ、ＣＧを上映することとなったのである。平成二四年一月二五日、互礼会の冒頭に上映されたＣＧは、大きな関心を呼んだ。「芝居町の話は聞いていたが、だれもこんな情景の道頓堀を知らない」――というのが大方の反応であった。無理もない。商店会会長の今井《いまい》徹《とおる》氏をはじめ、会場の参加者は四〇〜五〇歳の働き盛りである。昭和五年（一九三〇）、島の内に生まれ、道頓堀・千日前で少青年期を送った肥田先生のような方でなければ、記憶を思い出せといっても出てくるものではない。それほど道頓堀は変化している。「うどんの今井」も、開業は昭和二一年（一九四六）で、その前はＣＧにもあるとおり今井楽器店（大正五年（一九一六）創業）、さらにその前は芝居茶屋稲竹と、二転三転している。地面は同じでも、その上に建つ物は、変転に変転を重ねているのである。ほぼ九〇年前の情景を見せられては、驚くのも無理はない。

それでも、「なぜ道頓堀が、芝居町と言われてきたかが分かった」という声が集ったのは、大きな収穫であった。さらに、「今度は道頓堀川の方から描いたＣＧが見たい」とか、「芝居小屋の中に入れませんのか」、という声も、当然のことながら寄せられた。それはまた、道頓堀ＣＧの新たな挑戦を意味していた（写真3）。

山田伸吉の「道頓堀今昔」が示すように、道頓堀川は北側宗右衛門町との間に流れており、道頓堀という河川が、芝居町への出入り口であった。船場から芝居町への通路が川と船であったことは、多くの証言がある。まさに「水の都」と芝居町は、連結していたのである。したがって長堀川や西横堀川などが健在であった戦前の場合（現在は埋められ道路となっている）、川面を船に乗って滑るようにして芝居茶屋の裏に着ける、という動線は不可欠である。問題は、それを裏付ける資料にある。

他方、芝居小屋にＣＧで入るにも、資料という課題は付いて回る。浪花座・中座・角座・朝日座・弁天座など、「道頓堀五座」と呼ばれた芝居小屋はいずれも、小屋の正面に櫓を掲げ、内部には枡で切った観客席、花道と廻り舞台の装置など、独特の構造をもつが、その内部空間の検証は、関連資料の入手困難という問題のため、これまでほとんど行なわれていない。わずかに立命館大学アートリサーチセンターが行なった旧金比羅座

写真3　道頓堀でCGを上映する

大芝居（道頓堀の「大西の芝居」をモデルにして天保六年［一八三五］に建築された現存の芝居小屋、重要文化財）のCGがあり、劇場の入り口から内部に入り、升席と舞台ばかりか、奈落や廻り舞台もCGで見ることができる。しかし、旧金比羅座芝居小屋は現存しており、なにもCGで見なくても、現地に行けばいくらでも実見することができる。CGでするなら、現存しない、失われたものこそ、意味がある。そう考えると、道頓堀五座は、まさに適任である。どこかに資料はないものか・・・

不思議なもので、「念ずれば通じる」の諺どおり、それがあったのである。というより、出てきた瞬間をわたしたちが掴まえたのである。しかも、CG「道頓堀五座の景観」を公開した平成二三年一二月に。出てきたばかりの大魚を捕まえてくれたのは、センターの事務スタッフであったが、それは、「都市遺産としての道頓堀」という課題が、ひとりふたりの研究員の個別のテーマでなく、センター挙げてのテーマになってきたことを意味していた。

「大阪の劇場大工　中村儀右衛門・宗三資料」は、歳が改まった平成二四年正月になってセンターに収められた。当初見ていた目録以外にも追加の資料があることが分かり、収集は二度、三度と続いたが、関西大学当局のバックアップもあって、無事、すべての資料を入手することができた。その詳細は、後述されるが、資金は購入のためだけではなかった。図面類の補修のためにも必要であった。支援を惜しまれなかった大学当局に、この場を借りて御礼申し上げたい。

道頓堀のCGによる景観復元は、建物としての劇場にとどまらず、歌舞伎・新派・新国劇・文楽などの演劇、役者や観客が集った茶屋・飲食店街、水陸両面からのアクセス、コーヒーショップや写真店の進出など、人々の暮らしと息遣いが聞こえる復元でなければならない。そのため歴史、建築、文化遺産、都市祭礼、歌舞伎、CG技術などの専門家が知恵を出し合うことが求められ、さらに道頓堀商店会との連携が不可欠である。その点で、CGが機縁となった道頓堀商店会との交流は願ってもないことであった。そこに「大阪の劇場大工　中村儀右衛門・宗三資料」（古書店の目録名）が出てきたのであるから、CG第二弾として芝居小屋の復元に、商店会と協力して取り組めるのではないか、との夢が広がった。

しかし、道頓堀の都市再生という課題の大きさを考えたとき、連携は都市遺産研究センターと商店会ではなく、関西大学全体との間で進められるほうが効果は大きいと判断し、学長コーナーに打診することで、道頓堀商店会との関西大学との連携協定への取り組みは始まった。それが昨年一〇月であったことを思えば、平成二五年一月一六日の協定書調印までの道筋は、いたってスムーズなものだった。その席上、新発見の「大阪の劇場大工　中村儀右衛門資料」の概要を発表するとともに、一月二九日に開催される道頓堀フォーラム（サントリー文化財団支援事業）で、道頓堀をはじめミナミの商店会の人々を招いて詳細を紹介すると通知した。なぜなら「大阪の劇場大工　中村儀右衛門資料」は、わたしたちセンターの学術資料であるばかりか、道頓堀の歴史を語り、明日を考える貴重な資料でもあるからである。

思うに都市遺産には、三つの要素がある。第一に建物、第二に人、第三に資料。道頓堀でいえば、中座・角座といった芝居小屋が〈建物〉にまず、当たる。しかし、すでにこの世に現存しない。ところが中座で芝居を観た人や演じた人は、まだ生きている。生きている〈人〉には、証言を生み出す力がある。死んでいても、息子や妻に語られている場合もある。意識しない遺言として。

昨年（平成二四年）の新年互礼会以降、しばしば話したり、同席したりする機会があるが、道頓堀商店会会長今井徹氏はつねに、「道頓堀にはＤＮＡがある」という。芝居町としてのＤＮＡである。氏にはわずかに中座の記憶しかないが、楽器店を始めた祖父から聞いた芝居町の話を覚えているのである。今井さんはそれを、道頓堀のＤＮＡという。それは、わたしたちのいう都市遺産でもある。今井さんはさらに、「道頓堀を浄化しなければならない」と口癖のように言う。道頓堀の環境の悪化がひどいと、口を酸っぱくして言われるのである。いつも賑わっていていいではないか、という皮相な見方をしていない。現に、毎週土曜には、朝の七時からゴミ掃除が「道頓堀を楽しく掃除する会」の人たちによって続けられている。したがって芝居町道頓堀の再生はまた、美しい町を取り戻す闘いでもある。

この時、芝居町のＤＮＡがモノを言うが、芝居町を取り戻すには、〈建物〉〈人〉と並んで第三の要素〈資料〉が必要である。日記や写真、ビデオで故人が蘇るように、劇場の資料によって芝居町が再現される可能性が広がる。「大阪の劇場大工　中村《なかむら》儀右衛門《ぎえもん》資料」は、まさにそのような資料である。「大阪の劇場大工　中村儀右衛門資料」に依拠したわたしたちのＣＧ化の取り組みも、道頓堀の環境浄化の一環であることを肝に銘じたいと思う。

三　「大阪の劇場大工中村儀右衛門資料」について

関西大学大阪都市遺産研究センターが所蔵する「大阪の劇場大工中村儀右衛門資料」（以下、中村儀右衛門資料と略す）は、総点数四五五点におよぶ（註）。

〔註〕わたしたちが「大阪の劇場大工中村儀右衛門資料」と名付けたものは東京の二軒の古書店から購入したものの総称で、一軒の古書店の目録では、「大阪の劇場大工　中村儀右衛門・宗三資料」とあった。劇場の設計図や履歴書・日記・勘定帳などから構成され、平成二四年正月に収蔵品となった。もう一軒の古書店から出たのは「明治時代歌舞伎狂言建具帳・大道具帳」とあるもので「中村他棟梁」の名が添えられ、平成二六年四月に収蔵品となった。

これらは、明治時代以降の大阪における劇場建設の様相を知ることができる貴重な資料である。資料の内容を大きく分類すると、①中村儀右衛門の履歴書、②彼が記した日記・覚書、③道頓堀をはじめとする劇場などの図面、④劇場の構造などを記した書類（建築仕様書・摘要書・明細書など）、⑤大道具帳、⑥勘定帳、⑦出勤簿である。もちろん、資料の中心をなすのは劇場関係資料である。

中村儀右衛門の履歴書は、五冊ある。これらの履歴書は、明治時代から大正時代にかけての中村儀右衛門の足跡を知る基本的な資料といえる。これらは、罫線の入った用紙に書かれたもので、その内容には、加筆・修正が加えられている。工事の請負に当たって作成され、増補されたものと思われる。また中村儀右衛門が記した日記と覚書は、合計一五冊である。とくに日記は、明治三七年・三九年・四〇年・四一年、大正二年のものがあり、墨や鉛筆で書かれている。その内容については今後、調査が必要だが、「角」「弁天」といった道頓堀の劇場名が記されている。

ここで、明治時代の道頓堀の劇場を確認しておきたい。当時、道頓堀川の南側には、西から「浪花座」「中座」「角座」「朝日座」「弁天座」が五つの劇場が軒を連ね、道頓堀五座ともよばれた（図「明治後期の道頓堀」）。

中村儀右衛門資料のうち、図面は二二一点ある。なかでも道頓堀のものについては、浪花座・角《かど》座《ざ》・弁天座の図面が、調査で確認できている。図面は和紙、青写真、硫酸紙などに描かれている。

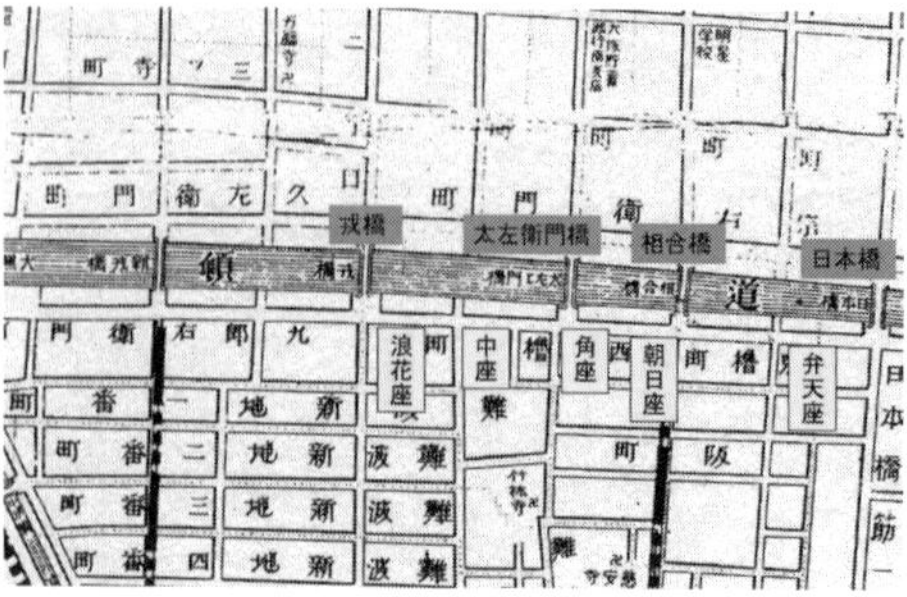

図　明治後期の道頓堀
（関西大学なにわ大阪研究センター）

劇場の正面や側面などの外観を描いた図面をはじめとして、劇場の断面図、客席・舞台など劇場内部を描いた図面などがある。また、千日前など大阪の各地の劇場の図面もあり、劇場以外に、湯屋や長屋などの図面も確認できる。

さらに、劇場の構造などを詳細に記した建築仕様書もみられる。これらの書類から、劇場の建坪数、劇場の内部外部の構造、工事に必要な材料や工事方法などを知ることができる。道頓堀に関するものは、浪花座・角座・弁天座・中座の書類である。具体的には、浪花座については明治四三年（一九一〇）、新築時の摘要書・仕様書、そして大正六年（一九一七）の摘要書。角座は大正時代の摘要書・仕様書、さらに弁天座は明治二七年（一八九四）の明細書、中座は舞台・楽屋・湯殿・勘定場の摘要書・仕様書

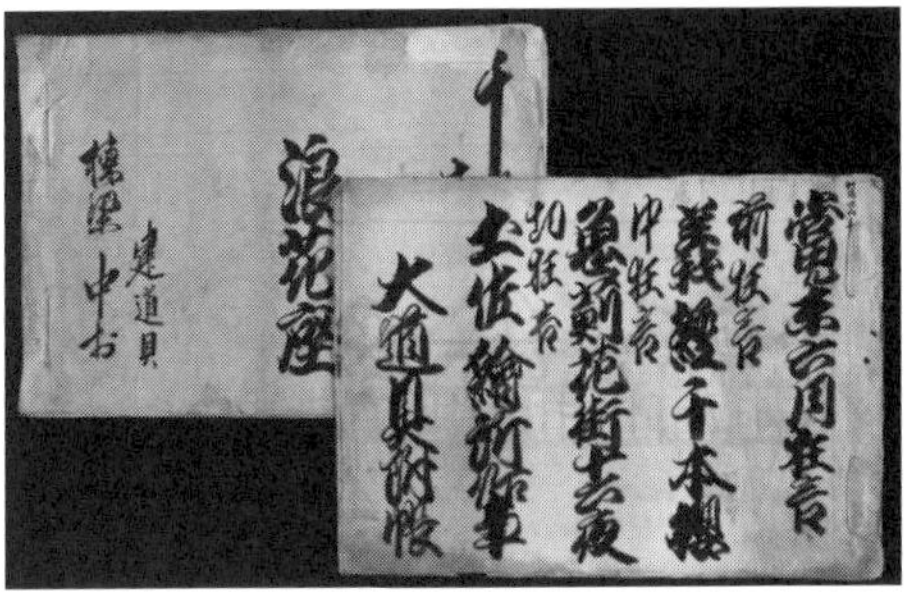

写真４　中村儀右衛門「大道具帳」
（関西大学なにわ大阪研究センター）

などがみられる。

大道具帳は、明治時代から大正期時代にかけてのものが一三二点ある。これらは、舞台に飾り付けられる大道具を、上演する順に描いた帳面である（写真４）。表紙には、興行の月と、上演する演目が記され、表紙をめくると、舞台装置などが墨で描かれている。墨書きのほかに、彩色をほどこした大道具帳もみられる。現時点の調査では、道頓堀五座に関係するものとして、浪花座、弁天座の大道具帳が多いほか、中座・角座のものも確認できる。

また、劇場の興行や大道具などにかかった費用を記した勘定帳もあり、道頓堀のものは、大正六年の浪花座での興行に関する勘定帳である。そのほかの劇場としては、楽天地、ルナパーク、北陽演舞場などの勘定帳がみられる。

出勤簿は、大工などの出入りを確認した帳簿で、明治四三年の出勤簿と、大正九年の人夫出勤簿の二冊である。勘定帳や出勤簿をはじめ、そのほかの書類については、今後調査を進めていく予定である。

つぎに、劇場大工中村儀右衛門について、彼の履歴書をもとに、出生から大正二年（一九一三）までの足跡を辿ってみたい。

儀右衛門は、嘉永五年（一八五二）一二月八日、父中村儀右衛門の長男として、大阪市西区北堀江に生まれた。幼名は、奈良松といった。数え歳一二歳のときに、父のもとで大工の修業を始め、製図法を学び、二一歳のときに、父の跡目を相続して、儀右衛門と名前を改めた。その後も、大工の修行を積み、明治五年（一八七二）から明治一三年にかけては京都・大阪・熊本・鹿児島で活動し、さらに、明治一八年から明治二四年にかけては、東京を中心として数多くの建築を手がけた。

そして儀右衛門が、劇場大工としてデビューしたのが、明治二三年から同二四年にかけての東京柳盛座の建設であった。これを契機として、道頓堀やそのほかの大阪の劇場の設計・建設・修繕の仕事をてがけるようになっていったのである。明治二五年から大正二年にかけての履歴をたどると、道頓堀では明治二七年の弁天座の新築、明治二八年の浪花座の修繕、明治三一年の角座の修繕、明治四三年の浪花座の新築に　携わっていたことがわかる。履歴書と押印から、当時の中村儀右衛門の住所は「大阪市南区九郎右衛門町二五一番」であった。つまり芝居町道頓堀の真っ只中に住みながら、劇場の建築請負業と大道具方の仕事を営んでいたのである。

道頓堀以外にも千日前・松島・天満・梅田・堀江など、大阪の数多くの劇場の建設に関わった。これらの劇場を地図で確認すると、南は、道頓堀の浪花座・角座・弁天座、千日前の横井座・常盤座・電気館、北は梅田の大阪歌舞伎、天満の老松座・天満座、西は松島八千代座・堀江演舞場、東は玉造座などである。なかでも注目されるのは、明治三一年から三二年の一年間しか存在しなかった幻の梅田歌舞伎であるが、これについては別途、報告する（藤岡真衣「梅田の「大阪歌舞伎」」『大阪都市遺産研究』三、二〇一三）。

一方、中村儀右衛門は、舞台の大道具の仕事も請け負っていた。履歴書や、図面や帳簿等などから、それが明らかとなった。とくに図面や帳簿などに押された印鑑に注目すると、「建築請負業・大道具師　中村儀右衛門」とある。また、大道具帳にも、「棟梁　中村」という文字がみられることから、今後は、大道具帳の調査も進めていくことが必要である。

これまで中村儀右衛門は、劇場史や建築史、大阪の歴史などでも、これまでほとんど知られていない人物と言っていい。したがって彼の資料は、大きな空白を埋める可能性に満ちている（写真5）。

写真5　中村儀右衛門肖像
（中村完子氏提供）

最後に、中村儀右衛門資料以外で拾えた儀右衛門に関する記事を付記しておきたい。

●明治一六年（一八八三）一〇月刊行の著書『明治中学規矩要訣』があり、住所は「大阪府下西区北堀江下通二丁目二十六番地」（和住香織氏のご教示）。

●昭和一一年（一九三六）刊行の『近代建築画譜』に収める角座は、大正九年一〇月に竣工されたものであるが、設計は岡部建築事務所、施行中村儀右衛門（橋寺知子氏のご教示）。

●昭和一〇年の大阪市内電話帳によると、「中村楼、中村儀右衛門、南　大和町二四、旅館・大道具・建築」とある（肥田晧三先生のご教示）。

（『大阪都市遺産研究』第三号、二〇一三年三月）

〔追記〕

この後、「儀右衛門資料」を基に、明治三七年（一九〇四）に再建された浪花座の設計図として構想されていた洋風の芝居小屋（実際には建たず、幻となった）の縮小版の復元（章扉写真）と、大道具帳の活用による劇場空間のCG復元、ならびに道頓堀川から芝居茶屋をへて、芝居小屋に入るルートのCG復元という三つのプロジェクトを三菱財団の人文科学研究助成（第四三回、平成二六年度）を得て行った。

その成果はいずれも、報告書『芝居町道頓堀の復元的研究――芝居小屋と芝居茶屋を中心に――』（平成二八年九月）として公表されている。

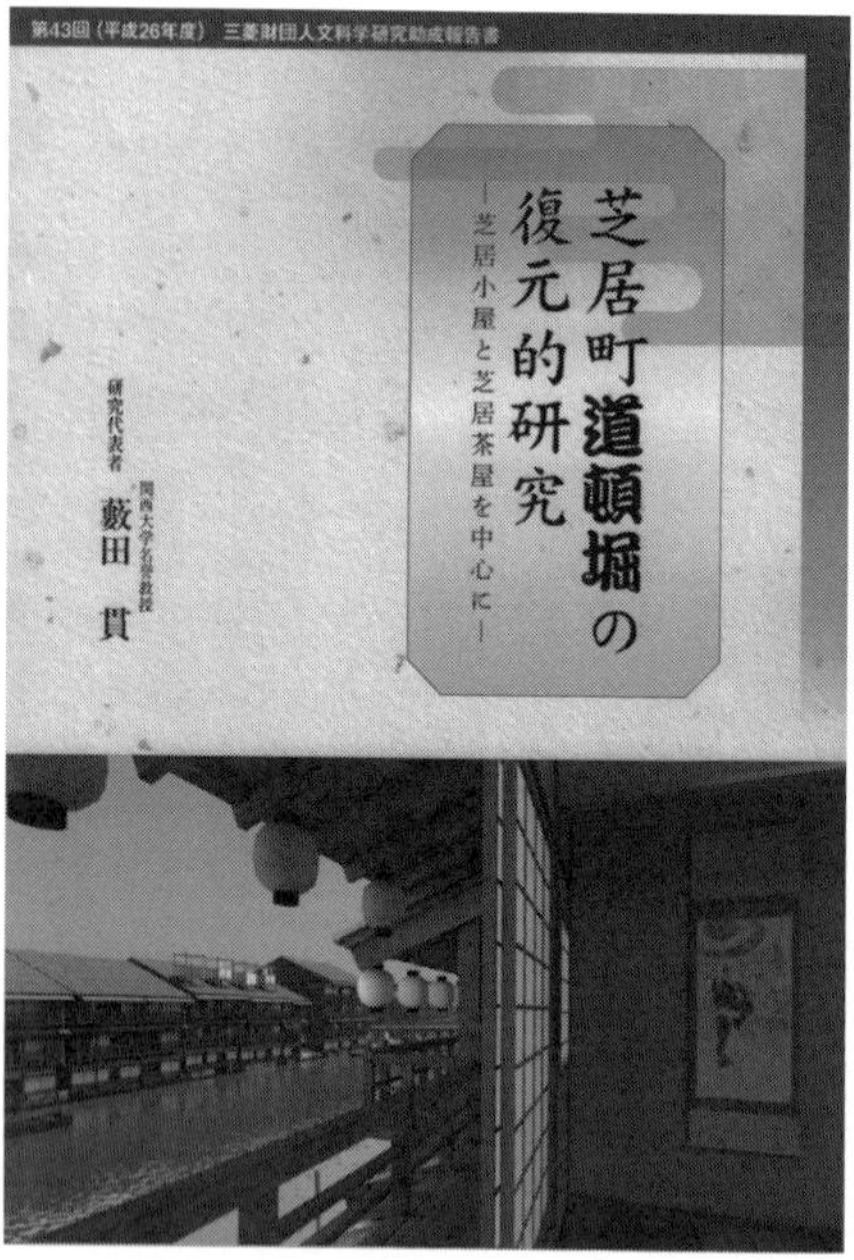

三菱財団報告書（表紙）

【道頓堀証言集】第四回大阪都市遺産フォーラム「道頓堀今昔—芝居画家 山田伸吉の世界—」
（平成二四年一二月八日）

山田伸吉と松竹座—肥田晧三氏に聞く—

肥田晧三（元関西大学教授・大阪藝能懇話会主宰）
聞き手：藪田 貫

藪田 失礼いたします。対談と申しましてもおわびしなければならないのは、先生にお話ししていただく時間が五〇分ぐらいしかないということでございます。先生にも、今日お越しになられた方々にも大変申しわけございません。私どもにもあとのスケジュールがございますし、先生もまたこの後、もう一つの会でお話をされるということになっております。限られた時間しかございませんので、今日は先生にお話をしていただくテーマを前半と後半に分けたいと思います。

先ほど山田伸吉の話がございましたが、皆さんにお渡ししている企画展の図録に肥田先生に急遽お願いいたしまして、「山田伸吉氏と私」という原稿を書いていただきました。その冒頭に「私は山田伸吉氏の晩年にすこしだけ親しくしていただいただけでご縁は薄かった。むしろ歿後に、山田氏生前のお仕事についていろいろ知る機会がふえたようなことである。」とお書きになっておられます。そういうことですので、先ほどの長谷先生のお話（のちに長谷洋一「山田伸吉の生涯と画業」として収録、『山田伸吉の生涯と画業』関西大学都市遺産研究センター、二〇一五年）の後半の部分にここでは触れていただくことになるかと思います。また、皆さんのお手元に「道頓堀のうつりかわり」という資料が入っているかと思います。今日はせっかく肥田先生にお越しいただくということで用意していただきましたので、ご覧いただきながらお聞きください。

まずは、山田伸吉さんとお出会いになる前のことから。先生は、昭和五年にお生まれですね。そのころの地図があるんですが、お生まれの場所は南区鍛冶屋町というところで、大和屋さんのところですね。

研究叢書『山田伸吉の生涯と画業』

肥田皓三氏　日本橋の上に大和屋とありますね。日本橋北詰の東側、ここは大和屋という宿屋、旅館でございました。それの一つ上の筋ですね。その角が南電話局でございます。大和屋の囲いのちょうど隣りです。その南電話局の真東、鍛冶屋町四五番地というところで昭和五年に生まれて、そこでずっと大きくなりました。

今日は、山田伸吉のことを今、長谷先生が詳しくお話しくださいまして、私も山田伸吉さんの生涯のことは部分的には何かこういう仕事をなさったということは知っておりましたけれども、生涯にわたって詳しくお話を聞かせていただいて、初めてこういうことであったのかということで、聞かせていただきました。

それと、皆さんにお配りくださっています、この山田伸吉の図録でございます。こんな立派なものを今回、大阪都市遺産研究センターでつくってくださって、山田伸吉さんという人は、同時代の方には、松竹少女歌劇の舞台装置をしておる、松竹座ニュースの表紙を書いておるということで、ある程度、名前は知れていたと思います。

しかし、昭和一二年ごろに松竹を離れて、絵かきとして立つために東京へ移ったんだと思います。今のお話によりましても。そんなことがあって、大阪では山田伸吉の名前、それまで同時代の人は幾分か御存じだったと思うけれども、戦後はほとんど大阪で山田伸吉の名前を知っている人は、特にわれわれ若い者は山田伸吉という名前を全く知りませんでした。そして、この原稿にも書きましたけれども、昭和五〇年代になってやっと、山田さんとお近づきになるようなことで、それから山田伸吉さんという人を改めて知ったのです。その山田さんが、ほとんど大阪で忘れられていたのが、今回、こうして非常にいい展観をしていただいて、そしてこんな立派な図録が出ていまして、山田さんも本

当に地下で喜んでおられると思います。今も私はこれを拝見したのですが、とてもい

昭和7年（1932）の道頓堀周辺図

い図録でございます。山田伸吉の生涯の仕事というものが、この冊子の中に要領よくまとめてくださって、大変喜んでおります。私も晩年、山田さんに親しくしていただきましたので、だからそうして山田伸吉の顕彰の機会ができたことを本当に喜んでいます。そしてまたそのことについて、この壇上に立たせていただきましたことも大変ありがたく、うれしいことだと思っております。

さて、道頓堀のことでございます。道頓堀の近くで生まれて大きくなりまして、そして両親、父も母も芝居を見たり、映画を見たりということが大変好きでございました。家が道頓堀に近いものですから、父親などは毎日、夕食後は道頓堀から千日前、南海通り

を通って戎橋へ出てという、そういう散歩コースを一巡いたします。私は小さいときから父親の後ろについて一緒にそういう道順を回りましたので、とにかく戦前の昭和一〇年代前半、戦争が厳しくなる前のまだ平和な時代であった道頓堀の姿というものが、いつも、この年になりましてもなかなかいい繁華街だったな、やはりここは日本一の繁華街だったなということで、よく思い出します。年がいきましたら、年がいきますほど、昔の古い子供のときに見聞したそういうことが割にしばしばと思い出されるということでございます。

道頓堀の日本橋の北詰めに小公園がありまして、そこに「安井道頓・道卜紀功碑」という、大阪城を建てるときに石垣を築くために運んできた石が、運搬途中に海の中に沈んだというのが幾つもあるそうですけれども、そういう大きな石の一つを、大正の末に、安井道頓と安井道卜が従五位という贈位を受けましたときに、それを記念して道頓堀を中心とした地元の人たちの力尽くしで、あの大きな立派な碑ができました。承りましたら、平成二七年は道頓堀が開発されてから四〇〇年になるそうです。ですので、長い繁栄の場所であった道頓堀がこうして記念の年を迎える。そのときに、山田伸吉もあわせて顕彰されるということで、大変よかったと思っております。

藪田　先生の資料がお手元にあると思います。「道頓堀のうつりかわり」というものです。先生、これについてお話しくださいますか。

肥田　道頓堀という場所は、大阪が開けてから通りに沿って、芝居が立ち、人形浄瑠璃の小屋ができ、ということで、大阪の町の人たちの娯楽の場所になった。いわゆるレクリエーションの場所になった。それから四〇〇年たつわけでございます。この道頓堀で、私がいつも感嘆するというのか、感心するというのか。一八〇〇年に『戯場一覧』という書物が大阪で発行されるんです。それは道頓堀が大阪の芝居の中心でありましたので、道頓堀の芝居を中心にした手引きのような書物でありますけれども、そこに道頓堀の両側の家の地図というものが載っているんです。お配りしておりますプリントの上から二番目であります。戯場一覧と書いて「しばいいちらん」と読ませておりますけれども、道頓堀筋の両側の家の地図としては、非常に詳しい地図でございます。ここに載せましたのは、道頓堀全部ではなしに一部だけでございます。これが一八〇〇年、今からちょうど二〇〇年前の道頓堀の両側でした。

それからちょうど一〇〇年後、一九〇〇年です。明治三三年、『大阪営業案内』という書物ができまして、この書物に大阪の繁華な場所、心斎橋でありますとか、道頓堀でありますとか、その他、繁華なまちでなくても、普通の町筋、道修町でありますとか、順慶町筋でありますとか、大阪の主要な町筋の両側の家の地図をずっと載せております。この明治三三年の『大阪営業案内』に載っている道頓堀の図を左側の一番上段に入れました。『戯場一覧』が、ちょうど一八〇〇年にできて、一〇〇年後の一九〇〇年に『大阪営業案内』ができる。

それからちょうど五〇年後であります。一九五〇年、当時、昭和二〇年代に『夕刊新大阪』という新聞が出ておりまして、昭和二五年ごろに、大阪のにぎやかな場所の食いもん屋の地図というものが連載で載るんです。新世界・梅田・道頓堀、その他、大阪のにぎやかなところ。ここに入れました。えらい真っ黒なコピーでございますが、「なにわ喰い倒れ地図」です。昭和二七年に載りました。これは食い倒れ地図だけれども、割に詳しく道頓堀の軒並みというものを、食べ物屋だけではなしに、ほかの商売のお家も正確に載せているのであります。

そうしますと、今から二〇〇年前の一八〇〇年の道頓堀の様子がわかる。それから一〇〇年後の明治三三年の道頓堀の様子がわかる。それから五〇年後の道頓堀の様子がわかる。五〇年ごとに道頓堀の様子がわかる。ほんならね、一八五〇年、これがわかる絵図が『浪華の花櫓』という、道頓堀のうどんの今井さんがお持ちでございまして、ちょうど嘉永年間、一八五〇年ごろにできた道頓堀の詳細な絵図です。お手元の資料にあるように小さな図版ではわかりませんが、この軒並みの家の下に、その家の名前がずーっと入っているんです。だからこれは地図と同じことなんです。そうすると一八五〇年、一九〇〇年、一九五〇年、二〇〇〇年の間の道頓堀の五〇年ごとの変遷というものがわかる。

その後は、いわゆる区分地図というものが毎年出ています。そんなことで一九五〇年以後の道頓堀の変遷というものはわかりやすいと思うけれども、それ以前でもこういうふうにしてわかるんです。これは大阪ではここだけです。ほかにこんな詳しい二〇〇年の変遷がわかるというのはありません。大阪だけじゃないです。日本全国どこを探しても、これだけ五〇年ごとの四つの地図がそろっているというのはここだけです。道頓堀だけです。いかに道頓堀という場所が繁華街としてとても重要な場所であったか。

今、いくらか道頓堀が寂しくはなっているみたいですけれども、道頓堀という場所は大阪ができてから四〇〇年間、とにかく繁華街として日本で最も代表的な場所であった。しかもうれしいことには、大正八年に『道頓堀』という雑誌が出まして、その雑誌の中に道頓堀の両側の軒並みを写生した地図が載るんです。こういうものが大正八年の道頓堀の町の様子さながら、目の前に見るように詳しく写生した絵が載りました。さらに昭和二年、三年ごろに大塚克三が描きました「なつかしの道頓堀」という絵巻、これがまた残されている。これも道頓堀の両側が詳細に写生されている。軒並み地図に加えて、軒並み絵図まで残っておる。道頓堀というのはそういう場所でございます。

しかし、道頓堀は何というても「芝居の町」、そして明治以後は「映画の町」ということになると思います。その間においしいお店がいくつかあり、そしてそのほか、いろんなもの、いろんなお土産物を売っている店がある。現在もその姿のままずっと続いておると言っていいと思います。

藪田　先生から軒並みの絵図が道頓堀にはあるというお話でしたが、第二部のパネルディスカッションが始まります前に、先生からご説明いただいたものをわれわれも参考にさせていただきまして、明治末から大正初期の道頓堀の両側をCGで再現させていただいておりますので、ご覧いただこうと思います。先生がおっしゃったように、両側がきちっと一軒一軒見られるデータというのは道頓堀しかないということでしたが、それを念頭に置きながら、ご覧いただきたいと思います。

先生、ちょっと今のお話で戦前のところですが、私が先生からいただいた資料でいうと、先生は家が道頓堀に近かったので、小学校一年生から歌舞伎をご覧になるようになったとありま す。ただそのころは松竹が来ていて、芝居茶屋とか、茶屋でチケットをもらうのじゃなくて、松竹から株主優待券として招待券をもらわれていたと書いておられます。そのあたりの頃の芝居の見方といいましょうか、芝居茶屋に触れていただけたらと思います。

肥田　道頓堀で芝居を見るという場合、道頓堀には芝居茶屋というものが軒を連ねておりまして、一番多いときは、「いろは四七軒」か、いろは茶屋というぐらいに並んでいた。それは江戸時代の話であると思いますけれども、明治以後になりましても、多いときには三〇軒、あるいはそれ以上の芝居茶屋がありました。そして、私の子供の頃、昭和一〇年代になりまして、それでもやはり二〇軒近くお店がありました。戦後はとんとなくなって、だんだん年を経るごとに減っていきました。

そして、芝居を見るときは芝居茶屋を通して小屋に入る。これが普通の形でございます。私の家などでも、祖父や祖母の時代は、道頓堀の「三亀《さんかめ》」という芝居茶屋がございまして、三亀から芝居へ入る。そして芝居茶屋を通して芝居に入りましたら、幕間に芝居茶屋からお弁当を持ってくるんです。それは二段のお膳でして、そこへ食べ物を入れて、お酒が一本、ガラスの銚子ですけれども、かんぴんにお酒が入ったものがついている。料理は芝居茶屋がそれをつくっているわけではなしに、法善寺に「みどり」という料理屋がございまして、これは南を代表するおいしい店だと言われていたんです。そこの料理を二段の弁当にしまして、芝居茶屋からお茶子《ちゃこ》がそれを持って、桟敷《さじき》席へ運んでくるわけです。桟敷席のお客さんが大体一間《ま》を四人で借り切り、家族で来ている場合が多い。それで幕間にお弁当を食べる。あるいは観劇中にも食べていたのではなかったかと思います。今は観劇中に飲食するのはなくなりましたけれども、以前は観劇中に一杯飲んだりとかいうことはしていたんだと思います。

しかし、私の家の場合、祖母、祖父のときはそういうふうにしていたと思うんですけど、私は昭和一二年に大阪歌舞伎座へ母親に連れてもらって歌舞伎芝居を初めて見ました。小学校一年生のときでした。それ以来、芝居が好きになりまして、いつも一緒についていきました。

そのときは私の家は松竹株式会社の株式を幾分か持っていたみたいなんです。だから毎月、松竹から所有株式に見合う切符というものを送ってくる。その松竹の招待券を持って小屋に行く。小屋の切符売り場のところで座席券と引き替えて、そして劇場の中へ入るということでした。それで大阪歌舞伎座、道頓堀の中座・角座、芝居の場合はその三つの小屋で割によく見ました。そのほか、文楽座が松竹の経営になっていましたので、文楽座の切符も来るというので、四ツ橋の文楽座へも昭和一三年に初めて見てから、小学生、中学生になる時期、割によく見ています。

文楽座の場合は、家が近くでございましたので、小学校の上級ぐらいになってきたら一人でも見にいきました。小学生が切符売り場で「一等席をください」といって、切符を買おうとしましたら、切符売りの女性がえらい心配して、そんな小さい子供でわかるかと、とても心配しまして、支配人まで呼んできます。こんなものがわかるのかといって、支配人と相談して二階席の一番角《かど》の一番安いところの切符を売ってくれて、そこで見たことがあります。でも、私らはいつも劇場へ行ったら割にいい席で見ていましたので、こっちのほうが迷惑なようなことがありました。

そんなことで、割と小さいときから道頓堀の芝居、歌舞伎座の芝居を見に行っておりました。道頓堀の中座・角座というのは江戸時代の形も残した、席こそ椅子席になりましたけれども、両側に桟敷を残した江戸時代風の芝居小屋の形を戦前はそのままずっと残していましたので、そこは芝居茶屋から入って芝居を見る、芝居茶屋から運んでくるお弁当を食べるというのにふさわしい小屋だった。けれども、歌舞伎座になりましたら完全に近代劇場でありますので、そういうものがもうできない劇場になっていた。それでも、戦後のことでございますけれども、大阪の歌舞伎座へ歌舞伎を見にいきますときに、地図(一五二頁)に道頓堀の芝居茶屋の「堺重」がありますね。中座の真前です。堺重に頼んで切符をとってもらって、何回か歌舞伎座へ行きました。そうしますと、休憩時間にお弁当を運んでくれはるんですわ。昔みたいに二段になったそんな大げさなものじゃなくて、ちょっと際《きわ》に置いて食事ができるというふうな、そういう食事を芝居茶屋から運んでくれるということがありました。

私は昭和三〇年代に病気になって、芝居を見たりとか、映画を見たりという生活から離れてしまったので、それ以後のことは知りません。しかし、戦後も芝居茶屋というものはやはり続いていたし、そういうふうにしてお客さんの世話もしていた。だんだん芝居茶屋がなくなりまして、「松川」というのが最後まで残ったんですわ。とにかく、松川・堺重・三亀・芝藤は食べ物屋です。芝居茶屋で名前が出ているのは堺重だけですね。道頓堀の今井さんございますね。うどんのおいしい。あの今井さんは、私ら子供のときは今井楽器店といってレコード屋をしておられました。服部良一氏は少年時代に、出雲屋少年音楽隊というのに属してはりまして、これは大正時代のことです。それで道頓堀には非常に縁の深いお方です。今井楽器店で青年時代に楽器を購入されたということです。

その今井さんが楽器屋をされる前は、「稲竹《いなたけ》」といって、やはり道頓堀の芝居茶屋の一つでございました。それで楽器店をするときに、稲竹の商売を閉じました。その稲竹の親戚の芝居茶屋が「稲照《いなてる》」といいまして、これは角座の前にございました。稲照の息子さんが作家の三田《みた》純市《じゅんいち》さん（一九二三～九四）です。だからあの方は子供のときから道頓堀で大きくなっておられるので、道頓堀のことはとても詳しい。それで、三田純市さんの著書には、『道頓堀物語』

高津町二番町付近上空から西の方を見る
（『写真で見る 大阪空襲』ピースおおさか、2001 年に一部加工）

戎橋北詰・東側から対岸を見る
(『写真で見る 大阪空襲』ピースおおさか、2001 年より)

（一九七八年）をはじめとして、道頓堀のことを取材した作品が実に多い。その本は山田伸吉さんが装丁しているのがございます。

山田伸吉の装丁した本の挿絵というのは実によくできていました。ほれぼれする出来でした。山田さんという人は正規の絵の修業をした人ではないと思うんです。独力で青年時代から非常に勉強心が旺盛で、自分で絵の道を切り開いていった。松竹座の宣伝部にもいてましたけれども、とにかくちゃんとした洋画家になりたいんです。その気持ちはずっと持っていたと思います。昭和一二年に松竹を離れて、籍は松竹に残っていたらしいけれども、いわゆる舞台装丁の仕事を離れて、今の長谷先生のお話を聞いていましたら、昭和一二年から春陽会に作品をずっと連続して出品していますので、洋画家として立とうとしていたと思います。

藪田　先生が今おっしゃった道頓堀が大きく変わりますのが、一つは空襲だったと思うんですが。

肥田　戦災で、全部焼けました。

藪田　先生、これは空襲後の写真なんですが。

肥田　この情けないありさま。松竹座だけ、それと鉄筋コンクリートで覆っている建物だけがかなり残っている。それも中に入ったら燃えましたけれども、鉄筋コンクリートで囲まれている。だから小学校の建物、道頓堀では松竹座です。千日前で大阪劇場、大劇。大劇は中に火が入って、一部は焼けたそうです。だからもう全く一望千里、大阪のこの辺に立ちましたら、近鉄百貨店、西洋のお城のような建物がございました。それが、焼け残った。道頓堀のこの辺に立ったら、坂の上に近鉄の上六の駅がはっきりと見える、そういう状態です。これは心斎橋筋です。これは小倉屋ビルです。心斎橋の三津寺筋と八幡筋の西側、小倉屋は、江戸時代から続

北詰・西側から東南方面を見る
（『写真で見る 大阪空襲』ピースおおさか、2001 年に一部加工）

いていたびんづけ油のお店です。昭和になってからこうした洋風建築が建つ。向かいが三平薬局、鉄筋コンクリートになっていたので残っている。だけど三平は中が焼けていると思います。表の外側のコンクリートの外覆いだけが残って、焼けています。小倉屋は幾分か残ったのか。戦後すぐに進駐軍の兵隊の慰安所になっていたと思います。それは講和条約（一九五一年九月八日サンフランシスコ講和会議で調印された対日平和条約）を結び、なくなりました。その後、ずっとパチンコ屋になって、現在もずっと続いている。この建物の外側だけは昔のまま残っているのやございませんやろか。

昭和 38 年（1963）の道頓堀周辺図

松竹座は幸いに戦災に遭わずに残って、昭和二〇年のうちに興行をやっています。私は昭和二〇年のおそらく九月か一〇月か知らないけれども、ここで何か見ました。映画は何を見たか知らないけど、ＯＳＫのレビューもついていました。京マチ子がソロでざっと実に活発な踊りをしたのを鮮明に覚えています。びっくりしました。京マチ子さんという人はすごいダンサーだなということは、小さいときから大劇の舞台で知っていましたけれども、京さんがこの時分、一番力が充実していたんでしょうね。一人で舞台で踊りまくって、羽をつけて、一人で踊りました。それは鮮明に残っています。もう切りがない。

これは戎橋です。戎橋から東のほうを見ている。向こうにちょっと残っているのは、あれは道頓堀劇場で、昔は赤玉《あかだま》といってキャバレーがあったんです。そのキャバレーが戦争中に道頓堀劇場という映画の二番館になって映画をやっていました。外回りが鉄筋だったので外回りだけは残ったけれど、中はおそらく焼けて何もなかったと思います。これは中座の西側にちょっと鉄筋の二階建てのものがついていて、そこは二階が食堂になります。だから幕間に、そこの二階の食堂で食事をしていました。その鉄筋の部分だけが残ったんですね。

藪田　最後に、戦後の昭和三八年の地図を出していただけますか。最後にそのあたりの頃のことをお願いします。

肥田　これは大体、現在このままずっと引き継いでいる。だけど、この時分はまだ瓦屋根のお家《うち》が多かった。道頓堀でも、難波の千日前、南海通りの界隈でもほとんど戦後復興した瓦屋根のお家が主です。

だけども、今はすっかり高層建築になりました。全く全部が高層建築になったと言っていいと思います。私はちょうど昭和三三年に肺結核になって、それから大分長いこと療養生活を送り、このミナミに出ていくということから離れましたので、万国博（一九七〇）時分から以後の変遷というものは実地にはほとんど知りません。しかし、ミナミはそこで大きくなり、そこでいろいろなものを見てきたというので、それは懐かしい場所です。いつまでたっても、今でもミナミが大好きで懐かしい場所です。

近年、ここ二〇年ぐらい前から、平成になってからですか、私は阪急沿線の池田にいますけれども、学校もやめて何の用事もないんですけれども、しかし一週間に一回と言ったら大げさだけれども、とにかく月に何回か、何の用事もないのにミナミへ出たいんです。それをずっと続けてきました。毎月二遍か三遍はずっとミナミに行っています。何の用事もないんです。そのミナミに出る、心斎橋に出る、道頓堀に出る、ちょっと食事して帰る。今は車椅子になりましたので、歩くのが自由でなくなったので、それもまれにしか行けませんけれども。しかし、ミナミは好きです。ミナミはいいと思います。

藪田　先生、最後に先ほど言われました三田純市さんの『遥かなり道頓堀』（一九七八）の中に、大正の初めの話だということで、芝居茶屋「稲竹」の息子さんが、「おとっつあん、もう芝居茶屋の時代やないで」というふうに切り出したという一節があります。大正一〇年の道頓堀は変貌しつつあったと書いてありますし、戦後の昭和二六年、「稲照」が復活した後の話でも、もう道頓堀は芝居の町としては完全に死に絶えたと言っていいというぐらいのかなりきついことを書いておられるんです。第二部で「道頓堀の明日を語る」というテーマでディスカッションしてもらうのですが、先生自身は道頓堀の変

会場の風景

貌をどのようにご覧になっておられるのか、「春のおどり」とか、そういういろんなことも入れていただいてお願いします。

肥田　道頓堀の中座も焼けてなくなり、角座もつぶしてなくなり、角座もずっと演芸場になっておりましたけれども、そうして松竹が持っていた小屋がなくなって、道頓堀という場所は一九〇〇年から一九五〇年が道頓堀四〇〇年の歴史の中で最も、一番充実した時期だと思います。芝居にしろ、各商店街にしろ、お店にしろ、この五〇年間が一番充実した、道頓堀が最もよかった時代、それは松竹の白井松次郎（一八七七～一九五一）が道頓堀の小屋を全部持っていた。松竹の白井松次郎が道頓堀を掌握していたということと関係あると思います。白井さんが戦後すぐに亡くなって、松竹会社は続くけれど、彼が亡くなってから、道頓堀がだんだん、ちびちびと寂しくなっていったんだと思う。

だから、白井松次郎みたいな大プロデューサーというものが登場しない限り、昔の繁栄は取り返すことができないけれども、幸い、松竹座があのように改装して、大阪一の日本でも有数のいい劇場になりました。もちろん松竹座は戦前から日本一の劇場といってていいのですが、そこで歌舞伎を上演する。そのほかにOSKで「春のおどり」をやるということで、これがあることでとにかく道頓堀の面目を保っていると思います。

だからここを中心にして、今でもおいしいお店はたくさんありますし、そしてお土産を売るお店というのも大阪で一番充実した場所であると思います。今もミナミへ出てうれしいのは、やはり道頓堀の人が非常に多いし、心斎橋の人が多い、戎橋筋も実にたくさんの人が歩いておられる。これはミナミへ出ていつも本当にうれしいと思うんです。人がたくさん寄ってくるということが、これが一番大事なんで、やはり今日お集まりの皆さん方も大阪へ出られましたら、どうぞミナミへお運びくださいまして、道頓堀、あるいは心斎橋、戎橋を通過してくださいませとお願い申し上げます。

このあと、道頓堀のシンポジウムをなさいますので、私も実はそこに入れていただきたい。そこへ入れていただきたいけれど残念です。

余計なことですけど、さっき山田伸吉と鳥海《ちょうかい》青児の写真が出ました。奈良の唐招提寺かどこかへ見にいったときの写真みたいな感じでしたけれども。山田伸吉さんはお嬢さんが早くに生まれるんです。

OSKの東條薫と結婚しまして、長女が生まれたときに、鳥海青児が「ながこ」、永久の「永」

ですね。永子という名前をつけるんです。鳥海が名づけ親、それほどあの二人は仲がよかった。
それともう一つ、去年、新派の俳優の喜多村緑郎の昭和五年から昭和一〇年の日記が演劇出版社から出版されました。あの人は長生きされたけど、生涯、日記をつけておられた。この日記を見ていましたら、喜多村が新派の公演で大阪へ来たら、畳屋町のいつも行きつけの宿で滞在するのですが、そこへ若いときの山田伸吉が盛んに来るんです。喜多村の気の合った連中でマージャンをしている。喜多村緑郎の日記を見ていましたら、「伸ちゃん、伸ちゃん」と非常にかわいがっている様子がわかります。こんなことが、山田伸吉は大阪の人だけど、東京の役者の喜多村にそれだけ近づき、とにかく若いときから何か東京へ出る、絵描きとして立ちたいという気持ちを持っていた、強く持っていたんだということをあの日記を読みながら思いました。

藪田　時間になりましたので、これで肥田先生からお聞きする対談は終わらせていただきます。どうもありがとうございました。（拍手）

（『大阪都市遺産研究』第四号、二〇一四年三月）

明日の図書館・明日の大阪

二〇一三年

一　特別展「大阪の都市遺産と住友――中之島図書館と住友文庫――」

こんばんは。しばらく時間をいただきまして、基調講演というより、中之島図書館のファンクラブの一人として発言させていただくつもりです。わたしと同じような思いは皆さんも持っておられると思うので、議論の口火になれば幸いです。

ご紹介にありましたように、わたしは現在、関西大学におります。大阪で生まれまして、大阪大学を出て、しばらく京都橘女子大学におりましたが、関西大学に移って二〇年余りになります。関西大学では二〇一〇年四月、文部科学省の支援を得まして「大阪都市遺産研究センター」を立ち上げ、センター長を務めています。

各地の大学が地域連携を謳うということで、大学の存在意義は国家のためにあるというよりはむしろ、地域と連携するところにあるのだということが、一九九五年一月の阪神・淡路大震災以降、強く意識されてきました。そういうこともあって、関西大学はまもなく一三〇年になりますが、大阪で生まれ、大阪で育った大学だということで、変貌の著しい歴史都市大阪の将来を考えていくときに、大阪が培ってきた文化遺産、大阪の人々が育ててきた歴史遺産を発掘・検証していこう、ということで始めたのが大阪都市遺産研究センターです。

わたしたちが進めているプロジェクトのひとつに、住友文庫の調査があります。第一五代住友吉左衛門《すみともきちざえもん》さんの寄贈によって、大正一一年（一九二二）に中之島図書館（当時は大阪図書館）の左右両翼が増築されますが、その翌年に、理化学関係の単行本・学術雑誌とともにドイツの有名大学の学位論文、医学中心の学位論文が中之島図書館に寄付されました。それらは総称して「住友文庫」と名付けられ、現在は、大阪府立中央図書館に所蔵されています。当時、世界で最新の科学技術水準を誇っていたドイツのベルリン大学をはじめとするヨーロッパの二七大学で博士の学位を取得するために書かれた論文の合本一〇〇〇冊が、中之島図書館に寄贈されたのです。これらは、人類が今まで体験しなかったさまざま疾病の解決に向け、二〇世紀の初頭に、ヨーロパの若い知性が紡いだ学位論文集です。

ＩＰＳ細胞（人工多能性幹細胞）で著名な京都大学の山中伸弥さんのような人たちが、その時期のドイツやスイスにはたくさんいたわけですが、なんとその学位論文一〇〇〇冊余を住友さんは現地で買われ、それを中之島図書館に寄贈されたわけであります。

この思いにはどういう意味があるのか――考えてみたいということで、とりあえずは寄贈されて以後、一切、目録もとられていない、いわば「開かずの箱」であった博士論文の束を目録化しようということで、センターの立ち上げとともに、現在の所蔵先である大阪府立中央図書館の協力を得て目録化の作業を始めました。中心になったのは、西洋中世史研究が専門の朝治《あさじ》啓三教授（当時）です。

住友文庫の学位論文集には医学、化学、生理学と三分野あるのですが、医学系のものについては間もなくほぼ目録が完成するということで二〇一二年四月に、住友文庫とはどういうものであるか、住友さんはどういう意図で一〇〇〇冊に余るドイツの医学系の学位論文を寄贈されたのか、市民に公表して、議論してみようと企画し、もともとの所蔵館であった府立中之島図書館の協力を得て、同館を会場に、六月二六日～七月七日の間、特別展「大阪の都市遺産と住友～中之島図書館と住友文庫をめぐって～」を開催しました。

ちょうどその頃、「中之島図書館を廃止する」という計画が突如、起こり、新聞紙面に大きく取り上げられました。しかも、特別展オープンの前日には松井一郎大阪府知事が来られて、わたしたちが展示の準備をしている場所で記者会見をする――という鉢合わせになりました。あまりにタイミングがよく、大阪都市遺産研究センターの特別展は、まるで中之島図書館をつぶそうという動きを予想したようだと勘ぐられたのですが、そういうことはありません。たまたま、「大阪維新の会」の図書館を廃止する計略と、時間的に交差したに過ぎません。

展示最終日の七月七日には、フォーラムを開催しました。すると、図書館廃止の報道も重なり、たくさんの人が集まられました。私どもは展示の期間中、観覧者のアンケートを毎日とっていたのですが、最後の日のアンケートは、「中之島図書館を守ろう」という声で溢れていました。例えば、

「私自身は、最近になってこちらの図書館を利用させてもらっています。大阪市中央公会堂と中之島図書館、さらに大阪市役所の迫力はすごいといつも感じております。どうぞ市民の要望に耳を傾け、さらに進化していく中之島をつくってもらいたいです」。

もう一人の方は「宮本輝さんの『星々の悲しみ』を読み、友人と図書館を見学に来ました。普段はめったに来ない土地でしたが、川の広さや橋など、建築物の重要さに驚きました」。こういった形で、中之島図書館が自分たちの生活の中にしっかりとした位置を占めていることについて、率直な声が集まりました。

おそらく、今日の会合も、そういう場になっている。中之島と図書館に特別な思いをもっている人たちの熱い思いといいましょうか、日々の暮らしとともに図書館に熱い思いをもっておられる人々の声を、どれだけ集められるかが、中之島の図書館を将来にわたって支えていく大きな力になる、とわたしは思っております。

二　明日の美術館 VS 明日の図書館

わたし自身個人的には学生時代以降、江戸時代の大坂とその周辺の研究をしておりましたので、この図書館に来なければ論文ひとつ書けませんでした。そういう意味では、わたしにとっては、専門性の高い場所です。しかし同時に、ここに来ると、阪大の豊中のキャンパスなどと比べようもない素晴らしい中之島の景観を楽しむことができる、という市民としての目線ももっております。したがって、この図書館と中之島地区のもっている魅力というようなことを同時に語り合っていきたい、と思っております。

大阪維新の会は、この図書館を美術館にするということで、「明日の大阪」を語ろうとしているわけです。維新の会の行動、あるいはプランをどう受け止めるかについては、いろいろな意見があると思います。ただはっきりしているのは、あれは彼らなりの「明日の大阪」のビジョンだということです。そのビジョンが、中之島図書館を廃止して美術館にするものだとすれば、わたしたちは、中之島図書館を図書館として残す、大阪の新しいビジョンを考えたらいいのだ、と思います。

そういう意味でいえば、ここが図書館であり続けることによって、私たちはどういう大阪のビジョンを描けるだろうか、ということです。このことが、今後、大きな課題になってくるのだろうと思います。

この図書館を守るということは、大阪の将来を開くこととどう関わっていくのだろうか、と考えを広げておかなければ、大きな政治的な力の前で―わたしたちはほとんど無力の人間の集まりでありますので―展望を失ってしまいます。そういう意味からも、「大阪の明日」を考える場所として中之島図書館がある、あるいは中之島図書館を語る場があるのだ、と考えてみたいと思います。

三　ナチスと図書館炎上の記憶――ドイツの大学と古書市――

この夏（二〇一二年九月）、日本関係の学会があってドイツのベルリンに行きました。写真を見ていただきますが、これはご承知のブランデンブルグ門です。この前はウンター・デン・リンデンという通りで、菩提樹の並木がずっとつながっておりまして、その先にアレキサンダー・フォン・フンボルトという地理学者の名前をとった名門フンボルト大学というのがあります。第二次世界大戦以前は、ベルリン大学といいました。ここの学位論文も、中之島図書館の住友文庫の中に入っております。

写真6　フンボルト大学の古本市

この大学には、毎日のように古本市が立ちます（**写真6**）。古本市はフンボルト大学だけではなくて、ケルン大学でも、ボン大学（ライン・フリードリヒ・ヴィルヘルム大学ボン）でも、デュッセルドルフ大学（ハインリッヒ・ハイネ大学デュッセルドルフ）でも見ることができます。ドイツの大学を訪れると、青空の古本市が名物であるかのように大学の内外で出会うのです。

そこで「なぜ古本市か」、と現地の大学関係者に尋ねました。そうするとそこには、すごく大きな歴史的な経験があり、その経験がドイツの大学で古本市を開かせる思いにつながっていることを知りました。それは何かといいますと、第一次世界大戦と第二次世界大戦のときに、ドイツ軍が二度にわたって図書館を焼いたという、大事件があったからです。

一度目は、一九一四年八月、第一次世界大戦中ですが、ベルギーのルーヴァン・カトリック大学—一四二五年にローマ教皇の特許を得て設立されたヨーロッパ有数の大学—ですが、その図書館を、陸路、ベルギーに侵攻したドイツ軍が焼きました。ルーヴェンの町を焼くと同時に、図書館も焼きました（写真7）。三万冊の図書がすべて灰になったそうです。炭化した本の塊が、証拠としてルーヴェン大学図書館にいまも遺されています。

写真7　焼けたルーヴェン大学図書館と旧市場
（The University Library of Leuven,2006）

その後、第二次世界大戦中の一九四〇年五月に、ドイツは再びルーヴェンに侵攻、今度は町全体を空爆して、中央広場に再建されていた大学図書館を損壊しました。この図書館は、第一次世界大戦後に、日本やアメリカ・フランスなど連合国が、再建のために資金の寄付や本の寄贈によって竣工したものです。ヴェルサイユ条約に従ってドイツも、図書・資料などを寄贈したそうですが、日本では裕仁皇太子（のちの昭和天皇）がここルーヴェンを訪ね、日本関係図書を寄贈しておられ、日本・ベルギー関係史上象徴的な図書館なのですが、それが空襲でダメージを受けたのです。幸い戦後、修復工事が施され、その美しい姿を見ることができますが、ヨーロッパを代表する図書館のひとつです。

人類の歴史には、秦の始皇帝の焚書坑儒《ふんしょこうじゅ》以来、さまざまに図書館を軽視する、あるいは蔑視するという経験を何度もしてきたわけでありまして、図書館蔑視は、今に始まるわけではありません。しかし、そのことが歴史的にどう断罪されているかを見れば、図書館の価値は、どれだけ強調しても強調しすぎることはないと思います。人類にとっての図書館の悲劇を繰り返さないために、中之島図書館を守り育てようとしてわたしたちは今、この場にいるのでしょう。

四 「天下の台所」大阪の文化遺産――図書館を愛する人々――

ところで、中之島図書館のファンには二つのタイプがある、とわたしは思います。ひとつは図書・本を愛する人、もうひとつは中之島が好きな人、図書館の建物が好きな人、の二つのタイプです。

先ほど発起人の稲垣房子さんが、中之島図書館の歴史に関わって大阪資料・古典籍課とビジネス支援課に言及されました。中之島図書館建設以後、夕陽丘図書館や中央図書館など、大阪府下に図書館が増設され、再編されていったという面もあるでしょうが、中之島図書館の百年を超える歴史の大きなあゆみは、まさにその二つ、大阪資料・古典籍とビジネス支援に集約されていると思います。

大阪が生み出した歴史的なものを継承していく場所、そのための容器であると同時に、歴史都市大阪の文化遺産が中之島図書館に集められているという意味。もう一つは、大阪が商工業都市として、近代都市として発展していくときに、大阪の人々をサポートする場所として、中之島図書館があるという意味。この二つの意味が、大阪資料・古典籍課とビジネス支援課に込められていると考えます。

後者の点でいえば、開館されて二年ぐらいのときに、中之島図書館の利用者で一番多いのは実業家、二番目に先生、最も少ないのは学生だと、当時の新聞に書かれています（『中之島の百年――大阪府立図書館のあゆみ』中之島図書館記念事業実行委員会、二〇〇四）。それはまさに、商都大阪のど真ん中に中之島図書館がある、ということの表れだと思います。それが現在、ビジネス支援課という形でのサービス提供業務に受け継がれている。大阪が経済的に変わっていく、発展していくときに、ここから新しい情報が発信され、あるいは新しい情報が吸収され、新しい知恵が湧いていく場所になっている、ということであります。

もうひとつ、私のように歴史を学ぶ人間から言えば、ここに来れば、豊臣時代以来の大阪のことがわかるということですが、この図書館には、豊臣時代以前の大阪の宝物があります。鹿田《しかた》静七《せいしち》という大阪の古本屋が、明治三六年（一九〇三）に寄贈した『正平版論語』というものであります（写真8）。

正平一九年、正平というのは南朝の年号をとっておりますが、西暦でいうと一三六四年、したがってほぼ六五〇年も前の出版物なのです。この書物については、日本史の高等学校の教科書につぎ

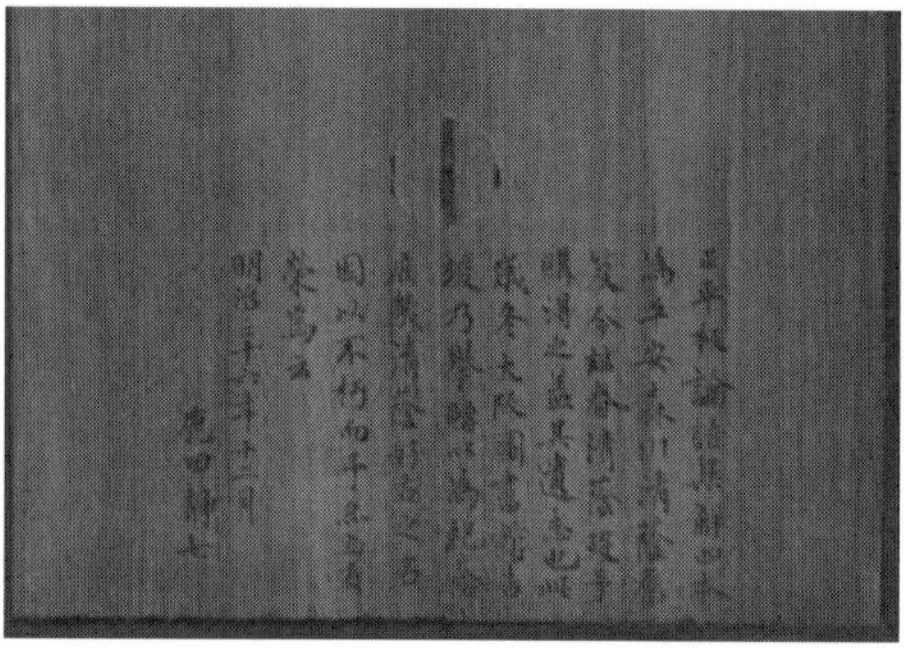

写真８　『正平版論語』箱書（中之島図書館蔵）

のように書かれています。「一三六四年、堺の道祐が版行した中国の論語集解《ろんごしっかい》に対する通称で、孔子の言行録である論語の解釈書で、三国時代に何晏《かあん》があらわした書である。南宋時代に中国ではなくなったものを、清朝の時代に日本から逆輸入して翻刻されている。堺では、さらにその後一五三三年に、医師の阿佐井野家によって天文版の論語が出版されている。」

ご承知のように堺は、日明貿易で栄えた都市ですが、その栄光の歴史が、堺の僧道祐による『正平版論語』や医師阿佐井野家による天文版の論語、という東アジアの古典の出版を生み出していたのです。それが二〇世紀初頭、中之島図書館に受け継がれ、収められているということであります。学生諸君は受験のときにこれを覚えるので、その名前は知っているでしょうが、その実物が中之島図書館にあるのです。

古い本ということで言えば、「日本最古の学校」とされる足利学校（栃木県）に伝来した『尚書正義』が国宝に指定されていますが、それは、関東管領上杉憲実《うえすぎのりざね》が永享一一年（一四三九）に寄贈した中国の南宋時代の版本です。一三六四年といえば、それよりも古いわけで、おそらく国宝級の価値を『正平版論語』はもつと思われます。

『武士の町 大坂―「天下の台所」の侍たち』（中公新書、二〇一〇年）という小著で触れておきましたが、新見正路《しんみまさみち》という江戸の旗本で蔵書家が、文政一二年（一八二九）に町奉行として大坂に来るのですが、そのときに見たいと熱望した本のひとつが、この『正平版論語』だったのです。彼は、堺の南宗寺にあった摺本を取り寄せていますが、『正平版論語』は蔵書家の憧れの的であったといえるでしょう。

　しかし一体、どういう経路を経て中之島図書館に『正平版論語』は入れられたのでしょうか。寄贈者の鹿田静七は、当時の大阪の有名な古本屋で、大阪市史編纂のために来阪してきた歴史家幸田《こうだ》成友《しげとも》が「この人がいなければ大阪市史はできなかった」と最大限の賛辞を惜しまなかった文化人・蔵書家として知られています（写真9）。その人が、同業者の京都の森川清蔭から当時、金一〇〇〇円で買って開館直前の中之島図書館に寄贈したのです。

写真9　鹿田松雲堂（『鹿田松雲堂五代のあゆみ』より）

　図書館建設費が一五万円といわれているときに、本一冊に一〇〇〇円を出す。現代の価値で比較するのは困難ですが、江戸時代から続く大阪の古本屋が、大阪にはじめて図書館が生まれるとき、大阪最古の出版物を探し出し、無料で、ポンと寄付したわけです。そのようにして、中之島図書館は始まったわけであります。

　同じことでいうと、北堀江の早瀬書店の店員である島田伊兵衛さんが、これも日本史の教科書に載っておりますが、懐徳堂の門人で、大阪を代表する町人学者のひとりである富永仲基《とみながなかもと》の

『出定後語』という本を寄付しています。島田は、「この本を熟読したら価値のあることを知った」、「今回、図書館の開館につき寄付したいが、こういうことが先例になれば、もっといろいろ、いい本が集まるだろう」と述べて寄付したといいます（『中之島百年―大阪府立図書館のあゆみ』二〇〇四）。

皆さんご承知のように、中之島図書館の建物は、住友さんが寄付しました。しかし、中身の本は、江戸時代大阪の町人学者の子孫たちや市民たちが、所蔵していたものを寄付したのです。図書館の中身の濃さは、こうした形で形作られ、その結果、中之島図書館を利用する人たちが全国にいる、という状況を生み出しているのであります。そういうことがわからない人は、おそらく中之島図書館というものの値打ちがわからない。明日の図書館を考える時の、ひとつの分かれ目だと思います。

そういう意味で、中之島図書館の本を愛する人々というのは、まず、ビジネス支援課に行く人ですね。毎日、中之島近辺で働いていて、何か新しい知恵を得たい、何か情報を得たいときに、すぐここへ飛び込んでくる。もうひとつは、大学生が卒業論文を書くときや、レポートを書きなさいと言われたときに、あるいは生涯学習時代に市民が、大阪のことを知りたいと思ったら中之島図書館に行って、大阪資料・古典籍課で聞いてみれば、いろいろなことを教えてもらえる。「温故」と「知新」の要望に確実に応える――それが中之島図書館の、一一〇年前から現在まで続く、いわば〈命〉だ、とわたしは思っております。

五　中之島のシンボル——図書館を愛する人々——

次は建物です。わたしは、この図書館に惹かれる人には中の書物に惹かれる人と、外の図書館を眺めて楽しんでいる人がおられると思います。要するに、図書館がなんともいえない重厚な雰囲気を醸し出す建物であることについて考えてみたいと思います。

そこで取り上げたいのは、今年（二〇一二年）、大規模な修復がなされた東京駅です。石原慎太郎東京都知事も賛成し、国土交通省も賛成した形で復元修理が始まり、一二月に終わりました。大正三年（一九一四）竣工のこの建物は、建築家辰野金吾《たつのきんご》が設計したことで知られ、日本史の教科書に書いてありますが、この建物すら、バブル期の昭和六二年（一九八七）には、壊して高層化しようというプランがあったのです。その時、反対運動がなかったら東京駅は残っていないのです。駅周辺側と同じように、高層ビル群になっていたはずです。反対運動の結果、こういう形で残り、復原修理されたのです。注意していただきたいのは、東京駅の周辺には住民はいません。丸の内側はすべて三菱地所ですから、三菱関連の企業しかありません。それなのに、この東京駅を守ろうとして運動が起されたのですが、その担い手は東京駅に深い思い出をもつ人たちです。

その経緯は、作家の森まゆみさんが『東京遺産—保存から再生・活用へ—』（岩波新書、二〇〇三）に書いておられますが、彼女たちのグループは、東京駅が壊されるという話が出たときに、「これを守ろう」とすぐに運動を起こされました。そのときに決められた約束は一つ、反対運動というのはイメージが暗いが、暗い運動はしないでおこう、お洒落な運動をしようということです。陳情に行くときにはバラの花を持って行く、という具合に。

森さんは、ご承知のように谷根千《やねせん》という、谷中・根津・千駄木近辺を舞台とするタウン誌を仲間と一緒に編集・出版しておられます。その活動の延長で当時、都内の古建築を守る運動をされていましたが、この時の運動のなかで一番大きかったのは、東京駅で人々に思い出を書いてもらう、要するに「思い出の東京駅」という証言を集めることだったそうです。

その結果、運動は広がりました。女優の若尾文子さんや司葉子さんのように、この駅で映画撮影をした人々や、毎日、通勤で通った人、待ち合わせによく使った人、集団就職で初めて降り立った人などなど、そういう人たちも巻き込んで署名運動を展開された、ということであります。さらに駅の誕生日を祝うパーティーをするということなど工夫をされて、東京駅は残ったわけであります。

「赤レンガの東京駅を愛する市民の会」というのが、その当時の名称だったそうですが、「運動が進むにつれ、東京駅をテーマにした小説や本、背景に使ったドラマやCMも多く登場しました。何気なく前を通り過ぎていた建物も、運動が起こると建物の価値に皆が気づき、大事にするようになるのね」と森さんは書いておられます。

反対運動というのは、実は、我々にとっては大事さに気づかせる運動なのです。その大事さに気づく人が多くなれば残るわけで、誰も気づかなければ、どんないい建物でも壊れるわけであります。その意味で、中之島図書館のよさに気づく人たちがどれだけ増えるというところが、わたしたちの運動がもっている課題であるし、可能性であるだろうと思います。

もちろん駅のように、人々の常に出入りする施設と図書館を比べるのは酷なのですが、通勤時に図書館の傍を通っている人、写生する人、大阪マラソンで付近を走る人など、中之島には中央公会堂と並んで図書館があるのだと、記憶されている人はたくさんおられると思います。

最近の東京駅を見て、ここまできれいになるものかなと思いました。この中之島図書館も、修復すればきれいになるでしょう。中之島図書館はすでに一九七六年、文化庁によって重要文化財に指定されています。一方、東京駅は森さんたちの運動を受けて、二〇〇三年にやっと重要文化財に指定されたばかりです。先輩格である中之島図書館、「日本で唯一のバロック」空間は、わたしたちの宝物です。

六　恩人たちを偲ぶ――遺志を受け継ごう――

わたしどもの研究センターは、大阪都市遺産という看板を掲げております。「遺産」というのは、人々が誰かにバトンタッチするものであります。世代を超えてバトンタッチされていくものだけが「遺産」であります。渡せる人がいなくて、捨てられるものは「遺産」にはなりません。

したがって、今ある中之島図書館も、我々が誰かから〈受け継いで〉きたものであります。誰から受け継いだものなのかを思い出すことは、実は、すごく大事なことであります。「大阪維新の会」

写真10　第15代住友吉左衛門
（特別展「大阪の都市遺産と住友」パンフレットより）

の人たちがこれを美術館に転用しようとするのは、この図書館が、誰によって、何のために作られたかという思い、先人に対する思いというのが全くないからだろう、と私は判断しています。

そこで最後に、遺志を継ごうということで、先人を紹介してみたいと思います。

まずは、第一五代住友家当主吉左衛門友純《ともいと》ですね（**写真10**）。京都の徳大寺家の生まれですが、学習院在学中に、当主のいなくなった住友家に二九歳で養嗣子として入られた方です。住友史料館副館長の安国良一さんによりますと、この人はあまり大阪が好きではなかったそうです。したがって住むのは大阪の長堀本邸でなく、京都東山か須磨の別邸だったそうです。

それでも住友家は大阪で生まれ、大阪で銅商として栄えた。だから住友は、大阪の文化を支えなければならない、大阪に恩返ししなければならないということで、個人的に好きでない場所であっても、大阪に様々な貢献をするわけです。個人的に「好きではない」からつぶせと言う人と、だいぶ考え方が違う。

それが遺産ですよね。おやじは嫌いだったけれど、おやじの遺したモノだったら、自分も引き取ろうかと思うのが大人のすることで、その瞬間、モノは遺産になります。それでいうと友純さんは、顔も見たことがない住友の先祖代々のことを思い浮かべながら、大阪に図書館をつくろうと提案されたわけであります。

この建物については、三〇歳代のときにこの建物を設計した野口孫市《のぐちまごいち》と技師の日高胖《ひだかゆたか》の二人の名前を挙げなければなりませんが、詳しくは『中之島百年―大阪府立図書館のあゆみ』（二〇〇四）をご覧ください。

わたしが個人的にすごいなと思っているのはこの人、今井貫一《いまいかんいち》という人であります（写真11）。徳島の生まれの人ですが、東京帝国大学へ行くために学費が要るからと言って今井家に養子に入られます。しかし折り合いが悪くて、最終的には今井家を出られますが、終生、今井という名前で通されました（「当館初代館長今井貫一の事蹟」『図書館ものがたり』一九九七参照）。

住友との縁があって中之島図書館の初代館長になられ、三〇年もの間、館長をやられるわけですね。この人の三〇年が、中之島図書館をつくりあげたと思いますが、その企画の一つに、開館直後から、書物は人々に見てもらわなければならないということで、展覧会をやられたということがあります。図書館が、博物館の役割を果たしたということであります。

その当時、大阪には博物館も美術館もありません。ですから、中之島図書館が博物館の役割を果たすわけであります。特別展「織田作之助の世界～オダサクの生きた大阪・オダサクの描

写真11　今井貫一館長
（特別展「大阪の都市遺産と住友」パンフレットより）

いた世界〜」が現在、開催されているのも、今井の図書館作りの賜物です。図書館だから博物館ではないと考えるのは、縦割り思考に慣れた人の考え方であります。図書館は、博物館にも美術館にもなります。そういう意味で中之島図書館は、大阪のすべての文化活動のいわば「大きな入れ物」だったわけであります。

ほかに西村天囚《にしむらてんしゅう》という九州出身のジャーナリストがいます。豊後国日田出身の儒学者広瀬旭荘が、大坂在住時代を含む厖大な日記『日間瑣事備忘《にっかんさじびぼう》』を残しましたが、西村天囚は今井貫一と諮り、これを書写させ中之島図書館に収めました。書写のためには資金が要るので、大阪朝日新聞社主村山《むらやま》龍平《りゅうへい》らを口説き、資金を出させています。

今井貫一については息子さんが父を偲んだ稿本が残されており（中之島図書館蔵）、父には三つの大きな仕事があったと述べています。第一に中之島図書館館長として三〇年勤めたこと、第二に大阪人文会をつくったこと、第三に住友の家譜を編纂したことです。

このうち大阪人文会というのは、中之島図書館に事務局を置いた「大阪の文化人の集まり」で、開館から五年目の一九〇九年九月に中之島図書館内に創設され、その後、懐徳堂の再建という大きな事業に取り組みます。

かつては懐徳堂・適塾をはじめ、さまざまな私塾の栄えた大阪ですが、明治維新以後、大阪に「文科大学がない」状態が長く続きました。世界に誇る商工業都市として当時大阪には、大阪医科大学、関西大学の前身である関西法律学校、大阪市立大学になる市立大阪高等商業学校などがありましたが、いずれも単科の専門学校や大学で、文科専門の高等教育機関はなかったのです。国立の文科大学は、京都と東京にのみありました。

つまり四〇〇年の歴史をもつ大阪に、大阪の文化を語れる高等教育機関がない――ということが深刻に反省され、大阪人文会の主唱によって、一九一〇年に懐徳堂記念会が発足します。そして大正五年（一九一六）には、享保九年（一七二四）に創立され、明治二年（一八六九）に閉校となった懐徳堂の再建・復興が成就するのです。今井貫一とともにその中心となったのは西村天囚で、彼は重建《ちょうけん》懐徳堂《かいとくどう》を「大阪の文科大学」としようとしたと言われています。中之島図書館が、重建懐徳堂、つまり「大阪の文科大学」を生み出したのです。中之島図書館が、単なる図書館ではなかったことを知るべきです。

もちろん現在、関西大学にも大阪大学にも、また他の大学にも文学部があります。しかしそれは、戦後になってやっと実現したのです。

こうして戦前の歴史を振り返ってみると、中之島図書館の存在価値は、どことも比べようがないほど貴重なものなのです。したがって中之島図書館を図書館でなくすることは、大阪四〇〇年の人文学の歴史を忘却することに等しい、と私は思います。

七　明日の図書館に向けて

最後に、「明日の中之島図書館」に向けてということで、幾つかの提案をさせていただきたいと思います。

文楽がそうでしたが、一時は国立文楽劇場も閑古鳥が鳴くぐらいだったものが、今はなかなか切符をとれません。「維新の会」のショック療法が効いたのでしょうか?

「灯台下暗し」といいますが、大阪の人々が、文化遺産・歴史遺産としての価値を見失っているのは、文楽だけではありません。大阪で最も古い古典芸能である舞楽、毎年四月二二日に四天王寺聖霊会で披露される舞楽も、見ている人はごくひと握りです。

わたしたちだってそうです。新しいものに目を奪われ、日々の生活で忙しく、大阪にある貴重な都市遺産のことを考えてはいない。しかし今は、それを考えるビッグチャンスだと思います。

中之島図書館をなくしたらどうなるか、ということを考えるチャンスが突如、現れたわけですから、この機会に、大いに考えて、この図書館をもっと発展させればいいのだと思います。そうすると、いろいろな課題が出てくるでしょう。例えば松井一郎大阪府知事は、収蔵庫として見たときに図書館の状況はよくないと言う。それは実際、司書の人たちが一番、心を痛めておられることでしょう。ならば、改善するためにお金を出してくれますか、という話ですよね。それも含めて、中之島図書館はもっと変わらなければならない、と思います。

七月七日のフォーラムでわたしは、ひとつだけ図書館にお願いをしました。「当日だけは、正々堂々、図書館の正面から入れてください」と注文しました。そうすると、入れてくれたのです（序の扉参照）。やはり違いますよ、皆さん。正面石段の下をくぐって入るのと、建物正面を見上げ見ながら入るのとでは、まったく印象が違います。普段は柵で囲われているところが取り払われて、真正面から入ると、湾曲した木の手すりの階段が見えてきて、上がるとシンメトリックに、右手に大阪資料・古典籍課と左手にビジネス支援課が見えてくる。この道筋にこそ、中之島図書館の値打ちがあるのだとわたしは確信したのです。

このような企画は、中之島図書館百周年記念事業百周年記念式典の時にもやられたということですが、一年に何回かはやればいい、とわたしは思う。

現在開催中の特別展「織田作之助の世界」でも一一月一一日の日曜日に、朝から晩まで開けるらしいですので、皆さんぜひ入ってみてください。そうしないと、「宝の持ち腐れ」だと思います。それから、この中央ホールですね。

先日、「ミンハメグリ——光で紡がれる物語」という催しがあったそうです。残念ながら、わたしは見ておりません。おおさかカンヴァス推進事業というものが行われて、中之島一帯がカンヴァスになったわけですが、谷澤紗和子さんという切り絵作家が、中之島図書館を使って、一〇月一三日から二七日まで開催されました。趣旨にはこうあります。

「大阪にまつわる民話や古典文学を題材にした大きな切り絵を、中之島図書館に展示する作品。

大阪には文楽や落語で親しまれる物語やさまざまな民話がある。それらの民話から触発された発想をもとに図像を描き、シルエットを切り出す技法で作品に仕上げる。作品を展示するのは、優れた近代建築として評価が高い図書館中央部のドーム型ホール。天井にはめ込まれたステンドグラスや大階段を背景に、切り絵が醸し出す光と影のその場限りの物語が紡ぎだされる」、

後ろからライトが当てられて、文芸ホールの前に影絵がばーっと広がった、ということであります。

そのようにしてすでに図書館は、現代アートの場として使われているわけであります。何も今さら、美術館にしようなどと言わなくても、すでに博物館として使ったこともあるし、現代アートの場としても使えるわけであります。そういうことが、現実には進んでおります。

また映画のロケやCMで使うことも、ぜひ、やってほしいと思っています。要するに、この図書館はもっと使われればいい。中も使われ、外も使われればいいのです。

そういう場所になっていけば、つぶすとか言えば、「何をたわけたことを言っているのか」という話になっていくだろう、とわたしは思います。

わたし自身、中之島図書館を大阪が生んだ宝物だと思っています。大阪城天守閣をつぶそうと言う人がいたら馬鹿げているのと全く同じ意味で、あるいは四天王寺五重塔をつぶそう、住吉大社をつぶそうとすれば馬鹿げているのと同じ意味で、中之島図書館をつぶそうということはそれこそ、

「馬鹿げている」の一言に尽きる、とわたしは思います。
しかし、「つぶそう」という声が現実に、出てきていることもよくよく考えてみる必要があるでしょう。それに対しわたしたちが、大阪に一〇〇年を超える図書館があり、現役最古の図書館として使われている事実を広げ、もっともっと魅力ある図書館にしようと努力しなければ、どんなにいいものであってもアッという間につぶれていくだろう、と私は思います。いかにわたしたちが、知恵と力を出し合うか、ということに尽きるだろうと思います。どうぞ皆様のお力をお貸しいただけたら、と思っております。

（『明日の図書館　明日の大阪』明日の中之島図書館を考える会、二〇一三年三月）

Ⅳ　近郊の文化遺産

平野屋新田会所跡発掘写真（大東市立歴史民俗資料館提供）

東西 120㍍、南北 80㍍におよぶ平野屋新田会所跡の上空写真。平成 20年(2008) 2月まで、この敷地内に会所の本屋棟(主屋と座敷棟からなる)のほか、長屋門・座敷蔵・土蔵・座摩神社・池と築山が残されており、国の文化財指定も間違いなしと評価される建物があった。しかし指定は実現せず、建物は解体、敷地は売却された。再開発を前に、現存する神社を除く範囲が発掘された。その折の写真である。現在も、関連資料の収集・調査が続けられているが、文化財保護の難しさをあらためて教えた遺構である。

大阪近郊の文化遺産は、都市大阪と地続きである。それらとの関わりは、さまざまな機会に実現した。大東市に所在した平野屋新田会所跡の場合、保存の願いもむなしく平成二〇年（二〇〇八）二月に解体され、その後の発掘調査を踏まえて二〇〇九年二月、大東市教育委員会主催でシンポジウム「平野屋新田会所―その歴史と意義を考える―」が開催され、そこでの報告を求められた。建築史や考古学との議論は、文化遺産ならではの妙味がある。他の報告とともに特集「平野屋新田会所と近世河内平野の新田開発」『ヒストリア』二二六号に掲載された。

「古くてモダンな家～吉村家の人びとをめぐる交流」は、平成二三年（二〇一一）五月に開催された「重要文化財民家を巡る特別公開と講演会」（特定非営利活動法人　全国重文民家の集い）での講演を文章化したもの。吉村家の所在する羽曳野市とは、市史編纂事業に関わり、その終了後は文化財審議委員として関与しているが、同家ご当主に長年、お世話になっている関係から、特別に依頼を受け、担当した。

「楠木伝承地とは何か～桜井駅跡を中心に～」は、史跡「桜井の駅跡」がある島本町にわたしが住んでいる縁によって生まれた。平成二五年（二〇一三）五月、島本町立歴史文化資料館から講演依頼があり、四年後の二九年五月、「島本の戦争遺跡・記録を調べる会」からも依頼があり、二度、話したが、二つの講演を統合する形でまとめた。

平野屋新田会所跡の語るもの
――その意義と課題――

二〇〇九年

はじめに

噂の新田会所跡をはじめて見たのは、二〇〇八年六月一〇日のことでした。すでに会所建物が解体された後の発掘された状態でしたが、それはそれは迫力のあるもので、「史跡としての価値を物語るに十分なものだな」という第一印象をもちました（章扉写真）。

東西一二〇メートル、南北八〇メートルの敷地内をくまなく案内してもらいましたが、第一に、会所全体を環濠が囲み、船着場の石段が発見されたばかり、近くには舟入《ふないり》と思われる遺構もあり、新田から会所への年貢米の搬送が想像されます。

第二に、船着場の近くには千石蔵とよばれた蔵が、一段と高い位置に建てられ、俵直しをしたと思われるスペースも、その前に確認できます。これも、新田管理事務所としての会所ならではの特徴です。

主屋の印象は、現存していないこともあり、鴻池新田会所などと比べると弱いものでしたが、隣接して付けられた離れ屋敷には、礎石と並んで流れ蹲《つくばい》もあり、さらに生駒山を借景に築山と池があるなど、別邸の風情を漂わせています。これは、会所が新田会所という管理事務所の側面だけでなく、所有者の別邸の側面もあったことを意味しており、近世から近代にかけて長い視野で会所を位置づける必要があることを教えています。

これが第三のポイントだとすれば、第四のポイントは、現在、会所跡からすでに切り離されていますが、会所のシンボルとしての座摩《ざま》社の存在です。鴻池新田における朝日社と同様、新田所有者が、本邸のある大阪市中から地域の地主神を移動させてきたことを物語っていますが、それが新たに新田の守護神となったばかりか、さらに新田村住民の精神的紐帯となることで会所の外に出てしまったのです。ここには、新たに開発された新田が、村共同体としてコミュニティーを形成、充実させていった過程が込められています。すなわち、町人請負新田から新田村への転換です。

一時間ほどの視察を通じて、上記のような印象を抱いたのですが、それは解体前の会所を見ていないという「欠点」が、逆に、建物ぬきで、新田会所という遺構を純粋に評価する利点につながったのではないかと思います。「災い転じて福となす」ではないでしょうが、会所建物ではなく、会所跡としての価値を前面に押し出すことで、史跡への道を切り拓いていってほしいと願っています。

一　新田の意義

さて平野屋新田会所が史跡としての意義をもつとすれば、それは新田が、①「近世」という時代と、②大坂という地域を語るに足る歴史的価値をもつからです。

近世は全国で「開拓」Development と「埋め立て」Reclamation が進められた時代でしたが、それは古くから開発の進んできた大坂周辺でも同様で、さまざまなタイプの新田が知られています。

1　さまざまなタイプの新開地

時代的にみて早くに開発が進むのは、開発工事が容易な山野・入会地の開拓でした。堺周辺の「夕雲《せきうん》開き」などがよく知られていますが、ここでは『新修泉佐野市史』で知られるようになった俵屋新田（泉佐野市）を例に挙げます。[*1]

この新田は、正保二年（一六四五）、岸和田藩主の黒印状をもって開始されたもので、藩領内の空地を開発し、開発高は当初三〇〇石、のちには五〇〇石、面積にして五七町余におよびますが、面白いのは、新田が一三カ村に点在していることです。その有様は俵屋新田絵図（『新修泉佐野市史』史料編近世一、二〇〇五、所収）に見るとおりですが、いかに、村と村の間に開発可能な空地があったかがわかります。そこではこれまで、入会地で秣《まぐさ》や下草・柴などが採られており、決して有効利用されていなかったわけではないのですが、秣や柴が、他の商品（金肥や薪）に取って代わられることで開発に拍車がかかりました。

これが第一のタイプだとすれば、第二のタイプは、付け替えられた河川の後を埋め立てて新田にすることです。宝永元年（一七〇四）の大和川の付け替えと、その後にできる安中新田・天王寺屋新田（八尾市）などは、その代表的な事例です。河川の付け替え自体は大規模な土木工事ですが、付け替えられ、水の流れなくなった河道と河川敷を開発することは、それほどの工事ではありません。したがって付け替え後、旧河道では小規模の開発が盛んにおこなわれます。旧大和川は長瀬川・恩智川・玉串川など複数に分かれていたので、開発も、その川道にそって広範に展開したのが特色です。[*2]

もちろん付け替えられた新河道では、相当の範囲で耕地を失うので、それが付け替えの反対理由ともなり、開発派と反対派で論争になります。この論証に決着を付けるのは、公共性の高さで、それを判断するのは中央政府、すなわち幕府でした。その意味で、新田開発は公共性の高い事業であったことに留意する必要があります。詳細は論じませんが、大和川の付け替えの場合も、付け替え推進派グループの功績が語られていますが、注意すべきは、それに高い公共性を付与した河村瑞賢や代官万年長十郎の存在です。地元の推進派グループの運動だけが、功を奏したわけではありません。

この好例として最近、新田会所資料館として公開されるようになった八尾市の安中《やすなか》新田会所跡植田家住宅があります。[*3]安中新田は、石高四七〇石、面積四七町歩というものですが、興味深いのは、新田絵図が示すように、新田全体が、旧河道の跡に沿って細長い形状をしていることです。河川を干上がらせ、それに旧河道に直角に田畑を開墾していったので、ここの田畑はこれまた、短冊状に並ぶこととなります。八尾市の文化財に指定された「新田絵図」が残されており、その様相が一目瞭然です（**写真1**）。また安中新田の場合、二六の小字《こあざ》（耕地の塊に付けられた地名）に、畑二九一筆・屋敷一五筆が存在しますが、河川を干上がらせてできた結果、すべて畑地であるのが特徴です。そのことによって新田に栽培される農産物は当然、制限されてきます。

第三のタイプは、池湖の開拓による新田の開発で、大和川の付け替えは、上中流では第二のタイプを生み出しましたが、下流の深野池、新開池のところでは、このタイプの新田ができました。今日のシンポの主題である深野《ふこの》南新田・河内屋南新田（大東市）などが、その代表例です。

最後のタイプは、海浜を埋め立ててできる新田で、大阪では春日出新田・加賀屋新田（大阪市）などが知られています。会所建物の現存する加賀屋新田は、元禄一五年（一七〇二）に竣工しますが、雑賀屋七兵衛が支払った地代金は二一四〇両、開発高四八〇石というものです。なにせ満干のある潮の流れを克服しての開発ですから、その工事は、第一から第三のどのタイプよりも困難で労力がかかります。ただ安治川・木津川の下流では、

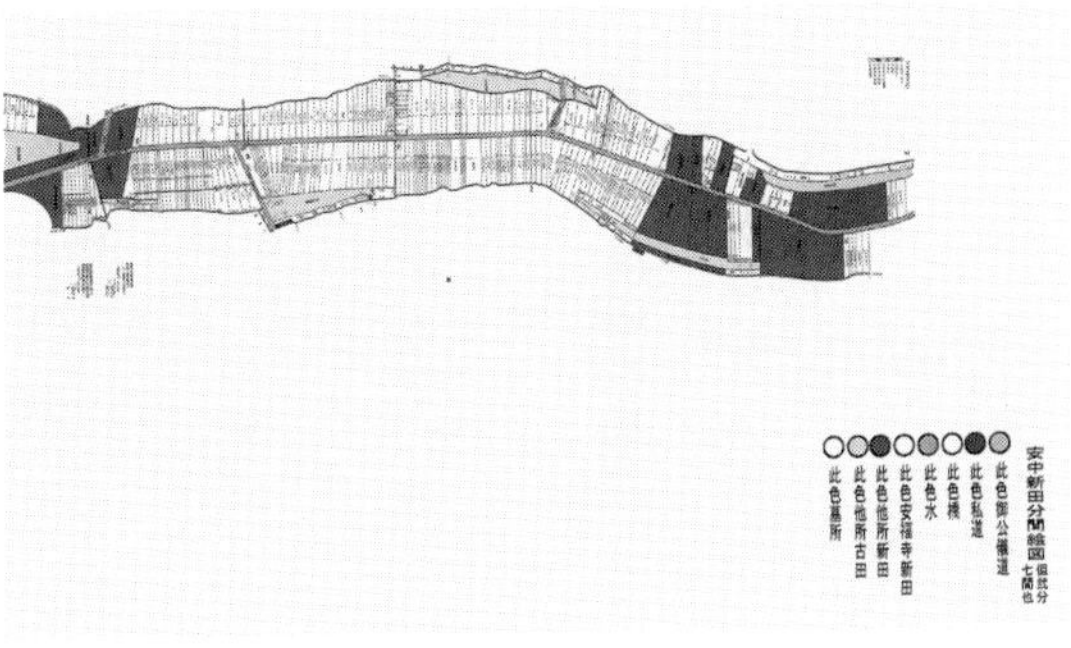

写真1　安中新田絵図（八尾安中新田会所跡植田家住宅提供）

大量の土砂が大阪湾に向けて吐き出されるので、それを利用して開発を進めることができるという利点があります。その結果、両河川の下流には春日出新田、市岡新田、泉尾新田など多数の新田が作られ、現在の大阪市域の基礎（とくに大正区、港区など）となっています。

いまでも大阪湾岸は埋め立てが盛んです。かつて六甲アイランドやポートピアランドを築造することに熱心であった神戸市の事業を評して、「海、山に向かう」と揶揄されたことがありますが、江戸時代も、時代を通して開発に熱心であったことを知っておいていただきたいと思います。

2 新田の共通点

新田の開発には投下資本、減免措置、入作者の募集、新田管理、耕作と年貢徴収など、たくさんの問題がありました。それらすべてを克服し、当初、通勤で耕作していた耕作者が、新田支配の拠点である会所の周囲に移り住むことで、やがて村の姿をもつようになります。そこには共通の要素があるので、つぎにその点を簡単に見てみたいと思います。

（一）幕府・領主の推奨

すでに先に触れたように新田開発には、高い公共性が担保されている必要がありましたが、それを保証するのは幕府、領主でした。しかも国土の造成は、ほとんどの領主の共通の欲望でしたので、よほど大きな争論にでもならない限り、少々の反対や抵抗を排除して開発は進められたといっていいでしょう。

大和川の付け替えは、その最初のテストケースであったと思います＊。それが成功することで新田開発には拍車がかかり、享保七年（一七二二）、幕府は江戸と大坂に「新田高札」なるものを掲げ、新田開発の提案を募集したのです。新田開発が公認された、ということができます。

＊この点は訂正が必要です。すでに関東の下総では延宝元年（一六七三）、総面積七二平方キロメートルに及ぶ椿海《つばきのうみ》の干拓と新田化が行われています（山野寿男ほか『大和川付替えと流域環境の変遷』二〇〇八参照）。なお諸大名を御手伝普請として河川工事に動員したのは、大和川の付け替えが最初でした（倉地克直『江戸の災害史』中公新書、二〇一六）。

その後のことですが、こんな逸話が残されています。老中田沼意次《たぬまおきつぐ》の名はご存知でしょうが、ある証言によると、「成り上がり者」の田沼は、学問、学者と名の付くものは好きではありませんでした。ただひとり気に入った学者が、医師でもあった工藤平助だったのですが、彼に世の中に功績を残すには何をすればいいかと問います。それに対し平助は、「古来、国土を広げて世間の人から悪く言われた人はいません。ですから国土を広げなさい。それにはエゾ地が一番です」と勧めたと言うのです（只野真葛「独考《ひとりかんがえ》」『只野真葛集』一九九四）。たしかに田沼は、老中としてエゾ地探検や開発を試みているので、あながちこの話はまったくの作り話ではなさそうですが、当時の為政者の周囲にあった雰囲気を感じさせます。

（二）民間からの開発資金

ただし武士の政権であった幕府は、開発を進めてもみずから率先してすることは、エゾ地を除いてありませんでした。エゾ地は、開発と同時に国防問題に直結していたからです。

その事情は大名、旗本などの領主も同様でしたが、無から有を生み出す開発には、厖大な資金が必要であったからでもあります。そこで、各地の豪商・豪農などから資金を得ることが重要な戦略となります。有力な寺社も祠堂金《しどう》といって、堂社が壊れた場合などに備えて資金を保有しておくことが認められていたため、その資金が急を要さず、「遊び金」としてほっておくのならと、開発に応募することもありました。安中新田の開発者のひとり、河内の安福寺《あんぷくじ》はそんなケースが想定され、尾張徳川家所縁の寺でもあります。

（三）減免措置

しかしかりに「遊び金」があるといっても、成功の見通しのないところに投資することは誰もしません。確実な見返りを計算して、地代金を投資するのが普通ですから、募集する幕府、領主としても、その果実を示さないといけない。新田の場合、そこからあがる収益には、米であれ、綿であれ、年貢がかかるので、収益は、生産高から年貢分を引いた剰余になります。もしあまり高くない生産高に、高い年貢高が賦課されていれば、見込める剰余は期待できない。そこで幕府は新田に対し、鍬下《くわした》年季という一定年限の間の無税措置を認めています。そして開発が定着し、一定の果実が見込めるところで、検地によって面積と石高を確認し、年貢賦課へと進んでいきます。それでも検地後に収支のアンバランスが生じることもあり、その場合、検地は一度ならず二度、行われることもありました。

（四）地代徴収権の転売

こうして新田は、どうにか定期的に収益をあげるようになってゆくのですが、その収益が投資に見合わない場合、あるいはもっと他に有望な投資先がある場合は、開発者は、新田から手を引きます。転売を考えるのです。実際、深野南新田・河内屋南新田の場合、東本願寺からはじまり、平野屋・助松屋・天王寺屋・銭屋へと所有者が変わっています。一方に耕作者がいるので、転売されているのは、新田から上がる地代の徴収権だということができます。面白いのは、転売のつどに、新田会所の名前が、平野会所・助松屋会所・高松会所・南新田会所など改名されていることです。平野屋新田会所の場合、最終所有者は銭屋《ぜにや》高松家ですから、本当は「銭屋高松会所」、あるいは地名を取って「南新田会所」とよぶのが妥当だと思います。

（五）現地事務所としての会所

新田には、平野屋会所・安中新田会所などとよばれる会所が必要不可欠です。そこは新田所有者にとって、新田管理事務所の役割をするからです。とくに大坂市中に家屋敷をもつ町人が河内に新田を所有する場合、距離的にも、現地に事務所を置くことが不可欠です。

その事務所は、新田の耕作や年貢納入などの新田管理全般を担いましたが、米俵を運ぶ剣先船（河川専用の船舶）、悪水を吐き出す水車など、新田耕作者個人の所有に限界のある農具などは、会所備え付けでした。会所に米蔵だけでなく、道具蔵があるのは、そういう意味からいっても当然なのです。その意味で、新田は、会所と耕作者、オーナーが三位一体となって、はじめて新田として完結するということができます。

新田が宅地化され、耕作者が離農することで二つの要素が欠けた現在、幸いにも会所跡が残るということは、会所跡を通して、三位一体の新田を復元することでもあります。最後の証拠と言っていいでしょう。

（六）**通勤から転住へ**

つぎは耕作者の問題です。新田は開発された後、順調に耕作されることが必要です。耕作者の安定的な確保ということもできます。しかし何もないところにできた田畑ですから、耕作者は、基本的に、これまで住んでいるところから通勤で、新田に耕作に来ることとなります。新田の検地帳に、田畑が圧倒的で、屋敷がきわめて少ないのは、そのためです。

ところが耕作者が安定してくると、彼らは職住接近で、新田の中に家を構えるようになります。こうすることで新田は、その領域内に耕作者の住んでいる新田村へと変わっていきます。平野屋新田会所の周囲にも、民家が立ち並んでいますが、その人たちの先祖は、新田村の住民となっていったのです。それはやがて国絵図などに登記され、周囲からも「村」として認識されます。

（七）祭祀施設の招致

新田が新田村として形を整えるには、もうひとつの要素が必要です。摂津・河内の村々をみれば分かるように、村には、塊状の集落、周囲の田畑と並んで寺院と神社があるのが通常です。とくに神社は産土《うぶすな》、地主神として村人の信仰を集め、祭礼などが営まれて、村のコミュニティーにはなくてはならないものです。それがどのようにして生まれたか、というと、その始まりは、新田オーナーが会所に持ち込んだ屋敷神でした。やがてそれが村人の信仰の対象となり、村の氏神へと変貌していきます。平野屋新田の場合、大坂三郷から座摩《ざま》社が持ち込まれ、河内の村では珍しい座摩社を氏神とする新田村ができあがりました。

二　平野屋新田会所跡の意義

ところで会所建物の解体撤去された新田会所跡に、どういう意義があるでしょうか？もっとも皆さんが知りたいと思っておられることを、以下の三点に分けて述べてみます。

1　新田の管理施設

会所とはすでに述べましたように、なによりも新田にとって不可欠な管理施設です。したがって新田経営の中枢部ということができます。それに対し、会所の管理した新田とは一体、どういうものだったのでしょうか。大学の中枢建物だけを見て、各学部の学生や教職員を見なければ、大学が見えてこないように、本来、会所の議論をするには、新田そのものの検討が必要です。

新田の検討に必要な史料として、『平野屋会所文書目録』（二〇〇五、以下『目録』）が、大東市教育委員会の手で作られています。全体を見るには至っていませんが、その解説によると、会所は、讃良郡深野南新田六二町歩、石高にして六九六石と、河内郡河内屋南新田一一町歩、一三九石、合計すると約七四町歩、八三〇石余の田畑を管轄していました。この数値は、享保四年（一七一九）作成の「検地帳」によるものですが、『目録』には、再検地をめぐる訴訟の記録が残されています。一反にして一石という水準は、通常の田畑ではそれほど高額ではありませんが、新田の場合には、実際の生産高以上の評価だとの不満が、新田小作人の中にあり、それが実情にあったように修正されるよう、再検地を求めていたと思われます。

八〇町歩の土地は、さらにその筆数（耕地一枚の合計数）、田と畑の分布状況という詳細を見なければ、具体的な新田の様相が分かりません。それがわかると、田なら主な収穫物は米、畑なら収穫物は綿ということになり、それが、収穫物を納める蔵の規模と性質を決定します。八尾安中新田はほぼ畑での綿作が主力でしたので、植田家の蔵の規模は、米作を主とする平野屋会所の蔵とは比較にならないものです。

「検地帳」は、享保四年まで待たなければいけませんが、新田からの年貢徴収を示す「免状」は、宝永五年（一七〇八）から残されています。それが開発直後を示すとすれば、安永四年（一七七五）の「免状」は、新田の安定した状況を示していると思われます。それによると河内屋南新田の免率（年貢率）は石高に対し約一九パーセント、実際の作付に対比すると二九パーセントとなります。通常の村落と比べればやはり、低い数値です。かりに石高に対し二〇パーセントの年貢率とすれば、八〇〇石の石高では、年貢米は一六〇石となり、四斗俵《たわら》に換算すると四〇〇俵となります。

写真2　船着場跡（大東市立歴史民俗資料館提供）

蔵に納められた年貢米は、京都二条蔵など幕府の蔵に輸送・納入されましたが、この時、平野屋会所では、船で搬送したことが、船着場の発見によって確認されました（**写真2**、船着場遺構）。舟入遺構が確認される可能性も残されており、新田村における通運という問題に大きな手がかりが得られました。蔵の規模では平野屋会所を上回る鴻池新田会所には、この種の遺構が知られていないので、貴重な発見だということができます。

この通運に関わって、銭屋川の開削と整備という問題があります。銭屋川という名の示すように、この川は、銭屋高松家が新田を取得して以降の整備と思われますが、その詳細は不明です。いずれにしても新田会所は、「花崗岩切石五段積みの石垣の上」（『大東市文化財調査報告書』）に建てられており、銭屋川との折り合いの付け方が重要な課題であったことがわかります。

なにせ河川を付け替え、干上がらせたとはいえ、昔の深野池の習い、いったん雨が多量に降れば、新田が再び、池状態に戻るのは容易だったでしょう。その場合、田畑が水に浸かっても、会所は水没しないという高さに保持されていなければ、新田会所の意味がなくなります。「花崗岩切石五段積み」には、水害と闘ってきた人々の経験知が反映していると思います。

もうひとつ厄介なこととして、新田周囲の高地にある村落からの排水問題があります。『目録』には、新田の東部、中垣内村・善根寺村などからの排水問題に苦しむ人々の姿をうかがわせる文書も収められています。今日のシンポでは、井上伸一さんが、その点を詳しく紹介されています（「深野池新田の再編と平野屋新田会所の建設」）。会所の蔵には、米以外にも、農具を納める蔵があったということですが、そこには必ず排水用具があったはずです。個々の小作人たちの処理能力を超えた大型の排水用具や農具が、会所の土蔵に整備されていたのは確実です。

2　新田村の拠点

新田開発が進み、通勤していた小作人たちが定住を始めると、新田はやがて一つの村としての姿を整えます。そのとき、耕作者である小作人は新田管理事務所である会所の近辺に居住をはじめ、会所の周囲は集落の形状を示すこととなります。今日、新田会所の周辺を訪れて、「村」の雰囲気を感じさせるのは、そのためです。このことは言い換えると、会所が小作人たちの共同性を担保する機関の役割をもち、一般村落の庄屋のように、会所の支配人が、さまざまな行政を処理するようになることでもあります。

会所にはオーナーである平野屋や銭屋から支配人が派遣されました。もっとも早い例として元文五年（一七四〇）に奥次郎の名が、『目録』に見えます。その後、宝暦一四年（一七六四）の定七、天明二年（一七八二）の郷助と代わっています。彼らは当初、大坂市中から通勤の形で会所に通っていたことが推測されますが、いつ会所内に居住するようになったか、会所内のどこに居住したかは、会所の歴史を考えるときに興味深い問題です。

支配人の職務については、厳格に決められていたことが、銭屋のもうひとつの新田柏村新田について知ることができます。[*4] 会所内に住む支配人李兵衛は、地主である本家高松家に対し、①幕府と領主の触れは村中に伝える、②会所の内外を掃除し、庭の草木に至るまで大切に保護する、③会所内の祖塔を大切に守護する、④会所付属書類と道具を念入りに扱う、⑤火の用心に注意する、⑥本家の新田方が用向きで出勤し、本家の風儀と変わったことがあれば、すぐに報告する、との箇条を誓約しています。

新田のもっとも重要な構成員は、オーナーの所有する新田の田畑を耕作する耕作者たちです。「下作人」「下百姓」と呼ばれ、いわゆる小作人に当たります。一般の小作人は地主から、地主が自ら耕作する部分（「手作り」といわれます）を除いて、貸し与えられ、小作料を納めるという関係にありますが、新田の場合は、オーナーが耕作することはまったくなく、すべて小作人に貸し与えられています。その意味で、彼らがいないと、そもそも新田は成り立たないということができます。

「下作人」「下百姓」は、小作契約に当たって「下作証文」をオーナーとの間で交わしますが、深野南新田・河内屋南新田が天王寺屋から銭屋に譲渡された文政七年（一八二四）に作成された三二通の証文が残されています。彼らの氏名の確認をしていませんが、下作人の数を推定する根拠となります。

銭屋高松家は、平野屋新田を取得する以前、文政四年（一八二一）に、河内若江郡の柏村新田を取得していますが、その時、元オーナーである丹北郡若林村伝右衛門から、譲渡証文とともに、①新田付属書物、②会所建物一式、③天秤と唐箕、④鎮守と神事用具一式、および下百姓建物一式が渡されています。これらがすべて揃って、新田というものが成り立っていたということをよく示しています。[*5]

通勤の下作人が、定住をはじめると新田の地目は、田畑から屋敷地へと転換しますが、元文三年（一七三八）に、その最初の事例が確認されます。開発からほぼ三五年という時期ですが、百年後の天保一〇年（一八三九）には、『建家書上帳』という史料が作成されており、会所の周りに耕作者の屋敷が集まっていることがうかがわれます。

定住の展開は、耕作者個人から耕作者の家族へと変化を促したことと思われますが、そうなると、一般村落と変わらない村落事務が生じます。新田耕作者の家族の誰かが、結婚などで他の村や町に移動する場合には、「宗旨送り」が義務付けられますが、それは『目録』に、享和二年（一八〇二）以降見られます。また隣近所と五人組が形成されていたことも、嘉永二年（一八四九）の『五人組帳』

によって知れます。また安永一〇年（一七八一）には、中垣内村伝九郎を村番人に雇用していますが、それは新田村を守る措置で、他の一般村に準じています。

ここまでくれば新田は完全に「村」の姿を整え、つぎは、その共同性を内外に示す番となります。排水問題で角突き合わすことの多い善根寺村など山方村々との間では、宝永六年（一七〇九）、「相対証文」が交わされ、以後、享保九年（一七二四）まで、くりかえし証文が交わされています。そこには支配人の名しか見えませんが、その背景には耕作者の意思が働いていたことはいうまでもありません。こうして村外との折衝を通じて新田村にも、庄屋・年寄に似た村役人の合議制が生まれていくのでしょう。

その結果、支配人は、やがて庄屋と呼ばれるようになり、オーナーの新田管理は、支配人を通じた直接管理から、耕作者の間から選ばれる庄屋を通じた間接管理へと転じていったと思われます。そのことによって、新田会所は村の事務所・公民館の役割を持つようになるのです。本日のシンポで、吉田高子先生は、会所の屋敷構成の特色として、屋外作業空間の広さと接客空間の充実を挙げておられます（「平野屋新田会所の屋敷構成と建築」）が、その要因として、村の事務所・公民館の役割を挙げることができます。

最後に残るのが新田村の精神的紐帯の形成ですが、それはオーナーが屋敷神として招致した座摩社の村人への開放で果たされます。享保一三年（一七二八）には、「鎮守宮祭礼控」という名の史料が残され、すでに村の鎮守と表現されています。現在、座摩社は会所の遺構の外にありますが、もともと会所内にあったものが、会所から切り離され、新田村のものになっていった歴史を証言しています。これまた、会所内に留まり続けた鴻池新田会所の朝日社と比べたときの平野屋新田の大きな特徴と言っていいでしょう。

3 オーナーの別荘

新田が〈村〉としての姿を整える一方で、新田会所が、新田所有者であるオーナーの持ち物であるという側面は不変です。したがってオーナーの都合によって、別宅や別荘になることがあります。新田の管理事務所、新田耕作者の公民館的役割に加え、オーナーの私邸という、会所の複合的性格を物語るものです。

大坂周辺の新田のうち、別荘として有名なのは元禄年間に安治川河口に開かれた春日出《かすがで》新田（大阪市）の会所です。享保年間には、オーナーである泉佐野の豪商食野《めしの》家が、紀州徳川家から拝領した巌出御殿《いわでごてん》（慶安二年〔一六四九〕に建てられたもの）を移築した春日出村荘がありました。もちろん一画には春日神社を祀るという、会所共通の一面もありますが、主屋に面して築山を配し、そこに海水を引き込んだ水路が回遊、主屋は雪舟や狩野元信らの山水画をはじめとする数々の美術品で装飾され、近世後期の大坂を代表する別荘として、広く知られていました（「春日出新田別荘図」『新修泉佐野市史』史料編近世1、口絵参照）。たとえば大坂西町奉行新見正路や大坂代官竹垣直道ら、文政期から天保期にかけて幕府役人も、巡見の途次に立ち寄っています[*6]。

明治維新後も、横浜の生糸商人菊池三溪《きくちさんけい》が立ち寄り、「春日出村荘十勝記」（明治一八年〔一八八五〕）

を残していますが、彼の造った三溪園（横浜市）には、春日出村荘の一部遺構が移されて現存します。

平野屋新田会所もその建物の調査から、銭屋高松家の別荘としての歴史が明らかになります。『旧平野屋新田会所屋敷と建物』（大東市文化財調査報告書、二〇〇二）によると、表・裏長屋門は、記録がなく創建時不明とのことですが、裏長屋門には「前身建物」があったようです。つぎに主屋ですが、「当初主屋と座敷は別棟」であったとのことで、とくに座敷は、明治二五年（一八九二）一二月に上棟され、「出納帳で五〇回程度の大工普請」であったことが確認されています。今回、発見された流れ蹲《つくばい》や、生駒山を借景とした庭園などは、別荘としての整備にかかわっているかもしれません。享保一〇年（一七二五）に創建された屋敷蔵も、明治二六年に再建されており、明治二五〜六年の普請工事が、相当な規模であったことが想像されます（写真3）。

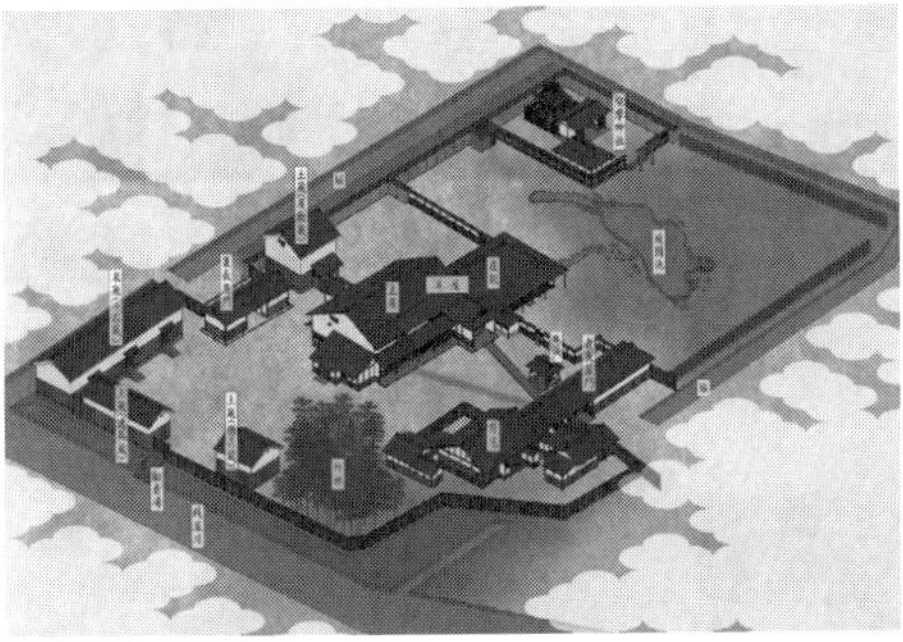
写真3　平野屋新田会所復元図
（大東市立歴史民俗資料館提供）

オーナーである銭屋高松家の大阪での経営状況や、生活事情が解明されないと詳しいことはいえませんが、家屋が建ちこみ、火災の可能性が高い大阪市中を避けてオーナーが、河内の新田会所に避難所の役割を求めることは想像に難くありません。

くわえて明治二〇年（一八八七）に銭屋の八代目当主、長左衛門長教が亡くなっているのも、ひとつの画期であったかもしれません。白粉業で財を成した銭屋が、深野南新田・河内屋南新田・柏村新田など、新田経営に手を染めたのは、養父七代長左衛門清房で、八代はそれを継承し、大阪市中では文人として知られていましたが、明治二〇年に死去しています。[*7] 大阪府下の小作地率は、明治三六年当時、六三・五パーセントですが、地主経営の動向もふくめ、オーナーである銭屋の明治後期における経営方針を知る必要があります。

最近、同家の文書が公開されるようになったのはまことに喜ばしいことで、それによって新田と会所の変貌が明らかになることが期待されます。

おわりに

新田会所は耐用年数のある建物を別とすれば、開発以後、現在まで三〇〇年の長期に及びます。その間に、会所が、どのように使用されてきたかを明らかにすることがもっとも重要なことです。その変遷には地主であった高松家の事情、現地住民の事情が交差しているでしょう。さらにその全体像を、会所跡の遺構の上に重ねることができれば、史跡指定に向けて大きな成果となるでしょう。言い換えると、会所跡を通して、耕作者・オーナー・会所という新田のもつ三位一体の姿を復元することです。

要約すると、課題は、会所の全体像を明らかにすることに尽きます。新田の会所だからこうに違いないという先入観を避けて、残された史料と発掘された遺構とから総合的に判断することが必要です。また昭和五一年に国史跡となっている鴻池新田会所との違いを明らかにすることも、平野屋会所の価値を判断する上で必要な課題です。その場合、明治二五〜二六年の頃に、新田会所から別荘化への画期があったと予想することができると思われます。

〔註〕

＊1　『新修泉佐野市史』本文編近世・近代（曽我友良執筆）、二〇〇九年三月。
＊2　山野寿男ほか編『大和川の付替と流域環境の変遷』（古今書院、二〇〇八年）は、土木工学・地理学・歴史学が共同して大和川の付け替えを総合的に論じた貴重な成果です。一本の河川の付け替えが、いかに流域社会を大きく変化させたかが詳細に論じられています。
＊3　『八尾安中新田植田家の文化遺産』関西大学なにわ・大阪文化遺産学研究センター、二〇〇七年七月。
＊4　松永友和「大坂町人銭屋と河内若江郡柏村新田」『八尾市立歴史民俗資料館紀要』二〇、二〇〇九年三月。
＊5　＊4に同じ。
＊6　『大坂代官竹垣直道日記』一〜三、関西大学なにわ・大阪文化遺産学研究センター、二〇〇七〜九年
＊7　＊4に同じ。

〔追記〕

＊その後、会所跡は民間ディベロッパーに買い取られ、住宅建設が進められた。わずかに千石蔵跡や船着き場跡の所在する会所の北西隅が、大東市によって買い取られ、会所跡を今に伝えているのは救いである。そのお陰で市民の手で平野屋新田会所市民サポーター会議が結成され、活動が始まっている。なお『大阪春秋』一六七（二〇一七年夏号）に「特集新田開発と新田会所」が掲載され、総論を執筆していることもあわせて付記する。

（大阪歴史学会『ヒストリア』二一六、二〇〇九年）

「古くてモダンな家」
――吉村家の人びとをめぐる交流――

二〇一一年

はじめに

古建築が好きである。結果として歴史学徒となったが、少年時代の夢は古建築の調査研究であった。したがった現地に史料調査に赴くと、寺院・神社・民家を問わず、古建築に出会うことを心待ちにする。

その原点は、四〇年余の昔、卒業論文作成時に訪れた吉村家住宅であった（写真4）。五月の連休の一日、新緑のまぶしい日に、指導教授の脇田修先生（一九三一～二〇一八）に伴われ、吉村家住宅を訪問した。近くの中学校に通い、その時の友人が吉村家の親戚筋に当たることから同家には何度も出入りしていたが、研究のために訪れたのは、この時が最初。もちろん緊張は半端ではなかったが、脇田先生が吉村家当主要次郎氏と話されている間に、京都大学の朝尾直弘先生らが作成された

写真4　吉村家住宅パンフレット
（吉村堯氏提供）

目録を参考に、奥座敷の縁側で史料の写真撮影に勤しんだ。重要文化財——戦前は国宝であった——の民家で、人生最初の史料調査をしたのであるから、生涯、忘れられない記憶として今もある。

この経験を通して、史料調査が古民家見学とセットであることを学んだ。学術的には建築史に素人でありながら、古建築、とくに古民家の見学に大きな関心を抱くようになった。近年も、三川合流地帯で海抜ゼロ・メートルの地に立つ服部家（愛知県海部郡弥富町）や、大山山麓の門脇家住宅や河本家住宅を親しく見物する機会があった。とくに門脇家住宅（鳥取県西伯郡大山町）は、戦前の当主が泊園書院藤澤南岳の門人であることを知っていたので、年に一度の公開日（五月連休）にお邪魔した。南岳の名は、調査に関わっていた吹田の旧家西尾邸の資料のなかで確認していたこともあり、片や伝統的な農家、片や近代和風とタイプが異なりながら、家屋という「器」の中に、同じ思想と学問が蓄積されていることを知って感動した。民家という古建築と同時に、家という器の中に埋め込まれたモノ——有形と無形——への関心が強いことを改めて知ったのである。

わたしが見聞した服部家や門脇家は、吉村家などとともに同家当主である吉村堯氏の著書『民家——こころとかたち——』（重要文化財吉村邸保存会発行、一九九八）に収められ、紹介されている。その数四五件、興味深いことに服部家には「海抜ゼロ・メートルの農家」、門脇家には「伯耆富士山麓の農家」として、見出しが付けられ、吉村家のそれは「爽やかな脇役たち」である。奥座敷の欄間《らんま》やウサギの釘隠しなどの洒落た意匠が、その脇役たちであるが、文中、「古くてモダンな家」という言葉が登場する。吉村邸を「古くてモダンな家」と評したのは、日本建築学の泰斗伊東忠太（一八六七〜一九五四、米沢市出身の建築学者、日本建築史の創始者、「歴史主義と建築設計を自らの内に併存させていた」とされる）で、昭和一二年（一九三七）、民家として国宝の第一号に指定されるにあたり事前調査に訪れた伊東が、吉林家を見て発した表現である。

この「古くてモダンな家」が、どのようにして建てられ、どのようにして今日まで守り伝えられてきたか、ということを考えた時、吉村邸に暮らしてきた同家の人びとに思いを及ぼさないでは済まされない。有形文化財のなかの〈無形の遺産〉への関心である。

一　吉村邸と吉村家の歴史

1　政所

さて吉村家の起源を考える上で、天正一九年（一五九一）の年紀をもつ古文書が注目される。「まいた主水分百姓書上げ（写）」と題されたもので、「まいた主水《もんど》」配下の島泉村百姓一一名、石高にして二三六石分を書き上げ、冒頭の七衛門に「まん所」との註記がある。「政所」とは中世後期の都市堺などにおかれた地域支配権者を指すが、吉村家の先祖はそれに就いていたのである（この史料は編集に加わった『羽曳野市史』五巻近世史料編、一九八三に収めている）。「まん所」とある以上、その管轄範囲は、一つや二つの村の規模を超えていると思われるが、当時の関連資料を欠いており実態は不明である。

その後、太閤検地を受け、同家には文禄三年（一五九四）の「島泉村検地帳」が残る。田・畠・屋敷合わせて二四町四反余、三二一石とあり、比較的小規模の村落の姿が得られる。田畠に続き、屋敷は末尾に付けられているが、吉村家当主七右衛門の名はない。その訳は、当時の村の姿を描いた絵図で明らかとなる。家屋敷は村の中ほど堺から大和へ続く街道に沿って一カ所に色付けされているが、堀に囲まれた一郭が「御除屋敷」と記されている。そこは今も、吉村邸が立つ場所である。したがって吉村家は検地を受けても、居屋敷の年貢が免除されているのである。同家が、「政所」として島泉村を含め地域を支配することへの反対給付である。

また時期は不明だが、島泉村の耕地を一筆ごとに描いた絵図が残されている。一目瞭然、耕地が古代条里制の遺制に従って分布している。そして鍵の手の形をした堀に囲まれた屋敷には庄屋七右衛門と明記され、二筆で九畝となっている。一畝（〇・九アール）前後という周辺の屋敷地と比較にならない規模である。今日、重要文化財として指定されている吉村邸は約一六〇〇坪を数えるが、その原点がここに見られる。残念なことにその後、元和元年（一六一五）に起きた「大坂夏の陣」の戦火を受けて主屋は焼失するが、戦後、すぐに再建され、現在の家屋へと続いている。それがすなわち、同家を重要文化財に価値づけている歴史である。
近世の当初は幕府領であったが、宝永元年(一七〇四)、川越藩秋元氏領(その後、出羽山形をへて上野館林に移動する、知行高六万石)となり、享保一四年(一七二九)、丹北郡・八上両郡一八カ村の大庄屋となるが、それは、かつての政所の地位を想起させる。

2 兵と農の間

もちろん吉村家は大庄屋として、苗字帯刀を許され、村の中にいながら武士の格式を認められていた。周囲を環濠で囲まれた屋敷地は、戦国期の土豪居館としてふさわしい。供《とも》部屋をもつ立派な長屋門は横連子の武者窓を開き、大玄関には式台《しきだい》がある。主屋の奥の間には数寄屋風の書院が付けられ、庭には築山泉水があるなど、大和棟の農家でありながら武家の格式を存分に感じさせる。〈兵〉と〈農〉が分離した社会とされる江戸時代にあって、両方の要素を渾然一体と取り込んでいるのが吉村家である。

そんな吉村家にあっては、政所・大庄屋として〈政事〉を担うことは同時に、〈文事〉を磨くことでもあった。その姿は、文政六年(一八二三)版『続浪華郷友録《きょうゆうろく》』に認められる。「江戸時代の中後期になると、『平安人物史』・『浪花郷友録』といった学者・文人の紳士録が京都や大坂では何度も出版される」(管宗次『京大坂の文人——幕末・明治』、和泉書院、一九九一)が、その一つ『浪花郷友録』(安永四年版、寛政二年版が残る)の続編である。編者は『浪花郷友録』と同じく曽谷之唯(毛必華、一七三八

〜九七）。『続浪華郷友録』は彼の死後に出ているが、編者としてその名が載るので、『浪花郷友録』を基に情報が更新されたものと見ることができる。しかし、大きな違いが二つある。一つは前者が儒家・聞人などの分類を取ったのに対し、後者はいろは付けで並べたこと。いまひとつは『続浪華郷友録』には、大坂市中だけでなく摂河泉その他、交通至便な地の文人で、常に浪華に遊び風流を友にする人士を付録として載せた点。その中に、吉村家の七右衛門・麟之助父子が並んでいるのである（『近世人名録集成』第一巻地域別編、勉誠社、一九七六）。

東　滸　画墨梅　遊茶事　名光甫　字君章　号栖鶴園　島泉　吉村七右衛門

撫　松　画篆刻　名光徳　字有隣　号鷲原　東滸之男　吉村麟之助

吉村七右衛門が吉村家当主として、また大庄屋として〈政事〉の側面を表すとすれば、東滸という名、栖鶴園という号は〈文事〉の一面を示す（同じ大庄屋である日置西村の日置五郎右衛門長好も見える）。とすれば吉村邸は、館林藩秋元氏の飛び地領（本拠館林から離れ、大坂周辺に与えられた領地の呼称）の大庄屋の「事務所」として活用されるとともに、文人の「サロン」としても機能することとなる。その結果、建物は洗練の度を加えることとなる。

このような〈文事〉の背景には、島泉村の近隣一津屋村に、大坂の漢詩結社混沌《こんとん》社の支社を設けた医師北山橘庵（一七三二～九二）の存在が注目される。橘庵は、『浪花郷友録』寛政二年版の付録に「北山彰・元章、河内一屋村」として名を載せ、朝鮮通信使と漢詩を唱和したことでも知られている。山中浩之氏によれば、七右衛門東滸（明和八年〔一七七一〕～嘉永元年〔一八四八〕）が生まれる前年の「諸要録」と題する記録の中に、医師として治療に当たる北山元章老の名が見えるという。同年一年で一三六日、三五六服に及ぶ診療と調薬を同家家族に行っていることから、両者の親密の度合いが窺える。その後、成長して当主となった七右衛門東滸は、紀州の野呂介石に画を、安田長穂に和歌の手ほどきを受けた。つぎを襲ったのが七右衛門撫松（寛政一一〔一七九九〕～明治二〔一八六九〕）で、学を篠崎小竹に、画を岡熊岳、和歌を小原千座、茶を青木宗鳳に学んだが、なかでも画業にもっとも傾倒したという（『羽曳野市史』第二巻）。

　大庄屋の「事務所」であり、かつ文人の「サロン」でもあった吉村邸の存在は、領主上野国館林藩秋元氏の注目するところであった。上知令（天保一四年〔一八四三〕に大坂周辺の藩領・旗本領を幕府のもとに回収し、他の地域に替地を与えるという施策）騒動の後の弘化元年（一八四四）、藩の役人は吉村家当主七右衛門（撫松）に対し、同家の来歴と並んで伝来の古記・武具・刀剣などについて問い合わせ

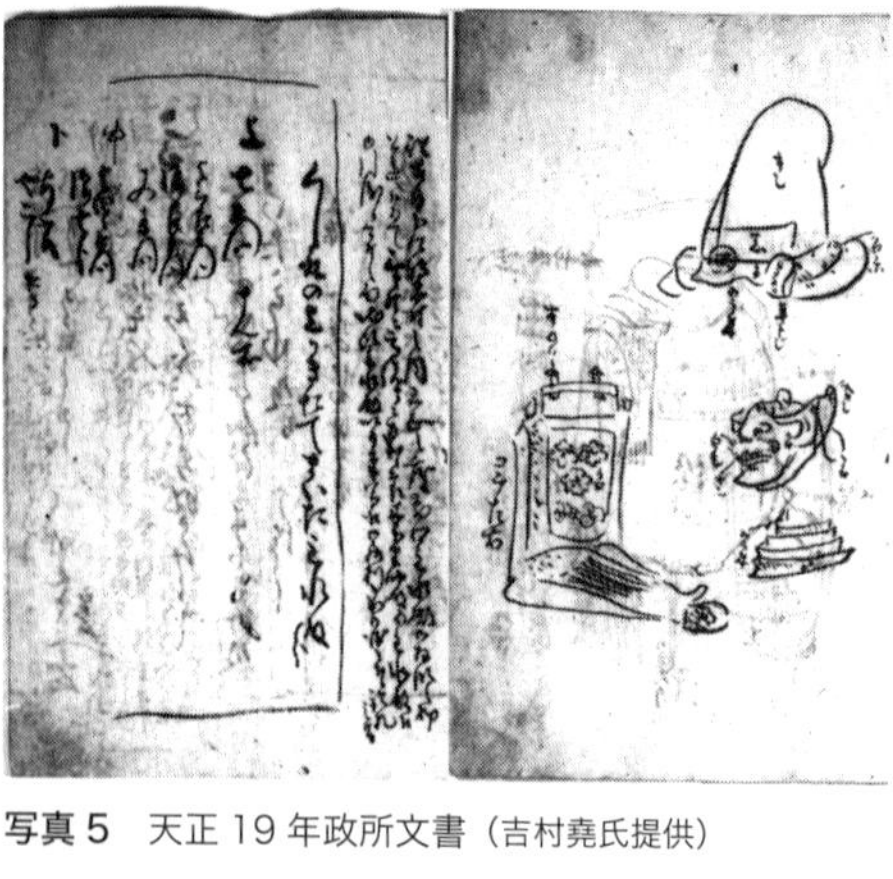

写真５　天正 19 年政所文書（吉村堯氏提供）

ている。「姓氏御尋」と題する回答書には、同家の来歴、伝来の古記、武具・甲冑・刀剣について挿し絵入りで書き上げ、天正一九年の「政所」文書も収録されている（写真5）。吉村家のような旧家は、秋元氏の膝元関東の領地では見ることがないのであった。

また万延元年（一八六〇）九月五日、歌人・勤皇家として知られた伴林光平《ともばやしみつひら》（河内志紀郡林村の生まれ。西本願寺で仏道修行、のち儒学・国学を学ぶ。安政三年～四年河内国内の陵墓を踏査、文久三年天誅組に参加し、元治元年刑死）が、吉村撫松をその居栖鶴園に訪れている。南画の巨匠として、岡田半江・僧愛石・藤本鉄石らと親交があった撫松の名を光平は知っていたのであろう。この時光平は、「島泉の里なる吉村の翁」から、瀕死の状態にあった真鶴を引き取り、種々介護ののち再び空に帰した話を聞き、「千代遠く　いきの松原ながらへて　しのべ主人の心づくしを」と詠んだ（「光平歌集」『伴林光平全集』、湯川弘文社、一九四四）。

二　明治維新後の吉村家

1　近代化と古典

〈政事〉と〈文事〉の兼ね備わった空間としての吉村邸の特質は、明治維新後も変わらない。いやむしろ、こうした地方の旧家の主たち―のちに名望家と呼ばれる―は、世間が文明開化と欧化の流れに奔っていくなかにあって、伝統的な学芸の分野に、新時代の指針を見出していった。

その一例を摂津吹田の旧家で、居宅が平成二一年一二月、近代和風住宅として重要文化財指定を受けた西尾家に見ることができる。大村吹田の内、仙洞御所領の庄屋を務めた同家の第一一代当主與右衛門（一八六三年生まれ）は明治九年（一八七七）、一三歳で家督を継ぎ、二五年から家屋敷の整備を進める一方、泊園書院藤澤南岳に師事するとともに、禅を大徳寺の昭陰和尚、茶事を第一〇代藪内休々斎に学ぶという経歴をもつ。その結果、主屋は明治二八年、長屋門は同三六年、燕庵写しの茶室は同二六年にそれぞれ建てられ、西尾邸は近代和風にふさわしい様相を示す。その一方、大正一五年には、武田五一（一八七二～一九三八。広島県福山市出身で帝国大学工科大学卒業。京都大学・京都工芸繊維大学にそれぞれ建築学科を設け、「関西建築界の父」と呼ばれる）の設計で洋風の離れが造営されている（『旧西尾家住宅総合調査報告書』吹田市教育委員会、二〇〇九）。

明治・大正時代の吉村家も、こうした潮流の中にあった。土橋真吉『河内先哲伝』（昭和一七年）によれば、南河内の漢詩グループ白鷗吟社は柘植葛城（一八〇四～七四。河内国分の生まれ。頼山陽に詩文、小石元瑞に医学を学び、帰郷後、白歐吟社および立教館を運営する）の没後、しばらく中絶したが、岡田松窓（藤井寺市岡）が盟主となり、小泉和溪、吉村赤松、東尾温斎らが集会し、時々、大阪より老儒藤澤南岳、その子黄鵠・黄坡らも来て、例月、道明寺天満宮で詩文の雅会を開いたという。漢学や漢詩、南宋画という伝統的な思惟様式が、吉村赤松ら地域の文人たちを魅了していたのである。主宰者である藤澤南岳（一八四二～一九二〇）は香川県引田《ひけた》の生まれ。明治六年（一八七三）、父東畡の死後、途絶えていた泊園書院を再興、明治後期には門下数千人と言われ、当時、日本最大の私塾を営んでいた。同人と漢詩グループ逍遥遊社を結び、明治三六年（一九〇三）には、土師神社（現在、道明寺天満宮）で孔子祭釈奠《せきてん》を挙行し、それは現在も続いているが、そのグループの中に吉村赤松《せきしょう》がいた（この様子については岡田家文書を用いた西田孝司氏の論考「逍遥遊社における藤澤南岳・黄鵠・藤澤黄坡」関西大学泊園記念会『泊園』四七、二〇〇八に詳しい）。赤松は撫松の孫で、当時の同家当主彦次郎である。

2　昭和の吉村邸

島泉村の農家の構えから頭ひとつ高く聳える大屋根の吉村邸に惹かれ、昭和の初期には、建築家武田五一《たけだごいち》や風俗史学者江馬務《えまつとむ》らが、吉村邸を相ついで訪問している。

昭和七年（一九三二）、江馬務は大阪天王寺師範学校の夏期講習会に講師として赴き、和泉熊取村の降井《ふるい》氏・中氏の旧家があることを告げられ、降井家の建造物を一見するため、一〇月一七日、視察している。その時の実見と資料調査を経て、「武家建築の延長について―泉南熊取の旧家降井氏邸を観る」（『風俗研究』一五一号・一五六号・一五九号、昭和七年一二月から八年八月）という一文を書いているが、その意義を続稿「武家造の消長」（『風俗研究』二一六号、昭和一三年）でつぎのように述べている。「武家造りは桃山時代に書院造りと握手して、爾後全く泯《ねむり》しものと常識的に考へられるのであるが、事実はさに非ず、江戸時代にも昔の構造がそのまま残りしことを昭和七年に私が発見した」。

こうして降井家訪問の興奮を隠さない江馬であるが、この年、江馬は吉村邸をも訪れている。江馬の「桃山・江戸初期の民間住宅建築について―南河内吉村邸を観る」（『風俗研究』一四六号、昭和七年七月）という小編によると、親友である風俗史研究会大阪支部幹事松本茂平氏の新築祝いを兼ねて、五月一三日、吉村邸を訪問した、とある。小編はその訪問記であるが、「（奥間の）欄間の彫刻は最も傑出したもの」「桃山時代を下らない」「寧ろ台所の方の建築を讃美したい」と記している。

しかし江馬の吉村邸訪問は、この時に限らなかった。当主吉村彦次郎「日誌帳」に、昭和七年六月九日の記事として「松本茂平氏、明日江馬務氏来邸ニ付き、打合やら四方山話《よもやまばなし》ニ臥遊軒ニテ茶ヲ煎ル、時ニ雷鳴一声」とある。さらに翌六月一〇日には「岡田氏来遊、終日歓談ス、里井早朝より来訪」に続けて「○江馬務氏外、時代ノ扮装ニテ撮影ス」と書かれているではないか。これについては別に、江馬の証言がある。昭和一二年八月二五日付で吉村邸が「国宝指定の最初の栄冠を得た」ことに触れて、「先年親しく拝見、そこで風俗研究会独特の時代扮装をさせて之を点出撮影し、風俗研究会発行の『日本風俗写真大観』に掲載し、センセーションを与え、好古者の耳目を聳動した。」と書いている（江馬の文章はすべて『江馬務著作集』第五巻、中央公論社、一九七六による）。

たしかに別巻『風俗史図録』には、茅葺の門長屋の前で掃除する中間《ちゅうげん》など、吉村邸での撮影と思われるものが散見される（**写真6**）。「風俗

写真6　別巻『風俗史図録』に収められた吉村邸

史研究者にとりて最も感謝すべき」との江馬の一言は、真に迫っている。

江馬の訪問の直後、「日誌帳」の昭和七年七月三一日付に武田五一（京都帝国大学工学部建築学教室）の来訪が記されている。そして昭和一二年（一九三七）八月二五日付で国宝指定のあったことが文部省宗教局から彦次郎の跡を受けた吉村要治郎（松坪）に届き、九月一八日の請書提出となる（写真7）。その前に伊藤忠太の来訪があったはずだが、それを史料の上で確認することはできない。

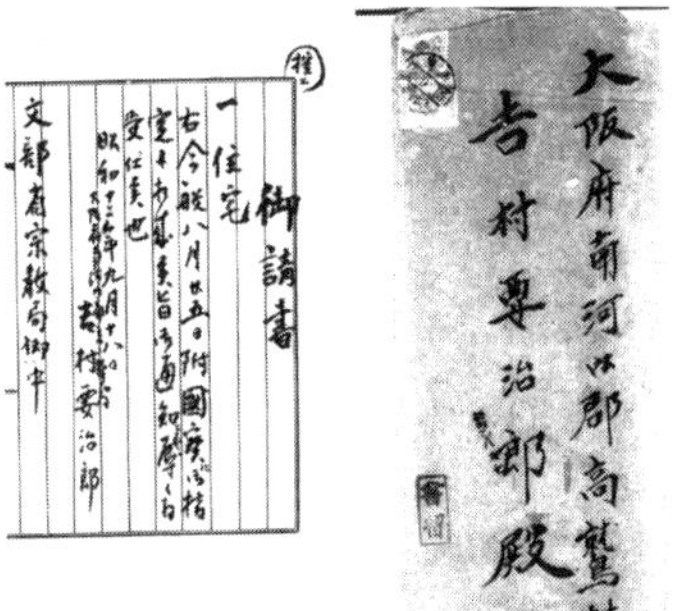

写真7　国宝指定書（吉村堯氏提供）

楠木氏伝承地とは何か
——桜井駅跡を中心に——

二〇一七年

はじめに——伝承・伝承地と史跡——

大阪府島本町に一九九〇年から住んでいる関係もあって話す機会も得ましたが、近年、史跡・文化財というのは、どの市町村にとっても大事な要素になってきています。しかし、島本町については、文化財行政に明確な方針がないのではないかと常々、思っています。その要因として、面積が広くないこともあり（約一七平方キロメートル）、文化財がそれほど多くない。それに加えて、JR島本駅前にある「桜井駅跡」という国の史跡と、国宝「後鳥羽天皇像」「後鳥羽天皇宸翰御手印置文」（暦仁二年〔一二三九〕）を伝える水無瀬神宮の位置があまりに大きいという歴史的な事情があると思います。とくに史跡「桜井駅跡」には、のちに述べるように、かなり難しい問題があります。

1　伝承地とは

さて伝承地というのは、いろんなところにあります。歴史上の出来事はかならず「どこか」で起こったことなので、すべての伝承には、それにゆかりの土地があります。それが「伝承地」です。その一つとして、楠木正成《まさしげ》の伝承地があると理解していただいていいと思うのですが、一番大きな問題は、それが「どこに」あったかということを、「誰が」証明するのか、検証するのかということです。

写真８　桜井駅跡の楠公父子像

あとで述べますように楠木伝承地は、「太平記」という軍記物語に起源をもっています。「太平記」は、江戸時代の人々がひろく接した日本の歴史書の一つであります。したがって「太平記」の語る楠木伝承地のことは、日本の津々浦々で知られているのです。ただし、それがどこで行われたのか――正成が湊川で死んだ、正行《まさつら》が四条畷で死んだ、正成・正行親子が桜井で別れた――という時、それは「どこか」を検証することが、伝承と伝承地の問題です（**写真８**）。伝承があっても、必ずしも伝承地が特定できるとは限りません。例えば邪馬台国がどこにあったということは、いまだに伝承地としての場所が特定できていません。そういう意味から考えると、伝承は昔からあるわけですけれど、伝承地を特定させるのは時間がかかるということです。

その時、「誰が」特定するのかということで考えれば、最終的には国家に至りますが、それまでは個人（グループを含む）です。例えば、私が明石原人の遺跡を見つけたといって、洪積世の人類の存在を主張すれば、それは明石原人説として、私が作ったことになります。一つの学説であります。しかし、国家が特定するとなると、それはもはや学説ではありません。国家としての認知になるわけです。この桜井の駅跡というのは、戦前と戦後、二つの異なった体制下で史蹟（史跡）に指定されている、というたいへん珍しいものです。通常、太平洋戦争を挟めば、戦前は認定されたが、戦後は否定されるというのが多いのですが、桜井駅跡（楠木正成伝説地）は、戦前、大正一〇年（一九二一）に史蹟名勝天然記念物保存法に基づき史蹟（しかも大阪府の第一号）として認められ、戦後は、昭和二六年（一九五一）に文化財保護法によって再び史跡に指定されています。[*1] そういう意味でたいへん珍しく、その分、宿題を残している史跡と言えます。それが、この伝承地の一番の特徴だと思います。

2　赤松氏伝承地

本題に入る前に、楠木氏伝承地を検討するにあたり参考として、赤松氏の伝承地を取り上げてみたいと思います。つぎに簡単な年表（年号は南朝・北朝の順）を付けましたが、楠木伝承地が、歴史的にどこに原点を持っているかというと、後醍醐天皇が建武新政を行う（一三三四年）。そのために楠木正成とか赤松円心、足利高（尊）氏だとかが協力して鎌倉幕府を倒す戦闘に加わる。それが成就して建武政権ができるわけでありますが、その後、足利尊氏が離れ、幕府方（北朝）と天皇方（南朝）との争いになり、その渦中で楠木正成が亡くなる（一三三六年）。さらに正平三・貞和四年（一三四八）、河内四条畷の合戦で息子の楠木正行が死ぬ。この間の経緯を「太平記」が詳細に描いた。それが、楠木氏も赤松氏も含め、すべての伝承地の原点になっているわけであります。

文保二年（一三一八）二月　後醍醐天皇即位
正中元年（一三二四）九月　正中の変（討幕計画）
元弘元・元徳三年（一三三一）　元弘の変（後醍醐天皇山城笠置山で挙兵、楠木正成河内赤坂城で挙兵）
元弘二・正慶元年（一三三二）　三月　幕府、天皇を隠岐に流す
元弘三・正慶二年（一三三三）　正月　赤松則村（円心）、播磨で挙兵、閏二月　天皇隠岐を脱出
四月　足利高（尊）氏、篠村で後醍醐方に転じ六波羅探題攻略
新田義貞鎌倉攻略
建武元年（一三三四）正月　建武政権成立
建武二年（一三三五）七月　中先代の乱を機に足利尊氏が建武政権から離脱
延元元・建武三年（一三三六）　五月　湊川合戦（正成自決）
一二月　後醍醐天皇、吉野に移る（南北朝分立）
延元三・暦応元年（一三三八）　五月　阿部野・石津合戦（北畠顕家戦死）
八月　尊氏、征夷大将軍となる

延元四・暦応二年（一三三九）　八月　後醍醐天皇崩御

正平元・貞和二年（一三四八）　正月　河内四条畷合戦（正行戦死）

赤松氏は鎌倉時代に九条家領佐用荘から興り、荘内の赤松村に拠って赤松氏を称しますが、赤松円心（則村、一二七七〜一三五〇）が、後醍醐天皇の鎌倉幕府討伐に参加し、元弘三・正慶二年（一三三三）播磨に挙兵しました。しかし途中から天皇と袂を分かって、足利尊氏に属して戦い、室町幕府の下では播磨守護としてなり、さらに四職家の一つとして幕府の中で重きをなしました。この赤松円心の場合、どういう伝承地の在り方をしているか、ということをまず、見ていただきたいと思います。

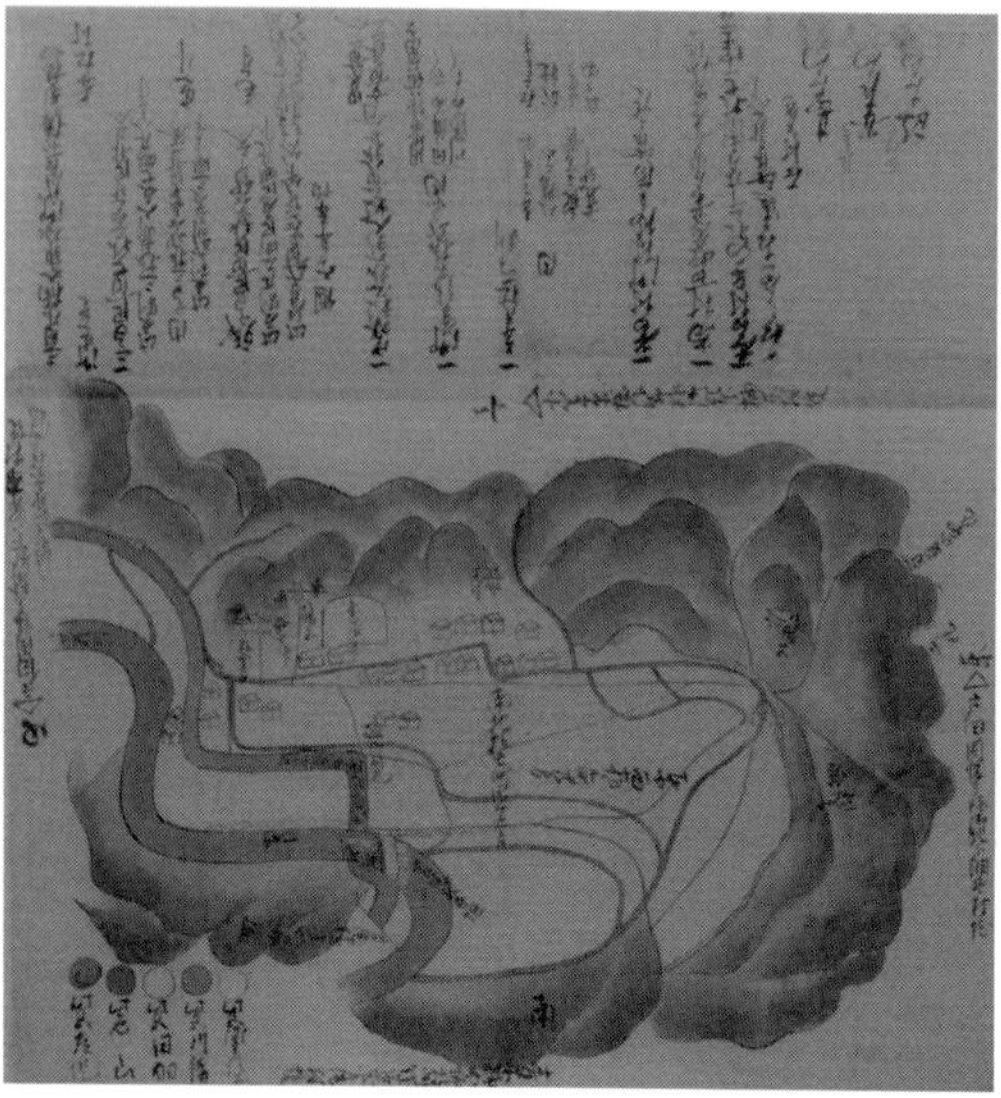

写真9　赤松村絵図
（赤穂市有年原自治会蔵、甦る上郡実行委員会『村絵図の世界』より）

これは天明七年（一七八七）、江戸時代の後半に作成された赤松村の絵図です（**写真9**）。村名の通り赤松氏ゆかりの村で、円心が建てた宝林寺という禅宗のお寺があります。そういうことから彼の実在が、確定されております。赤松氏代々が構えた白旗《しらはた》城も、国の史跡に指定されています。

ところが、その本拠地、館跡がわかっていないのです。そこでいま、地元の上郡町《かみごおりちょう》が赤松氏の本拠地を特定しよう、言い換えると、彼らが建てた寺や城でなくて、赤松氏の本拠地そのものを特定しようとして発掘調査が行われています。その時に大きな手掛かりになったのが、この地図です。この地図の中に、かまぼこ型の区画が書かれていることがお分かりになると思いますが、ここに「円心屋敷跡」と書かれています。前後の時期の村絵図を見ても、かまぼこ型として描かれているのです。これは伝承地というものが、明瞭に、伝えられ、残されたケースです。このことは楠木伝承地でいえば「桜井の別れ」が、どういう地図情報として残されているか、という問題となるわけですが、それにのちに触れます。

江戸時代に地元の人々が、ここに赤松円心が住んでいた屋敷跡があったということで、明確に区画を示して、一八世紀末まで伝えている。円心の時代からすでに五〇〇年近くたっているわけですけれども、地元の人々は代々、そこに赤松氏が住んだという伝承にもとづき保存しています。戦後、このかまぼこ型の土地の一部を使って赤松幼稚園を建て、その後昆虫文化館になっていますが、基本的に、地元の人が手を付けずに置いた、いわば〈聖地〉ですね。その聖地を上郡町が、兵庫県教育委員会文化財課の指導を受け、二〇一七年度から五年間の計画で発掘調査を始めています。要するに、伝承は本当であったかどうかを、伝承地を〈発掘〉することによって確認しようとしているのです。すでに一回目の調査で、京都製の瓦が出てまいりました。この地域で通常、京都製の瓦が出てくることはありませんので、おそらくこの場所に身分の高い人の屋敷跡があったことは確実であるといわれています。このように、事件が起こって以降、何百年の間、伝えられてきた伝承地が、現在、検証されているわけです。そこでは、〈発掘〉という洗礼を受けなければなりません。なぜなら戦後、昭和二五年（一九五〇）制定の文化財保護法の下では、史跡にとって発掘調査は必須の要件なのです。しかし、戦前、史蹟名勝天然記念物保存法の下では、必ずしもそうではありませんでした。「桜井駅跡」は、その類です。

発掘調査の成果を待って、赤松氏館跡はいずれ、国の史跡に指定されるでしょうが、国の指定する「史跡」というのは、それぐらい厳密なものなのです。本題の「桜井駅跡」が宿題を残している、ということを理解してもらうために、一つの事例として申し上げました。

一　楠木氏（楠公）伝承地

1　楠木氏伝承地と湊川神社

ところで楠木氏の伝承地で言えば、そこにはひとつ特別な事情があります。それは、明治元年（一八六八）、戊辰戦争のさなかに明治天皇の命によって神社になり、明治六年（一八七三）、別格官幣社になった湊川神社と深く関わりがあるからです。楠木氏伝承地の中でイの一番に、国家によって

写真10　大楠公一代記（部分、湊川神社境内）

認定された湊川神社があることが、「桜井駅跡」にも大きな影響を与えています。湊川神社が創建されたのは、湊川の戦いで敗れた楠木正成が自刃した場所として祀られていることに因んでいます。

ただし自刃の地は戦前、史跡に指定されていません。戦後、文化財保護法ができて後、昭和二六年に楠公伝承地の一つとして史跡「楠木正成墓碑」が指定されたのです（管理者は湊川神社）。もちろん、そこには史跡たりうる根拠がある、との判断があったからです。

現在、湊川神社に行くと「大楠公一代記」というパネルが参道に沿って並べられ、つぎの一三場面が描かれています（**写真10**、「大楠公一代記」）。

1少年時代　2後醍醐天皇との出会い　3赤坂城の戦い　4千早城の攻防　5諸国に天皇を守る軍が　6兵庫に天皇を迎える　7足利尊氏の裏切り　8桜井の別れ　9湊川の合戦　10大楠公殉節　11小楠公の忠節　12徳川光圀の墓碑建立　13維新の志士たちの参拝

「太平記」が語るように、楠木正成らの事績は、後醍醐天皇による親政運動に関わっており、その意味で、天皇制の歴史と切っても切れない事柄です。しかも、北は東北から南は九州まで広い範囲で、後醍醐天皇を擁立する人たちと対抗する人たちの間で戦いが続いたわけでありますから、後醍醐天皇に関わる史跡というのは多く、その中の一つとして楠木氏に関連するものが楠木氏伝承地とされ、おもに湊川、桜井、四条畷、そして楠木氏の地元の観心寺・金剛寺の四カ所が知られています。その中の湊川が、戦後、史跡に指定されたことは、それ以外の楠木氏伝承地が史跡として位置づけられる可能性を広げました。

2　楠木正成と「桜井の別れ」

楠木正成自筆の経本と呼ばれているものが湊川神社にも、また観心寺にもありますので、彼が実在の人であったことは確かです。[*2] しかし問題は、楠木正成の事績が「太平記」を通じて広まったということです。その中に「桜井の別れ」という有名な一節があります（傍線藪田）。

「太平記」〇正成兵庫ニ下向ノ事[*3]

正成是ヲ最期ノ合戦ト思ケレバ、嫡子正行ガ今年十一歳ニテ供シタリケルヲ、思フ様有トテ櫻井ノ宿ヨリ河内へ返シ遣ストテ、庭訓ヲ残シケルハ、「獅子子ヲ産ンデ三日ヲ経ル時、数千丈ノ石壁ヨリ是ヲ擲《ナグ》。其子、獅子ノ機分アレバ、教へザルニ中《チュウ》ヨリ駆《ハネ》返リテ、死スル事ヲ得ズ」トイヘリ。況ヤ汝ハ已ニ十歳ニ余リヌ。一言《ゴン》耳ニ留《トドマ》ラバ、我教誡ニ違フ事ナカレ。今度ノ合戦天下ノ安否ト思フ間、今生ニテ汝ガ顔ヲ見ル事是ヲ限リト思フ也。

まさに名文で、人口に膾炙する理由がわかりますが、父から子への教誡が主題となっています。その後、徳川光圀（一六二八～一七〇〇）の編纂した『大日本史』でも取り上げられますが、記述が大きく異なります。

『大日本史』楠正成賛*4

賛曰、楠正成之用兵、決機制勝、髣髴孫呉、而忠勇壮烈、殆与唐張巡相似也。（略）此忠義之心、窮天地亘万古、而不可滅、身者死而其不死者、固自若也。正行受遺託、能建義旗、始終一節、以死報国、可謂忠孝両全矣。

ここに出てくる孫呉は、中国の春秋時代の兵法家孫武と呉起のこと、張巡は唐の玄宗の忠臣、安禄山の乱で死んだ人です。いずれも著名な兵法家として知られ、正成は、それに喩えられています。あわせて、天皇に対して忠義を尽くしたことが強調されていますが、「獅子は子を生んで」云々は出てきません。

江戸時代の後半にはさらに、頼山陽（一七八〇～一八三二）の『日本外史』という史書が生まれますが、再び、父から子への教誨が主題となります。そこに再び「桜井駅」が登場します（「太平記」は桜井宿）。

頼山陽『日本外史』巻五　楠氏[*5]

五月十六日。與弟正季子正行等。辞関而西。至櫻井駅。正行時年十一矣。正成遣帰之河内。誡之曰。汝雖幼已過十歳。猶能記吾言。今日之役。天下安危所決。意吾不復見汝也。汝聞吾已戦死矣。則天下盡帰足利氏可知也。

このように正成のイメージは、「桜井の別れ」に代表される「父から子への教誨」というイメージと、「優れた兵法家」という二つのイメージがあったことが分ります。武士にとって、兵法家のイメージは打ってつけだったと思われますが、もっとも伝承として広がったのは「桜井の別れ」に代表される「父から子への教誨」というイメージです。そのイメージを含め、楠木正成伝承が知れ渡るためには、「太平記」が広く読まれるという状況が生まれなければならないわけですが、「太平記読み」と言われている、いわば職業的な講釈師が、江戸時代の初めくらいから、大坂や京都を中心に「太平記」を語っていたとされています。[*6]そのことによって、いわば民間で楠木正成の伝承が語られ、とりわけ「桜井の別れ」が、語られるという風になってくるわけです。さきほど言いましたが、「誰か」ということになれば、民間の講釈師が広げているという話です。

ただし、その講釈師に、「桜井の別れ」の桜井は「どこにある」と聞いても、さあ、どっかにはあるだろうけれど知らない、と言うでしょう。しかしながら伝承が土地に絡むと、誰かが責任をもって言い出さないと、芭蕉の「奥の細道」を辿るように、その土地に行って確かめることができない。そこで「誰か」が言い出す——ということが、次の問題となるわけです。

二　伝承と伝承地

1　墓碑「嗚呼忠臣楠子之墓」

写真11　兵庫名所図巻（兵庫県立歴史博物館蔵）

最初に、それを言い出したのは誰か—といえば、自刃の地の場合は、正成の墓地がある摂津坂本村を領地として持っていた尼崎藩主青山幸利公です。湊川神社の『大楠公一代記』では無視していますが、彼が最初に楠木正成塚を顕彰しました。徳川光圀が碑を建てる前、慶安三年（一六五〇）のことです。それが寛文一二年（一六七二）頃に描かれた「兵庫名所図巻」に見ることができます（**写真11**）。

面白いことに尼崎藩主はそこに、松と梅の木しか植えなかったのです。なぜかというと、楠木正成を祀る寺がすでにあったからで、それが禅宗の医王山廣厳寺《こうごんじ》です。「兵衛正成寂後の跡のよし申伝候」と詞書きにありますが、正成の死後三年目に、摂津守護職にあった赤松範資（則村の嫡男）が、正成・正儀兄弟と一族を供養するために建立したものです。それを前提に尼崎藩主青山侯は、その傍に松と梅の木を植えたんです。墓地に木を植えるとは、いかにも日本的な発想ですが、それが、湊川の自刃地指定の第一歩です。

しかしその後、元禄五年（一六九二）、徳川光圀が梅と松の木を取っ払いまして、朱舜水という、彼が尊敬していた中国人儒学者に銘文を書かせて墓碑を立てました（写真12、嗚呼忠臣楠子之墓）。

これには前史があり、元禄三年、廣嚴寺の和尚千巖宗般が、水戸徳川家に建碑の請願をし、それに応じる形で、光圀による建碑となったようです。[*7] 碑は亀の上に載っているんですが、それは仏式の墓ではありません。神式でもありません。儒教式の墓です。楠木正成が当時、儒教式で追悼されているのは注意されてもいいでしょう。しかし明治維新後、湊川神社が建てられ、神道に基づく祭祀に変更され、継承されたわけです。このように祭祀方法が、仏式―儒式―神式と変更されながら、正成自決の地は伝承地として安定していきます。その結果、西国街道を往来する途次、いろんな人たちが立寄り、たとえば寛政九年（一七九七）頼山陽は墓前で「謁楠河州墳有作」と詩を詠んでいます。また墓碑を拓本に取る人も現れました。最初に梅と松の木で顕彰した尼崎藩主も松平忠名以後、代々、墓碑の前に灯篭を寄進しています。

写真12　嗚呼忠臣楠子之墓

こうして湊川の戦役地は、楠木正成が亡くなって四〇〇年後、水戸光圀が墓碑を立てることによって伝承地として定まった、とされているわけですが、その実、場所を定めたのは水戸光圀ではなくて尼崎藩の領主青山幸利でした。しかも、なぜ彼がそこに注目したかといえば、そこに小さな塚があって、その塚を守るかのように、医王山廣嚴寺という禅宗のお寺、ライバルであった赤松氏が、正成の死の三年後に建てたお寺があったがために、そこが特定されたということです。当然のことながら、彼ら戦国の武将はみな、敬虔な仏教徒でありますから、亡くなった場所は仏式で葬ります。このように亡くなった場所に菩提を弔う寺ができることによって、伝承地確定の第一歩が記されました。当然、塚と寺は一体のものでしたが、明治の神仏分離令によって寺と切り離され、塚は新たに建てられた湊川神社に取り込まれてしまったのです。

それ以前に墓碑を訪れ、日記に書き残した人がいます。大坂代官竹垣直道という江戸の武士ですが、楠木氏や赤松氏など「太平記」の伝承地を見て回るのが好きで、天保一二年(一八四一)九月一二日、楠公墓碑を見物しております。当時、坂本村を含むこの地域は尼崎藩から幕府代官支配地に変わっており、年貢の収納時期にやってきた竹垣は、楠公墓碑の前で年貢米を計ったと書いています。また坂本村の医王山廣嚴寺に立ち寄って、正成の什物などを一覧していますが、翌年五月の巡見時には、光圀の建てた墓碑を拓本に採っています。*8 このように廣嚴寺と墓碑が対になっているというのが、江戸時代の湊川伝承地の一般的な姿だろうと思います。

2 「桜井の別れ」の絵画化

写真13　楠遺誡図屏風（兵庫県立歴史博物館蔵）

ところで楠木正成の伝承が大きな影響力を持つに至った要因として、もうひとつ、絵画があります。「太平記」のように抒情的な文章で語られる、ということだけではなしに、さも、どこかで実際に起こったかのように描かれ、ビジュアル化されるということですが、その中でももっとも好まれたのが「桜井の別れ」です。湊川自決のシーンよりもはるかに多いと思われます。

この六曲一隻の屏風は、画題が、朝鮮通信使への贈り物として御用絵師の狩野春湖《かのうしゅんこ》が描いた作品と同じであることが確認されております（写真13）。ただし原物は、九州を出たところで船が沈んでしまって残っていないのですが、左上に書かれている賛文によって、それが確認されます。「楠木氏伝承」が海外に輸出されようとしていたことを示す貴重な例ですが、正成が正行と向き合って訓示を垂れるシーンが描かれ、画題も「楠遺誡図」と名付けられています（兵庫県立歴史博物館名品図録、二〇一〇）。

その後も、この情景はしばしば描かれ（楠公訣児図〔狩野守道筆〕）、明治時代に入ると増えます。[*9] たとえば有名な浮世絵師小林清親の作品「楠公櫻井駅還正行図」（明治一六年）。またお化けの絵で有名な月岡芳年の「櫻井駅楠公父子訣別図」（明治二二年）など。その構図は大きく異なり、共通しているのは、正成と正行の父子二人がいることだけで、向こうに見える山はどこなのか、天王山だろうかと言っている瞬間に、こちらには山も川もない図柄になっています。したがって題名が「桜井駅」を含む作品であっても――「正成正行櫻井宿ニ別ヲ告ル図」（楊斎延一、明治二五年）「楠公父子櫻井駅訣別之図」（水野年方、明治二九年）「櫻井駅楠公教訓之図（呂雪、明治三〇年）――画家たちには、場所を特定しようという関心はまったくない。河鍋暁斎という、江戸の終わりから明治にかけて活躍した有名な浮世絵師の作品「楠公訣児図」（**写真14**）に至っては、二人の人物しか描かれていません。

いわば伝承が伝承として、特定の場所を離れて、どんどん広がり始めるのです。なぜそれができるかというと、「桜井の別れ」という伝承は、どこで起こったかは問題ではないからです。親と子が別れに際して忠義を説く――ということに意味

写真14　河鍋暁斎「楠公訣児図」
Photo: Kobe City Museum / DNPartcom

があるのであって、それがどこで行われたかは二次的、三次的な問題なのです。ですから、どこであるかということを考証をして描こうとはしないわけです。それが湊川のように自決の地であったり、観心寺のように崇敬した寺院や、飯盛山のような戦争の場所であったりする場合と決定的に違うことなのです。楠木氏伝承地の中で、最も場所が特定しにくい場所――それが桜井駅跡であると言ってもいいでしょう。それにもかかわらず、日本国中で有名になってしまう――という表裏の関係を、この伝承地は持っているわけです。

3 詩吟の世界

楠公伝承が流布する上で、大きな働きをした詩吟について、つぎに触れます。五言絶句や七言律詩で書かれた定型漢詩を詠むことを「詩吟」といいますが、江戸時代の後半、頼山陽（一七八〇～一八三二）が出ることで非常に盛んになっていきます。とくに古戦場に立って詩を詠む。そのことによって当時の人々の遺跡を偲ぶ――というのが、いわば文人のスタイルになっていくわけですね。そういう風にして詠まれた詩を「詠史詩」と呼ぶらしいのですが、南北朝時代の遺跡とくに南朝方の遺跡が好んで詠まれました。いくつか紹介しましょう。

篠崎小竹《しのざきしょうちく》（一七八一～一八五一）という江戸時代後半の大坂で最も有名であった詩人が、後醍醐天皇が京都を離れて笠置に避難したときを詠んだ詩[*10]（原詩に訓みを施す）。

「笠　置」
維昔帝蒙塵（これむかし帝塵を蒙り）　至今人湿巾（今に至るも人巾を湿す）
北条皆乱賊（北条みな乱賊）　楠氏独忠臣（楠氏ひとり忠臣）
御座不遑暖（御座暖むるにいとまあらず）　怪嚴何足珍（怪岩なんぞ珍とするに足らん）
猶隣民俗厚（なお憐れむ民俗の厚きを）　順逆絶婚姻（順逆婚姻を絶す）

笠置周辺の村々は、南朝と北朝に分かれたが、後醍醐天皇を支持した村人は、いまも北朝方の家々と婚姻をしない――ことに感嘆して詠んだ詩ですが、きっちりと楠木正成が読み込まれています。

また戦跡めぐりが好きな大塩平八郎（一七九二〜一八三七）も、墓碑「嗚呼忠臣楠子之墓」を訪れ、詩を詠んでいます。読み下しを左に掲げます（相蘇一弘『大塩平八郎書簡の研究』三、二〇〇三）。

「湊川を過ぎて楠公の墓に謁す」天保五年三月
敵兵蘇到す湊川の傍。南北朝廷興と亡。功烈未だ成らず漢の諸葛。
死生寧んぞ転ぜん宋の天祥。星霜歳を経て河終に涸る。夷夏　今に名尚芳し。
誰れか碑銘を講じ鉄薬を作し。千年不忠の腸を医療せん。

この詩には、諸葛亮（孔明）と文天祥という漢代と宋代の忠臣が、楠木正成と並んで出てきます。中国の誰に似てすごい――という詠み方をする。つまり彼ら漢詩人には、日本人が第一、ファーストであるという考え方がありません。のちに触れますが、明治維新後の捉え方と大きく違う点です。

4　松の木一本で決まる？

いずれにしても「太平記」を起点に、漢詩、あるいは屛風絵・錦絵などを通じて楠木氏伝承は広く受容されて行くのですが、その流行は、人々をして伝承地へと誘います。俳聖芭蕉の信奉者が、「奥の細道」の跡を辿るようにして。その結果、伝承地が本当かどうか、吟味されるようになり始めます。その様子を、赤松と楠木、双方の伝承地を巡った大坂代官竹垣直道の日記から窺ってみましょう。*11

（天保一二年九月六日条）

河野原村中圓心堂と云有、往古赤松圓心居住之地なりと云々、一寺を存ス、寺中一宇之草堂有、中は赤松圓心の木像を置候、法衣帯剣之坐像也、像前位牌を置、赤松山宝林寺と号

（天保一五年七月二七日条）

山崎宿往還へ出る（略）是より往還筋十丁計西に到りて桜井の宿に到ル、所謂《いわゆる》正成・正行別離の地々路傍楠樹の下に八幡の小社あり、土人楠八幡といふよし、只楠樹によりて此名を負せし歟

彼は代官であった関係から、支配地のある摂津と播磨に定期的に出かけています。まず天保一二

年（一八四一）の例では、赤松円心の居住地の周辺には、彼の木像を祀る宝林寺という確かな証拠があり、木像・法衣帯剣之坐像・位牌をそれぞれ見ています。先に触れた湊川の自決地と廣嚴寺の関係に似ています。ところが桜井の駅跡の場合、「いわゆる正成・正行別離の地」と断り、さらに「傍らの楠木の下に八幡の小社あり、楠の樹によりて、土地の人々はこの名をつけたのか」と書いています。明らかに彼は、楠樹を根拠に別離の地が指定されていることに疑問を抱いているのです。

写真15　楠正成矢納八幡と字ハタノ松
『五海道其外分間延絵図並見取絵図』中の
「山崎通分間延絵図」2
Image: TNM Image Archives

この時、彼がどんな資料を参考に、この場所に来たかというと、手掛かりがあります。一つは版本『摂津名所図会』で、竹垣日記に出てきます。いまひとつ参考になるのは街道絵図で、文化三年（一八〇六）、直道が通過する三〇年ほど前にできている「五街道分間延絵図」（東京国立博物館蔵）です。そのうち「山崎通分間延絵図」には、山城から摂津に入り、西国街道を西に進み、東大寺村から広瀬村に入るところに現在と同様、阿弥陀院が描かれています。次に桜井村に入ると高札場があるんですが、その傍に「楠公矢納八幡」がある。楠木正成が湊川に行く時、必勝を祈願して矢を納めた八幡であるという伝承地が描かれています。さらに進むと桜井村で、村内に高槻藩主の永井直清が選定をし、林羅山が碑文を書いた「待宵小侍従の碑」が見えます。

彼女は、「平家物語」に出てくる平安時代から鎌倉時代にかけての歌人ですが、高槻藩主は、そこには碑を立て、伝承地を特定しているのです。ところが高槻永井侯は、青山侯のように楠公「父子別れの場」を特定していません。

そういうことで江戸時代の後期、伝承地「桜井駅跡」の手掛かりは、土地の人々が祀る矢納八幡（竹垣日記では「楠八幡」）しかなかったのです。ところがこの街道図をよく見ると、「字ハタノ松、また籏掛松」という一本の松が見えます（写真15）。名前からして、正成軍の「菊水の旗」が掛けられたという伝承に因む松の木と思われます。

竹垣も楠八幡を通過したあと、「村中より野道に到る、路傍に一松樹あり、土人不別れの松と呼ぶ、何の故とも不知、松樹もさのみ古代のものとも見えず」として、この松の木について証言を残していますが、由緒も分からず、さほど古くないと否定的です。ところがこの松の木、明治九年（一八七六）、「桜井駅跡」の伝承地が特定される上で、大きな根拠となったのです。

三　明治維新後の「桜井駅跡」

1　王政復古と南朝遺跡

写真16　石柱で囲まれた楠公訣児之處碑

写真17　パークス碑文

明治維新は、周知のように王政復古を旗印として進められましたので、文化財としての陵墓が、近代天皇制との関係でまず問題となりました。高木博志氏はそれを、「由緒と言説に満ちた名所」から「荘厳な陵墓観」への変化と捉えています（『陵墓と文化財の近代』二〇一〇）。たとえば幕末文久の修陵事業によって崇神天皇陵として治定された行燈山古墳の場合、修陵を請け負った柳本藩は、周濠沿いの堤に桜を二〇〇本植えたそうですが、それは尼崎藩主が湊川の楠公塚に松と梅を植えた感覚と相通じるものがあります。

「桜井の駅跡」の場合、それを進めたのは大阪府権《ごん》知事渡辺昇（一八三八～一九一三）でした。渡辺は大村藩士で、幕末には尊攘派の志士として活躍、「大村藩を鼓舞して尊王の精神を注射し、遂に東征軍に加わり偉功を樹て」ますが、元治元年（一八六四）、三条実美たち公卿が都落ち（七卿落ち）して、山口に逃げた折、そこで楠公祭をしたとされているように、当時、尊攘派のシンボルとして楠木正成がクローズアップされはじめています。それは竹垣直道たちのスタンスとは決定的に異なった、きわめてイデオロギー性の強い行為です。

維新後、盛岡県権知事をへて明治四年（一八七一）、大阪府大参事（のちに権知事・知事）になった渡辺昇は明治九年（一八七六）、西国街道沿いの一本の松樹を目印に、楠公訣児之處碑を建てます（写真16）。渡辺の独特なその書体は、池田小学校に残されている登竜門碑と瓜二つです。さらに渡辺は、そこにイギリス公使パークスの賛を英文で書き入れるという仕掛けまでするのです（写真17、楠公訣児之處碑（裏面英文）。現在も当初の場所に残されているこの碑は、「桜井の駅跡」伝承地化の大きな一歩でした。その意味で、尊攘派志士から大阪府権知事になった渡辺昇という個人によって、伝承地が確定され始めたということができます。

2　史蹟指定への道

その後この場所は、大正八年に制定された「史蹟名勝記念物保存法」に従い、同一〇年（一九二一）三月、「史蹟桜井駅阯」として指定されます。指定事由は、宮址・社寺址・古墳・古城址など一一ある項目の内「八　関址・其他交通に関する史蹟」となっています。大阪府権知事渡辺昇による伝承地の特定は、ついに国家による史蹟指定に帰結したのです。

当時、指定は内務大臣が行い、その下に地方公共団体が管理団体に指定されました。史蹟「桜井駅阯（楠木正成伝説地）」の場合、大正一一年五月、大阪府三島郡島本村が管理団体となりました[*12]。新生島本村は明治二二年（一八八九）、山崎・広瀬・東大寺・桜井・尺代・大沢・高浜の七カ村が合併して成立したもので、「桜井駅阯（楠木正成伝説地）」の史蹟指定の背景には、地元島本村はじめ大阪府、

桜井駅跡公園内に現存する石碑・銘板一覧

	名　称	年　次	備　考
1	楠公父子訣児之處碑、石扉･柵共	明治9年11月	大阪府権知事渡辺昇と英公使パークス
2	忠義貫乾坤碑	明治27年5月	有志約150名
3	御下賜金壱封宮内庁 碑	大正2年7月	
3-2	楠公父子訣別之所碑	大正2年7月	乃木希典書（表）細川潤次郎撰文（明治45年5月）
3-3	楠公父子訣別之所碑 銘板		楠公父子訣別所修興会に依る
4	櫻井駅址碑	大正3年3月	内務省
4-2	手水鉢・銘板	大正3年3月	府立青年の家入り口にあった
5	苑内壱千弐百坪碑	大正7年8月	
6	史蹟櫻井駅阯碑(楠木正成伝承地)	大正10年3月	史蹟名勝天然記念物保存法に依る
7	明治天皇御製 碑	昭和6年	(裏面)七生報国、頼山陽翁過櫻井駅詩
8	楠公六百年祭記念石碑	昭和10年5月16日	
9	楠公父子別れの石像(滅私奉公)	昭和15/平成16年	新京阪桜井駅前青葉公園に建碑

1	国指定史跡 桜井駅跡 銘板	平成21年3月	島本町教育委員会
2	楠公父子訣児之處碑 銘板		島本町教育委員会
3	楠公父子別れの石像 銘板		島本町教育委員会
4	旗立松・銘板		島本町教育委員会
5	楠公六百年祭記念石碑 銘板		島本町教育委員会
6	国指定史跡桜井駅跡 案内板		島本町教育委員会
7	国指定史跡桜井駅跡 銘板		島本町教育委員会

京阪神の篤志家などの尽力があったことを忘れてはなりません。

別表は、その事績を物語るもので、明治二七年（一八九四）に地元有志によって「忠義貫乾坤碑」が建てられたのを皮切りに、大正二年（一九一三）には、楠公父子訣別所修興会によって「楠公父子訣別之所碑」、同三年には内務省によって「櫻井駅址碑」、そして大正七年には「苑内壱千弐百坪碑」と、建碑が相次いでいます。注目すべきは史蹟地が、「楠公訣児之處碑」を起点に拡張され、一二〇〇坪からなる公園地として整備されていることです。拡張計画は日露戦争前からあったようですが、戦争によって一時中断したのち、明治末年から再度、進められ、高崎大阪府知事を総裁とし、東久世伯爵、住友吉左衛門、藤田伝三郎らの著名人を賛助者として広く寄付が集められ、皇室からの下賜金を受け、大正二年の「楠公父子訣別之所碑」の建立となったのです。*13 この間の経緯は、つぎのように新聞紙面に見えています。

桜井附近なる楠公父子の訣別《けつべつ》の地は、田圃の間に在りて荒廃に帰しつつあるより、数年前より伊豆中将、吉住三島郡長其他有志の組織せる楠公遺跡修興会の手にて保存を努め、之を小公園とする計画あるは世の知れる処なるが、其目標として一台石碑を建てんとし、故乃木大将に「楠公訣児之所」なる大字の揮毫を請ひ、已《すで》に石面に彫刻を了たれば近々盛なる除幕式を行ふ（『新聞にみる茨木の近代Ⅳ』二〇一二）。

「楠公父子訣別之所碑」は、陸軍大将乃木希典の書になるもので、裏面に枢密院顧問官細川潤次郎の撰文が刻まれています。見上げるばかりの巨大な碑で、しかも公園の中央に屹立し、西国街道沿いに建つ「楠公訣児之處碑」とは比較にならない代物です。

その頃、渡辺昇が伝承地特定の手掛かりとした松の老樹は幹だけを残し朽ち果て、「国民教育上絶好の遺跡の年と共に次第に湮滅《いんめつ》に帰せんとする」（『大阪朝日新聞』明治四三年三月二一日付）光景を呈していたことから言えば、様相は激変しています。日露戦争を境に「桜井駅址」は、国や民間の有力者の支援を得て、史蹟指定に一直線に邁進したと言っていいでしょう。

3　戦意高揚と町づくり

その後、昭和九年（一九三四）、楠木正成ゆかりの地として古刹観心寺や千早城跡が、国史蹟に指定されました。「この度の建武中興六百年の記念にあたり、大阪府においては金剛寺・観心寺、千早城址、上下赤坂城址の五ヶ所が新たに指定を見る運びとなり、頗る喜ばしい」（岸本準二「大阪府下における南北朝時代の史蹟」『上方』三九）とあるように、「建武中興六百年」が契機となったもので、「桜井駅阯」にも同一〇年、「楠公六百年祭記念石碑」が立てられています。正成・正行父子が別れたとされる五月一六日を期して、盛大な記念大祭が開催され、郡内の小・中学校児童、青年処女会員、在郷軍人、国防婦人会員ら約二千名が参列し、第四師団・大阪府の関係者が出席しましたが、島本小学校での記念講演は元第四師団長林中将による「楠公の忠誠と日本精神」と題するものでした（『島本町史』本文編）。史蹟「桜井駅阯」の整備・活用が、国家主義的・軍国主義的風潮と軌を一にしているのは明らかです。

さらに史蹟「桜井駅阯」の整備・活用は、島本村の町づくりとも深くかかわっていました。昭和三年一一月、昭和天皇の「御大典輸送」の便として新京阪鉄道（現阪急京都・嵐山・千里線）が淡路―西院・桂―嵐山間に開通し、同年、大山崎駅が開設されました。大山崎駅は、島本村の工業化とリンクするもので、大正九年に二六八五人であった村民人口は、昭和五年には五四〇一人に倍増しています。それをもたらしたのは、大正一五年の大日本紡績株式会社山崎工場の竣工で、当時の新聞は、「お城のような大工場が建ち並び、人家も次ぎから次へと殖えてゆく」と報じています。相前後してサ

写真18　桜井駅跡俯瞰図（島本町立歴史文化資料館蔵）

ントリー山崎工場も設立され、新京阪大山崎駅は、その出入り口となりました。

それに対し昭和一〇年五月一六日、上牧桜井駅（現上牧駅）が、史蹟「桜井駅阯」への出入り口として設置されました。その四年後の昭和一四年五月一六日には、さらに桜井駅（現水無瀬駅）が新設されたのです。両駅の間はわずかに約八〇〇メートル、ともに開設は五月一六日。特別な意図があったのは疑いありません。それについては、つぎの絵図（写真18）が明瞭に語っています。

鳥瞰図画家として知られた吉田初三郎（一八八四〜一九五五）の描く絵には、新設された桜井駅と新京阪の路線があり、そこから上手に向かい一本の道路、「楠公道路」が走り、その先に広大な史蹟「桜井駅阯」が広がっています。「楠公道路」（現楠公通り）を中心とする都市計画は、いまの島本町中心部の姿でもあります。島本村は、史蹟「桜井駅阯」を中心に据えて都市計画を進めたといえるでしょう。

「桜井駅阯」の中心にあるのは乃木大将揮毫の巨大な「楠公父子訣別之所碑」で、手前に渡辺パークスの銘文が刻まれた「楠公訣児之處碑」が控えています。明治九年から昭和一五年の間に、伝承地桜井駅址が、いかに整備拡張されたか、一目瞭然です。整備はさらに図の右手（西側）に記念館が竣工されるに至っていますが、この建物を建立し、寄贈したのが、絵図右上の賛に見える一瀬粂吉（大阪商工会議所会頭）でした。この絵図は、彼の委嘱に従い、皇紀二六〇一年に当たる昭和一六年に作成されたもので、麗天館という記念館（大阪府の青少年施設をへて、平成一八年以降、島本町立資料館）は、翌一七年五月一六日―正成と正行が別れたとされる日―に竣工しています。昭和一〇年以降、伝承地に所縁の五月一六日には毎年、何かの慶事が催されている、と言えるでしょう。

その向かう先が何であったかは昭和一五年、皇紀二六〇〇年を祝う二つの慶事に示されています。絵図の中、桜井駅址の奥に見える射撃場と、京阪桜井駅前青葉公園に目を移してください。射撃場は在郷軍人会大阪支部の記念事業として設置され、青葉公園には「楠木正成馬上像」（台座の「滅私奉公」は近衛文麿の書）が据えられました。[*14] 昭和一二年七月の日中戦争の勃発以後、九月の国民精神総動員に関する内閣告諭、翌年の国家総動員法の下、国民は滅私奉公を強制され、戦意高揚へと駆り立てられていったのですが、史蹟「桜井駅阯」は、その旗頭であったと言わなければなりません。

「桜井駅阯」が大正一〇年に史蹟になってからのことですが、黒板勝美（一八七四～一九四六）という歴史学者が、『史蹟名勝天然記念物』第一巻三号（一九一四年）の中で、渡辺昇の建立した楠公訣別所碑について、つぎのように書いています。

●楠公訣別所桜井の駅跡は伝説で、史蹟としてはなんらの歴史的価値がない。
●幕末に「国民を感奮させた史蹟」として顕彰に値する。

松の木一本で特定した「楠公伝承の地」は、史蹟としては価値はないが、幕末に尊攘派の志士たちを「感奮させた史蹟」として価値があるという趣旨ですが、これに倣って言うなら、史蹟「桜井の駅阯」は、日露戦争から日中戦争、太平洋戦争へ続く戦意高揚に「国民を感奮させた史蹟」として捉えられるでしょう。史跡「桜井駅跡」は、島本町の町づくりのシンボルであると同時に、戦争遺跡でもあったのです。

おわりに——史跡としての宿題は残った——

これまでの話をまとめます。第一に伝承地「桜井駅跡」は、全国的に有名な楠木氏伝承地の中でも特別なものです。しかし、自決の地や戦役地でないため、その伝承地を特定する手がかりが、松の木一本しかなかった—という点で極めて不安定なものでした。

しかしながら、その不安定さを乗り越えて史蹟になったのは、明治新政府の高官の力によるということで、幕末維新の王政復古のイデオロギーや近代の天皇制国家と表裏一体の史跡であるということです。今日、史跡公園内に、明治天皇御製碑（昭和六年）や乃木希典揮毫の碑文（大正二年）が林立する景観は、その特徴をよく表しています。これが第二の特徴で、あらためて近代の戦争遺跡として捉えることを要請します。

第三に、国が大正一〇年、史蹟に指定する前後に、島本村の人たちが楠公訣児之處碑の周辺を公園化したことです。現在、国が史跡を指定したとき、それを保護するとともに活用する手段として常用するのが史跡公園化（代表的なのは平城宮跡）ですが、「桜井駅跡」はその先例と言えるでしょう。伝承地を、近代の町づくりの中心に位置づけたという特徴です。

しかしながら第四に、正真正銘、物証に耐えうる史跡なのか、戦後の文化財保護法に照らして確実に史跡たりうるかという点では、宿題を抱え続けているということです。

とくに戦後の文化財保護法は物証主義なので、伝承だけでは史跡にはならない。赤松氏の屋敷跡のように、いつか物証を出さなければならない。枯れた松の木では、証拠にならないのです。物証の乏しい史跡は、戦後、文化財保護法ができたときに相当数、削除されています。たとえば文化庁が出している『史跡名勝天然記念物重要文化的景観登録記念物指定等目録』（平成二二年）によると、明治天皇の行在所は、ほぼ全国的に削除されています。したがって史跡「桜井駅跡」も、削除しないまでも、「証拠が不十分」として宿題を負っているのです。

もちろん、その宿題を一番意識しているのは、管理団体である島本町です。とくに二〇〇五年、JR島本駅が開設される時の発掘では、島本町の関係者も国の文化庁関係者も、必ずやなにがしかの遺構や遺物が出てくるだろうと、大きな期待を抱いたようですが、旧麗天館や楠公公園の付近から、館跡らしい遺構はもちろん、一三世紀〜一四世紀、楠公父子の時代を物語る遺物も一切出てきませんでした。自動車免許に喩えるなら、「史跡桜井駅跡」は、いまだに仮免許の身なのです。

＊1 『大阪府史蹟名勝天然記念物』によれば、楠公伝承地は、墓碑として楠公父子碑（枚岡六萬寺、東大阪市）、楠正行墓（四条畷市）、楠正儀墓（千早赤坂村）、古城址として楠木氏の構築せる諸城寨総括、古邸宅址として楠木正成址（千早赤坂村）、さらに関址・其他交通に関する史蹟として楠公父子訣別処（いわゆる「桜井の跡」）が載せられている。

＊2 『楠木正成関係史料（上）』大阪市史史料第八十五輯、大阪市史編集所、二〇一七年。

＊3 「太平記」は、南北朝時代の軍記物語。四〇巻。小島法師作と伝わるが未詳。応安年間（一三六八〜七五）の成立とされる。鎌倉末期から南北朝中期までの約五〇年間の争乱を和漢混交文で描く。京都龍安寺本、水戸彰考館版などがある。

＊4 徳川光圀の命で明暦三年（一六五七）に編纂が始まり、明治三九年（一九〇六）完成。三九七巻。神武天皇から後小松天皇までの歴史を漢文、紀伝体で記述。南朝を正統とし、幕末の勤皇思想に大きな影響を与えた。

＊5 頼山陽の著で文政一〇年（一八二七）に成立、天保七（一八三六）〜八年頃刊行。二二巻。源平以後、徳川までの武家の興亡を漢文体で記述する。幕末の勤皇志士のバイブル。

＊6 太平記講釈は室町時代から行われていたが、江戸時代初期に「太平記理尽鈔」の講釈が起こり、大名から市井にまで広く流行した。若尾正希『「太平記読み」の時代』平凡社、一九九九年参照。

＊7 この項は、三上参次「楠公崇拝について」（『摂津郷土史論』大正八年、日本地理学会編）に拠っている。

＊8　現在、湊川神社の社務所では、墓碑銘文に釈文・略解・解説を付けた小冊子「大楠公御碑銘賛」が販売されている。

＊9　楠公を描いた絵画については、神戸市立博物館所蔵の村上金次郎コレクションを閲覧させてもらった。記して謝意を表します。

＊10　福島理子「大塩平八郎の詩心」『大塩研究』七六、大塩事件研究会、二〇一七年三月。

＊11　竹垣については藪田『武士の町大坂「―天下の台所」の侍たち―』（中公新書）で紹介した。

＊12　「大阪府古墳墓取調書類　名勝旧跡一件」（宮内庁公文書館所蔵）による。

＊13　『島本町史』本文編（昭和五〇年）、『史料編』（昭和五一年）による。

＊14　「島本町の戦争遺跡記録を調べる会」で一緒に講演した塚崎昌之氏によれば、一九四〇年五月、青葉公園に設置されたのは「楠木正成馬上像」で、「楠公父子別れの像」は三八年五月に島本小学校前に設置された。ところが現在、桜井駅址公園には、「楠木正成馬上像」の台座（滅私奉公）に、「楠公父子別れの像」が載せられ、銘板の説明文も誤っているそうである。

Ⅴ　大阪を離れて

整備完了直後の蜂須賀重喜墓（徳島市教育委員会提供）

万年山墓所は、平成 14 年(2002)9 月、国の史跡に指定された。仏式の墓所を維持しながら、儒教式の墓所が造営され、それが保存されていることが評価されたのである。仏式の墓制に加え新たに儒教式の墓制を導入したのは徳島藩第 10 代藩主蜂須賀重喜で、墓域の中央に祀られ、位牌型の墓碑には「故阿淡二州太守源元公之墓」と刻まれている。周囲には側室と夭逝した子供の墓を配置する。

大阪の文化遺産調査事業に携わる一方、教員としての晩年は、関西大学文化交渉学教育研究拠点の一員としての歳月でもあったが、なかでも二〇一〇年と二〇一一年の二カ年、アジアからの留学生が多数を占める大学院生を率いておこなった九州西海地域でのフィールドワークが充実していた。母語を異にする研究者が協同して、地域の文化遺産・歴史遺産を調査することの面白さを参加者全員が共有した場と言える。成果報告は「周縁の文化交渉学シリーズ」として公表されたが、「天草で考える」は、その一篇である。

「徳島の遺産」は、『徳島新聞』平成二三年（二〇一一）二月二三日付朝刊に掲載された記事の元として書いたもの。史跡に指定された徳島藩主蜂須賀家墓所のうち儒葬墓万年山の整備委員となることで、平成一六年（二〇〇四）以降、徳島市と徳島県の文化財行政に関与する機会が生まれ、平成二三年二月に開催された徳島県教育委員会主催シンポジウム「とくしま・いにしえロマン～文化財でつなぐ夢街道」でおこなった講演をもとに執筆した。

儒葬墓万年山の史跡指定は、わたしにとって印象深い事柄であったが、東アジア文化交渉学教育研究拠点に属する立場から、広く中国や韓国も視野に入れて調査・研究する必要を感じ、各地を訪問することで書いたのが「近世日本における儒葬墓について」（『泊園記念会創立五〇周年記念論文集』、二〇一一に収録）である。

天草で〈周縁〉を考える
――フィールドワークの余韻――

二〇一一年

一　風土病

昨年（二〇一〇）七月二六日～三一日の天草・長崎でのフィールドワークは、昔の記憶を呼び起こしてくれた。天草市に一泊して二日目の二七日、市内中央の丘に立つ天草文化史料館を訪れたが、その時、懐かしさとともに著しい違和感が生じたのである。懐かしさは、四〇年近く前にひとりでキリシタンの地を追体験したく、貧乏学生としてこの地に来たことがあるという記憶に起因する。船で渡ったという記憶はないので、天草五橋が開通した昭和四一年（一九六六）九月以後であることは間違いない。現在、殉教公園と名付けられている丘の上から見た青い海、小さな大黒天の裏に刻まれた十字架、わたしのほかには誰もいない木造の資料館といった思い出がおぼろげながら脳裏に浮かぶ。反面、目の前にはガラス張りの立派な建物と、明るい展示室。二〇歳代の青年が、あの時

写真1　天草文化史料館の近くに建つキリスト像

感じた陰鬱な雰囲気は一体、どこへ行ったんだ──しばらくの間、新旧二つの感覚はわたしの身体の中でぶつかり合っていた（**写真1**）。

こうした座り心地の悪い想いを抱きながらフィールドワークは始まり、翌日には、富岡へと移動することとなった。ここは初めてである。真っ白なキャンバスが用意されている。好きなだけ、印象を描くことができると思いきや、いの一番に受けた印象は、予想だにしないことだった。それを説明するには少しばかり、わたしの個人的な事情を述べる必要がある。

わたしは二泊以上の宿泊をともなう出張には、必ずジョギングの用意をする。三〇年来の習慣である。ジョギング用の靴と上下のウエアーをスーツケースに入れるのである。はたして富岡でも、三日目の早朝、待ちに待ったジョギングに出かけた。空には厚い雲がかかっているが、昨夜来の雨はすでに止んでいる。この時を逃す手はない。走るコースは地図で一応確かめて、念のため地図をポケットに入れてある。用意万端、イザ行かんと、宿舎のホテルから海岸線を東に走り始めた。順調に走り始め、富岡の市街をほぼ走り尽くし、志岐の入口で折り返し、宿舎に帰る途次、富岡神社に参拝しようとした。その時、瑞林寺の境内を抜け、近道しようと思い立ち、寺の山門をくぐり進むも、山道を間違えたと気付き、踵を返したその瞬間、前夜の雨で濡れた石畳で足を滑らせて右に横転した。とっさに右肘で身体をかばったが、その所為で右肘を強打、擦り傷からは出血、肘は内出血で腫れてきた。これはヤバイ！と、山門を出て、ホテルへの道を急いだのはいうまでもない。

部屋に戻り、水で洗い流してタオルで出血を防いだが、とても応急処置で間に合う怪我ではない。朝食もとらず、午前の調査をキャンセルしてもらい、ホテルの車で富岡町内苓北《れいほく》医師会病院に連れて行ってもらった。待合には、朝イチで来ている老人ばかり。

自宅に電話で連絡し、ファックスで保険証を送ってもらい、待つこと三〇分。傷の手当の後、外科の担当医の診察となったが、医師の一言に絶句した。「予防注射をしましょう」というではないか⁉ 転んで怪我をしたのになんの予防注射か、わたしにはまったく理解できなかったが、担当医の説明は「風土病の予防注射です。ここは昔、風土病があったんです。近年、ほとんど症例はありませんが、予防注射をしておいたほうがいいでしょう」というものであった。アフリカに行くならともかく、日本の天草で今時、風土病の予防注射を受けるとは…。

転んで打撲傷をうけたキズよりも、自分が風土病の予防注射を受けるという現実のほうが、はるかに強烈な体験であった。ただし予防注射は三週間後にもう一度、受けないといけないということで、担当医は丁寧にも診断書を書いてくれた。ところが当のわたしは、その時八月中旬にはベルギーにいる予定で、飛行機も宿舎も予約済みである。結局、医師の好意溢れる診断書は使われず、苓北医師会病院の診察券とともに、いまもわたしの机の引き出しに眠っている（幸い風土病は発症しなかった）。

キリシタンの里として認識していた天草の地に、つい先ごろまで風土病があった。この事実は、帰阪後、インターネットで確かめてみると確かであった。「天草島に於ける肺吸虫症の研究」という論文が、『長崎大学風土病研究紀要』に載っていたのである。肺吸虫症とは、サワガニやモズクカニが感染媒体となって伝染する肺の病気である。昭和三五年（一九六〇）の発刊であるから、四〇年以上も前の症例である。たしかに、濡れた庭石に感染媒体がないとも限らない。苓北医師会病院の医師は、そんな記憶をもとにわたしに予防注射を勧めてくれたのである。

ジョッギング中に転んで怪我をしていなければ、天草の風土病を、永遠にわたしは知らないでいただろう。転んで怪我をすることで、天草という地域の周縁性を知ることができたのは、「痛い」収穫であった。

二　西海《さいかい》地域とキリスト教

周縁プロジェクトとして天草を選んだのは、もちろん天草諸島の〈周縁性〉にあるが、その周縁性は同時に〈境界性〉でもある。通常見慣れた世界地図を反転させ、赤道を上に、北極を下におくと日本列島が逆立ちするばかりか、面白い視点がつぎつぎと発見される。「環日本海諸国図」を眺めていると、日本海が文字通り環日本海として、まるで日本とロシア・中国・南北朝鮮に囲まれた内海であることが理解される（**写真2**）。故網野善彦氏が、『日本とは何か』（講談社、二〇〇〇）の巻頭

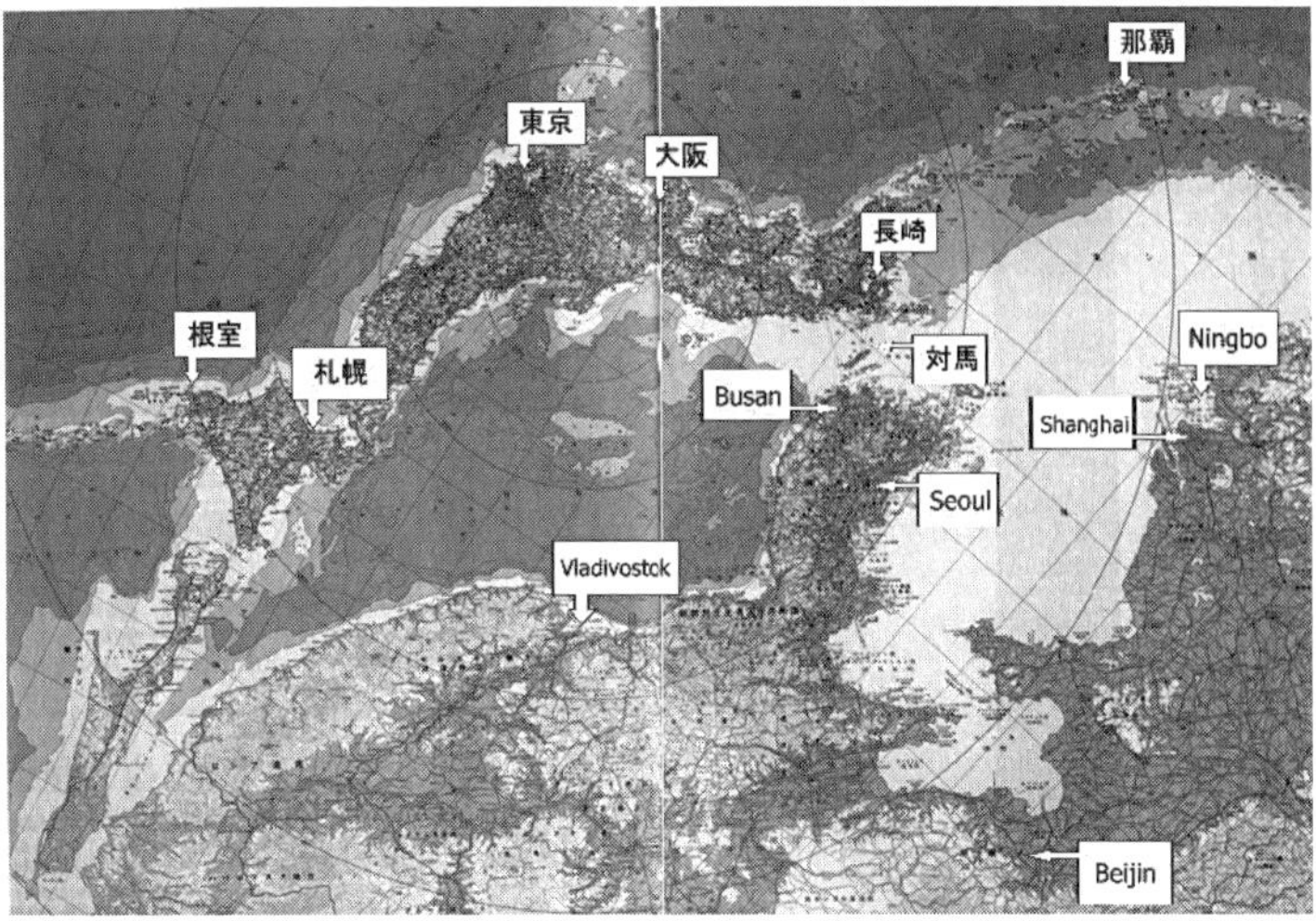

写真２　網野善彦著『日本とは何か』中の「環日本海諸国図」に地名を記入した

で提示したイメージである。

いまひとつの視点は、赤道付近から北上して台湾海峡を通過すれば、船舶は一路、九州の西海岸に至ることが見通せることである。蒸気船以前の帆船である限り、東南の風は、船を九州沿岸へと運ぶ。例外は、南西諸島の間を抜けた場合で、その時は、黒潮に流され、運がよければ日本の太平洋沿岸に漂着するか、さもなければ太平洋上の藻屑と消えることとなる。漂着唐船に注目して、その関連資料の収集を提案した故大庭《おおば》脩《おさむ》氏の発案は、資料集の刊行を通じて前者、つまり太平洋沿岸に漂着する中国船の多さを証明することとなった。

だがそれは例外、もしくは想定外で、本来の想定は、鹿児島県の坊津に漂着した鑑真和上や、鹿児島に辿りついた宣教師ザビエルのように九州の西海岸に辿りつくものであった。それは個人の意思を超えた、いわば地球の必然の力であった。
その力に誘引され、日本の国外から、さまざまな人びとがやってきた。アジアからもヨーロッパからも。その結果、九州の西海岸は、〈境界性〉を歴史的に持つようになった。「西海地域」という地域呼称は、このような境界性を表現するのにふさわしい。したがって今回の天草でのフィールドワークは、言葉を変えれば、西海地域でのフィールドワークということもできるが、その西海地域には、わたしの個人的想いがある。

近年わたしは、今回のフィールドワークとは別に、個人的に西海地域で調査旅行を続けている。その初めは、二〇〇八年二月末の長崎市街と外海地区の調査、ついで同年九月の島原半島調査、二〇一〇年二月初旬の平戸・生月調査と続き、二〇一〇年七月の天草調査があるという経緯である。その間、二〇〇九年四月~九月には、半年のベルギー暮らしを経験し、その滞在中にポルトガルに出かけたが、これも西海地域調査に関連する。なぜならエンリケ航海王子の遠征以後、ポルトガルは東へ東へと進出し、一六世紀中葉、ついに西海地域に辿りついたからである。いわば北半球の裏側から、西海地域を旅していた勘定になる。

こう書けばわかるように、現在のわたしの西海地域へのこだわりは、キリスト教にある。境界性を強く持つ西海地域におけるキリスト教が、わたしのテーマである。キリスト教で西海地域を横断的に切ってみたい、と言い換えることもできる。その発端は二〇〇七年一月、史跡指定で一〇年近く関わっている文化庁の進める世界遺産暫定リストに、「長崎の教会群とキリスト教関連遺産」が追加されたことにある。二〇の構成資産は、大浦天主堂のある長崎をはじめ、ド・ロ神父ゆかりの外海、平戸と生月島、原城跡の島原半島、六つの教会群が点在する上・下五島と小値賀島に広がっているが、地図で確認すれば遺産群は、五島灘を取り囲むように所在している。キリスト教と信者が、相互に船で往来していたことが背景にある。天草灘と五島灘は海続きである。ならば、その交流圏に天草諸島が組み入れられているのはいうまでもない。天草をキリスト教という視点で、再度、見てみたいという思いが、今回のフィールドワークへの大きな期待であった。

また「西海地域とキリスト教」というテーマは、東アジアの文化交渉へのわたしなりの視点の転換でもある。なぜなら大庭脩《おおばおさむ》先生との生前、最後の仕事となった『長崎唐館図集成』(関西大学出版部、二〇〇三)の発刊後、発想を変えてみたいと思うようになったからである。具体的には、①視点を都市長崎から周辺に拡散してみたいと考えるようになったこと、また②日中関係というコードから外れてみたいと思うようになったことが理由としてある。「西海地域とキリスト教」というテーマは、この発想にうってつけであり、そのきっかけが「長崎の教会群とキリスト教関連遺産」の暫定リスト入りによって与えられたといえるだろう。

＊二〇一八年七月、長崎と天草地方の潜伏キリシタン関連遺産として世界遺産に登録された。

三　「五足の靴」と鈴木三公像

「西海地域とキリスト教」という関心から見たとき、天草は期待にたがわぬ魅力を持っていた。本渡《ほんど》のキリシタン館はもちろんだが、下天草島の西海岸にそって立地する大江天主堂・崎津《さきつ》天主堂の美しい姿、天草ロザリオ館とコレジオ館の優れた展示品は申し分のない素晴らしさであった。とくに大江天主堂が山の中腹に海を見下ろして立ち、崎津天主堂は海のすぐ傍に、まるでそのまま船にでも乗れそうな感じで立つ、そのコントラストは印象深いものだった（**写真3**、崎津の漁村景観は二〇一〇年一一月、国の重要的文化的景観に選定された。『月刊文化財』平成二三年二月号参照）。今後、長崎県と熊本県という県境を越えて、「教会群とキリスト教関連遺産」という名の下に、共同で世界遺産への取組みが進むことを願わずにおれない。

　とくに天草のキリスト教関連遺産の場合、「五足の靴」という記念的文学のあることが重要である。「五足の靴」とは、明治四〇年（一九〇七）夏、与謝野鉄幹（三五歳）をリーダーに、北原白秋二三歳、吉井勇二二歳、平野万里二三歳、太田正雄（木下杢太郎二三歳）の新詩社同人五人が長崎から天草灘を超え、富岡を経由して大江・崎津に至る紀行文である。紀行文は『東京二六新聞』

写真3　崎津教会

に発表され、白秋は四二年、『邪宗門』を出す。また太田正雄はその後、『日本吉利支丹史鈔』や『日本遺欧使者記』など、本格的な日欧交流史に進んでいる（写真4）。日本の近代化の最中に、一六世紀後半のキリスト教を通じた日欧交流史が回想されていったのである。

　この流れは、第二次世界大戦後、地元天草に波及する。昭和二七年（一九五二）五月、大江教会堂の傍に、同人五人のうち存命であった吉井勇の歌碑「白秋とともに泊まりし天草の大江の宿は伴天連の宿」が、大江村青年団の手で建てられたのである。さらに昭和四二年には、開館したばかりの天草キリシタン館前庭に、北原白秋の邪宗門詩碑が建てられた。こうして「五足の靴」は、天草のキリシタンを語る代名詞となっていったが、興味深いのは、戦後、「五足の靴」を『パンの会』（昭和二四年）に紹介し、さらに『九州文学散歩』（昭和二七年）でいち早くその行程を辿ったのは、文芸評論家の野田宇太郎という〈中央〉の人物であることである。ガルニエ神父を訪ね、「五足の靴」を書いたのが〈中央〉の青年詩人たちであるとすれば、戦後、その作品を発掘し、文学的意義を説いたのも〈中央〉の文芸評論家である。

写真4　木下杢太郎の詩碑「あまくさ」

　『五足の靴と熊本・天草』（国書刊行会、一九八三）によれば、著者濱名志松氏は昭和二七年一二月、大江村で直接、野田宇太郎と会って話を聞いている。その後、濱名志松氏ら地元の人々の尽力もあり、「五足の靴」は天草を語るキーワードとなっている。天草市発行のガイドブックによれば、下田北から下田南への道は「五足の靴文学散歩道」として整備されているそうである。

「五足の靴」は、周縁天草の地は〈周縁〉として語るよりは、〈中央〉を介して発信されることで文化遺産として認定されたことを例示しているように思える。

一方、「西海地域とキリスト教」は、教会群や「五足の靴」とまったく異なった記憶を天草の各地に残している。今回の調査を通じてわたしはそれに、もっとも強く印象づけられた。それとは、鈴木重成代官に関わる記憶と文化遺産である。誤解を怖れずにいえば、「西海地域とキリスト教」を象徴する天草の一方の極が、本渡の殉教公園（千人塚がある）であるとすれば、他方の極は市内中心部に立つ鈴木三公像ではないだろうか（**写真5**）。メダルの表と裏のような両者の関係は、苓北町でも、富岡吉利支丹供養碑（千人塚）と鈴木重成供養碑にみることができる。

写真5　鈴木三公碑

鈴木重成《しげなり》（一五八八～一六五三）とは、天草・島原の乱後の寛永一八年（一六四一）一一月、幕府領となった天草支配のために赴任した代官であるが、兄正三《しょうさん》和尚（一五七九～一六五五）を招き、新たな宗教政策を実施し、その後、正三和尚の子重辰が第二代代官となったために、「鈴木三公」として語られる。彼らに共通するのは、天草・島原の乱（西海の乱）の壊滅後の「天草の復興」である。本渡の大通りに立つ三公像は、平成一九年（二〇〇七）という新しいものだが、「三五〇年の時空をへて」と題して、つぎの一節が書かれている。

島民は忘れない　天草の乱で崩壊した　この島を身をもって
立て直してくれた　鈴木三公のことを

この一節には、天草・島原の乱（西海の乱）が、地域社会の解体をもたらしたという意味合いが込められている。多数の犠牲者はもちろん、宗教と習慣の対立、人心の荒廃、産業基盤の崩壊などとして、地域社会に甚大な影響を与えたのである。阪神・淡路大震災のように自然災害からの復興ではなく、天草・島原の乱という〈人災〉からの復興が、鈴木重成代官と兄正三和尚の下で進められた。それは島原においても同様であったろうが、天草には、鈴木兄弟を顕彰するという顕著な動きがあった。その表れは現在、顕彰碑や銅像、鈴木神社、国照寺などに見ることができるが、その一端を、天草アーカイブズで行なった地域新聞調査でも垣間見ることができた。

わたしたちが閲覧したのは、『みくに新聞』（昭和一一年）、『天草新聞』（昭和二八年）、『天草民報』『天草毎日新聞』（ともに昭和三八年）である。昭和二八年には離島振興法の公布をめぐる記事が目立ったが、三八年には鈴木重成像の建立の動きや、彼の命日を祝う祭礼などの記事が注意を引いた。天草市発行の観光パンフレットによれば、天草島内には今も、三三カ所の鈴木塚があるそうだが、それらがどのようにして築かれてきたかは、一つの課題であろう。詳細は、今後の報告に委ねたいが、天草において「西海地域とキリスト教」は、「五足の靴」とともに「鈴木神社」「鈴木塚」を生み出していたことを知ったのは大いなる収穫であった。

「五足の靴」をメダルの〈表〉とすれば、「鈴木神社」は〈裏〉だが、その反対もありうる。わたしたちが「五足の靴」ほどには、鈴木神社や鈴木三公像を知らないとすれば、そこには〈中央〉が介在していないからではないだろうか。だとすれば天草には〈周縁〉として、〈中央〉を介さない強烈な記憶がある。

四　祭り

七日間のフィールドワークは、長崎で幕を下したが、留学生も含め参加した院生の評判は一様によかった。院生の口から直接、耳にしたが、その要因は、天草では、複数のテーマで調査することが可能だったからだと思う。a地理、b寺院と神社、c生業、dキリシタン、e古文書と五つのチームに編成した助教荒武賢一朗氏のプランが適切であったのは言うまでもない。それと同時に天草には、それだけの歴史（文化）遺産がストックとして蓄えられていたのである。その蓄えの大きさを、わたしたちはフィールドワークを通じて知った。

さらにその蓄えには、記念講演を依頼した鶴田文史氏のような郷土の歴史に通じたLocal Philosopherの活躍、ロザリオ館やコレジオ館、富岡ビジターセンターといった公立施設だけでなく、サンタマリア館や上田家史料館のような私立施設の存在、各資料館での優れた展示なども含まれる。このような質と量の両面における歴史遺産の保存と活用があればこそ、海外の留学生も好印象を受けたのであろう。

ここには地域社会における歴史遺産、文化遺産の重要性が示唆されている。その点で言えば、一市五町の天草市への町村合併以後の、各地の歴史民俗資料館の行方が気になった。初日に歩いた倉岳町の歴史民俗資料館が念頭にあるが、十分、現役で働ける資料館が、合併にともなう管理集中体制の下、開店休業状態にあったのである。人が地域を離れれば離れるほど、地域の歴史遺産の保存と活用の道は途絶える。そんな心配をさせる現状もまた、わたしたちの目にするところであった。

写真6　牛深港に立つハイヤ像

その行方については、現実の方々の叡智に委ねたいが、留学生たちに留意してもらいたいのは、昨年七月末に訪れて見た姿が、すべてではないということである。「限界集落」と称される山村でも、村を出て行った人々と村に残る人びとの絆は結ばれており、その絆は、地域の祭礼において見事に復活する。近隣の都会に出て行った人々が、この時とばかりに帰省し、老若男女揃って祭りを祝う場に、彼ら留学生を立ち会わせてあげたい。そうすれば〈周縁〉とされた地域にも、驚くほどのエネルギーが残っていることを知るだろう。四月の牛《うし》深《ぶか》のハイヤ（**写真6**）でも、八月の本渡のハイヤでも、あるいは一二月の大江の冬まつりでもいいが、そんなチャンスが近い将来実現しないものだろうか。わたしの秘かな期待である。

（関西大学文化交渉学教育研究拠点、周縁の文化交渉学シリーズ2『天草諸島の歴史と現在』、二〇一一年）

徳島の遺産・地域の力

——史跡・文化財と歴史資料——

一　周回遅れのトップランナー

平成一三年（二〇〇一）一月、勝瑞城館跡《しょうずいじょうやかた》が国の史跡に指定された時、わたしは文化庁文化審議会の側にいた。翌一四年、徳島藩主蜂須賀《はちすか》家墓所が指定された時も、また一八年の徳島城跡指定の時も同様である。そしてその場で、徳島県が、他の四国三県と同様、史跡指定の最下位にあることを知った。たしかに二二年三月現在も、その件数は八件と最下位である（九件の高知、一一件の愛媛、一七件の香川と続く。文化庁文化財部記念物課『史跡名勝天然記念物・重要的文化的景観・登録記念物指定等目録』による）。

しかし勝瑞城館跡以前の指定が、戦前の段の塚穴を別とすれば、昭和五〇年前後の阿波国分尼寺跡・郡里廃寺跡・丹田古墳であったことを考慮すれば、平成一三年以後の史跡指定の活性化は注目に値する。その勢いは、二一年二月指定の渋野丸山古墳、二二年八月指定の阿波の遍路道〜鶴林寺道、太龍寺道、いわや道～と続き、史跡指定ラッシュを生み出している。平成一三年～二二年の間に五件であるから、二年に一件の指定がなされている勘定である。早晩、最下位脱出も夢ではないが、この一〇年間における突然の変化は、どうして起きたのだろう？

要因の一つとして、文化庁が「当面重点をおいて指定する記念物」として、掲げたつぎの方針があげられる（平成一〇年九月）。

- 中世城館遺跡・近世大名家墓所・産業交通土木遺跡・近代遺跡などに就いては、それぞれ設置している検討会で選定するものから、順次進める。

しかし最大の要因は、徳島県と県下市町村の文化財担当者の「意識改革」以外のなにものでもない。いうなれば、文化財担当者が「目覚めた」のである。

勝瑞城館跡や徳島藩主蜂須賀家墓所が、相次いで指定されて以後、徳島に足を踏み入れる機会が増えた。徳島藩主蜂須賀家墓所（平成一五年度発足）や徳島城跡（平成一八年度発足）の史跡整備委員会に学識経験者として参加するようになったからである。そこで見聞したのは、県と市町村の文化財担当者の史跡指定にかける熱意であり、相互の和気藹々とした雰囲気であった。史跡指定の「勢い」の正体を、そこで見つけたという印象をもった。しかも担当者がみんな若い！

そんな勢いが、今回の「いにしえ夢街道推進事業」を生み出しているが、この事業は、文化庁が平成二〇年に制定した歴史まちづくり法「地域における歴史的風致の維持及び向上に関する法律」

を率先して実施する徳島版となっている。まさに徳島県は、周回遅れのトップランナーになろうとしているのである。

二　玉磨かざれば…

史跡指定された直後に見た勝瑞城館跡の印象は、強烈であった。ちょうど、三好氏の館跡に隣接して庭園遺構が発掘された時で、青石をはじめとする石組みと州浜が一面に顔を出していた。ただちに宇治・平等院の苑池を想起したが、「凄いものが出ている」と実物の魅力に史跡指定の意義を確認した次第である。文部科学省の会議室で、スクリーンで見ている画像とは迫力が違う。

写真7　荒れた万年山墓所
（平成16年当時、徳島市教育委員会提供）

それは、徳島藩主蜂須賀家墓所、とくに万年山墓所でも感じた。眉山《びざん》山頂付近に位置する家祖蜂須賀正勝の墓碑から階段を下り、墓域の碑をへて、一〇代重喜、一一代治昭の墓域に降り立った時、一瞬、息を呑み込んだ。位牌型をした藩主の墓碑と墳墓の傍に、複数の側室・侍妾の墳墓があり、しかもほとんどすべてが「荒れている」。その荒廃状況は、夭逝した子どもたちの墓域では目を覆うばかりで

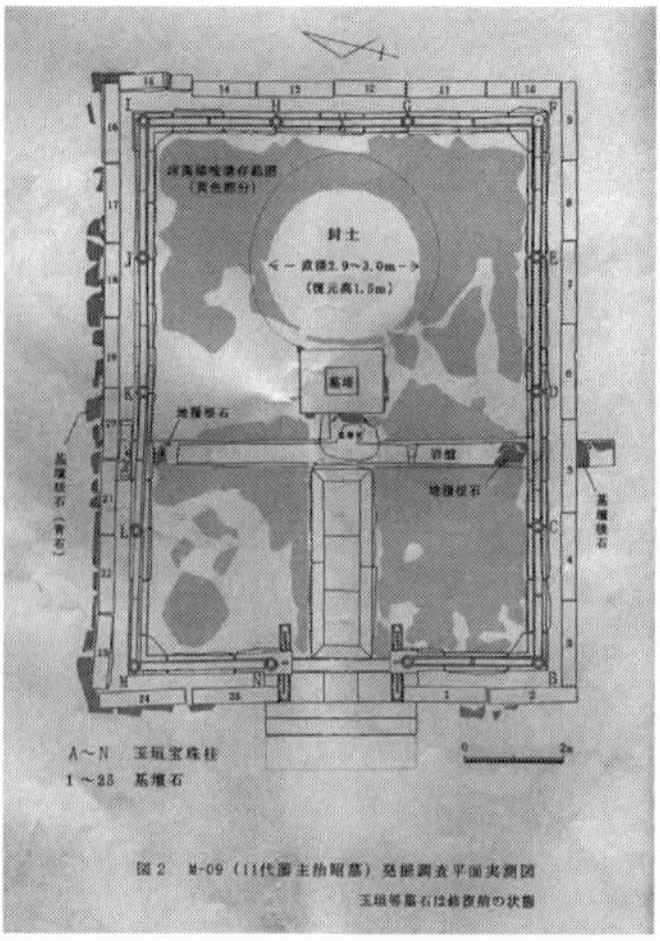

写真8　11代藩主治昭墓の発掘調査実測図（徳島市教育委員会提供）

あった（**写真7**）。

歴代藩主ばかりの巨大な墓石が立ち並ぶ興源寺墓所と比べた時、儒教での葬送が仏教のそれと、どれほどの違いをもたらすのかを雄弁に語っていた。万年山には、大名家族のパノラマが展開しているのであった。「史跡に指定してよかった」と納得する一方、この荒廃状況は至急になんとかしなければと痛感した。

この二つの例が示すように、史跡指定は、それぞれの文化財の基本的な意義をひろく内外に発信することとなる。玉石混交のなかから〈玉〉を見つけることで、史跡に指定されるともいうことができる。しかしそれは終着駅ではなく、出発点である。〈玉〉を磨く努力を続けなければならない。勝瑞城館跡も万年山墓所も、指定後、それぞれ発掘・整備が進められている（**写真8**）が、現在の状況を、史跡指定時と比べてみる時、〈玉〉を磨く努力がいかに大切か、理解されよう。

〈玉〉を磨く努力は、また新たな〈玉〉を見つけることにも繋がる。現在、三市（徳島市・美馬市・鳴門市）三町（藍住町・石井町・板野町）の範囲で止まっている「いにしえ夢街道推進事業」は、九件目の史跡である阿波の遍路道～鶴林寺道、太龍寺道、いわや道～によって、阿南市と勝浦町への足がかりを得たが、さらに全県下に広がる可能性をもっている。

三　〈思い出〉という力

〈玉〉を磨き、〈玉〉を見つける契機と動機は地域のなかにある。「地域の力」が、モノをいうのである。県と市町村の文化財担当者を支え、励まし、工夫させる存在としての地域住民の意識の重要性である。特別史跡平城宮跡（奈良県）や史跡難波宮跡（大阪府）、国宝姫路城の「発見」が、ひとりの男（たとえば平城宮の棚田嘉十郎、難波宮の山根徳太郎）の執念に始まったことであったことを思い出してほしい。〈玉〉を見つけた誰かが、地域のなかから発信することで、その輪が広がり、やがて県や国を動かして、文化財や史跡の指定にいたるという事例は枚挙にいとまない。そこにあるのは個人の強烈な意思であるが、その意思の源には、父親に連れられて古代の瓦を拾った思い出、戦地から帰還して見上げた天守閣の美しい姿といったさまざまな思い出がある。地域の住民には、そんな〈思い出〉という力が秘められている。

赤レンガの東京駅が高層ビル化される計画が持ち上がった昭和六二年（一九八七）当時、それを守ろうと運動を起こした作家の森まゆみさんたちは、一〇万人規模の署名運動のなかで、東京駅の原風景の価値を全国に訴えようと「わたしの東京駅」という思い出を集めた。大正三年（一九一四）の開業以来、日本中の人びとが東京駅に降り立っていたのだから、この作戦は大成功を収め、ほぼ二カ月で目標の署名を集めたという（森まゆみ『東京遺産』、岩波新書、二〇〇三）。

まさに〈思い出〉という力の勝利であるが、徳島も負けてはいない。いまや全国的に有名になったひょうたん島クルーズも、「NPO法人新町川を守る会」の人びとが、かつて子どもの頃の美しかった新町川を取り戻そうと、河川に落ちた空き缶やゴミを拾い集めることが発端であったと聞く。魚を採り、川で泳いだという〈思い出〉が、美しい新町《しんまち》川ばかりか、河川交通という遺産まで再発見させたのである。

近世日本の城下町は、河口に設けられているものが多い。したがって城下には「水都」というイメージがふさわしいが、今日、どれだけの都市で、船で移動しながら城跡を眺めることができるだろうか？新町川クルーズは、史跡徳島城跡の整備と活用についても示唆を与えている。

四　歴史資料の価値

ところで史跡と文化財は、いずれも有形のものである。形あるものは、幾世代を超えて継承される。したがって、遺産として受け継がれる、という長所をもつが、他方では、その価値を語り続ける人が途絶えれば、一瞬にして忘れ去られる運命をもつ。ならば誰が、語り続けるというのか？

作家宇野千代（一八九七〜一九九六）は、昭和一七年（一九四二）、四六歳の時、東京で浄瑠璃「傾城阿波の鳴門」のお弓の頭《かしら》を見て、国府の天狗家久吉に会いに行く。そこでの取材は、つぎのように記録されている（『宇野千代全集』第五巻）。

- 徳島というところは、蜂須賀さまのお触れでな、人形芝居ただ一つで、三里四方、歌舞伎その他の興行物一切ご法度というので、何でも彼でも人形芝居一点張りでござりましてな、こういう在所にまで、それは毎日のように箱回しがやって来ておりました。
- お爺さんは今年八十六になる。十六の年から人形を作りはじめて、今年でざっと七十年、その七十年という間、一途に人形を作るという仕事だけをした来たのだなどという話をきくと、私など何と言って好いか分からない気持ちになる。
- ほんに一人前の人形作りになって、人形の性根が、前に作ったたんと今度つくったのんと変わっておるようなことではしょうがござりませんぞ。

この時、〈思い出〉という力とならんで、歴史資料が力を発揮する。なぜなら歴史資料は、いつの時代かの、誰かの証言であるからである。今となっては忘れられている史跡や名所が、かつては徳島を代表する場所であったかも知らないからである。

『阿波名所図会』（文化八年〔一八一一〕）は、阿波の特産藍や、八十八カ所である立江寺・太龍寺・鶴林寺を描いたものとして知られるが、上巻のトップに鳴門の渦潮、下巻のトップに眉山を描くという心憎い構成を示す。その一方、大滝山持明院を中心に徳島城下寺町の鳥瞰図を四頁にわたって描いている。この意表を衝く構図は、現在の私たちが忘れ去ったものである。昭和二〇年七月三～四日の米軍空襲による寺町の消失と復興を想起してほしい。瀬戸内寂聴さんは、この空襲で「わたしの徳島」は亡くなったと言われたそうである。

勝瑞城館跡や徳島藩主蜂須賀家墓所のように、現在の私たちしか知らない史跡と文化財があると得れば、現在の私たちが喪った文化遺産があるということでもある。歴史資料は、それを教える。

徳島には『阿波名所図会』以外にも、『阿淡年表秘録』『四国遍路道指南』『御大典記念阿波藩民政資料』といった県下全域に関する歴史資料がある。それを活用することで、「いにしえ夢街道推進事業」はさらに多くの人びとを巻き込むこととなろう。徳島城博物館が実例を示すように、古文書教室に通って以来、歴史資料解読の魅力に取り付かれる人が少なくない。脇町の俳人「上田美寿《うえだみす》日記」や半田村の商人「敷地屋兵助日記」、あるいは「徳府世情控」などを読むグループができれば、どれだけ素晴らしいことか。

形に興味のある人、景観に惹かれる人、また古文書や記録類が好きな人、建物を見て歩くのが得意な人、語り部になりたい人、それぞれの興味と関心を総合できれば、こんな強いものはない。

こうして「いにしえ夢街道推進事業」は、地域的に拡大するとともに、内容的にも充実することとなるだろう。それは文字通り、周回遅れのトップランナーになる道でもある。

近世日本における儒教と儒葬墓について　二〇一一年

――徳島藩蜂須賀家の万年山儒葬墓を中心に――

はじめに

儒教の近世日本への伝来は、倫理・道徳はもちろん、学問としての儒学、教育施設としての藩校・私塾・郷学、孔子を祭る聖堂と祭祀である釈奠《せきてん》、さらに儒教式の葬送儀礼、女訓書の版行など、新しい文化様式を日本の列島各地に生み出した。それらのなかには、今日なお影響力を持つものがあり、史跡・重要文化財として、また無形の文化遺産として残されているものがある。それらのうち、おもに儒教式埋葬施設―儒葬墓とよぶ―について報告する。

文化庁では平成一〇年（一九九八）以降、とくに重点をおいて指定すべき文化財として近世大名墓に注目し、順次、指定を見ている。そのなかには仏式の墓制と並んで儒教式の墓制が含まれており、とくに平成一四年（二〇〇二）九月指定の徳島藩主蜂須賀家墓所（徳島県）、平成一九年（二〇〇七）七月指定の水戸徳川家墓所（茨城県）は、その顕著な事例となっている。

このうち蜂須賀家墓所には、指定後の平成一六年（二〇〇四）二月、管理団体である徳島市に「史跡徳島藩蜂須賀家墓所整備委員会」が設けられ、その委員になることで個人的に関与する機会が増えた。とくに興源寺《こうげんじ》という仏式の墓制を継続しながら、城下の万年山《まんねんやま》に儒式の墓所を新たに設けたこと、しかも、全国的にほぼ儒式の墓制が消えたかに見える一八世紀後半に開始されたこと、さらに仏式の興源寺墓所では藩主個人の供養碑がたつだけであるが、儒式の万年山には藩主のみか正室や側室・妾、夭逝した子女までを含み、墓所に「大名家家族のパノラマ」をみることができる点など、多くの特徴をもち、近世日本の儒葬墓の歴史に位置づける必要があることが理解されてきた。小論では、その過程を踏まえ、近世日本における儒葬墓を歴史的に位置づけるとともに、あまり知られていない蜂須賀家万年山墓所について紹介する。

一　私塾と儒葬墓

当然のことながら、儒教式の墓制の導入には、儒教の信奉と導入というプロセスが先行する。

1　藤樹書院と墓所

近江高島（滋賀県高島市安曇川町上小川）の地に構えた私邸に拠って、門弟らに教育を始めた中江藤樹（一六〇八～四八）に、その一例を見ることができる。

祖父吉長の跡を継ぎ、伊予大洲藩加藤家の家臣となった藤樹は寛永元年（一六二四）一七歳のとき、京都から来た禅僧の『論語』講義に触れ、本格的に儒学を志すようになり、『四書全書』を入手して独学で朱子学を修めた。二七歳のとき、郷里近江に住む母への孝養と病気を理由に退職を願い出たが、許されないまま武士の身分を捨て郷里に帰った。帰郷後は学問に専念し、三三歳で代表作『翁問答』、翌年には『孝教啓蒙』を著わし、三七歳以降は王陽明の思想に傾倒し、慶安元年（一六四八）八月二五日に没した。後世、「近江聖人」、「日本陽明学の始祖」などと称された。

写真９　中江藤樹墓所

門弟たちによって建てられた居宅は、藤樹書院《とうじゅしょいん》と呼ばれた。現存する書院は、明治一三年（一八八〇）の火災後に再建されたものだが、往時の私塾を偲ばせる貴重な史跡として大正一一年（一九二二）、国の史跡に指定されている（管理団体は高島市）。

書院の近くに所在する玉林寺の入り口に中江藤樹墓所があり、石組で囲まれた墓域内には、かなり低くなった円形の土葬墓三基とともに墓碑が建っている（写真９）。平成一九年（二〇〇七）、この墓所が史跡に追加指定されたが、近世日本における儒学教育の書院と儒式墓所を一対のものとして見る貴重な事例となっている。

なお同書院では、中江藤樹の命日にあたる九月二五日（旧暦の八月二五日であるが、新暦に読み替えている）に、書院の祭壇中央に中江藤樹と夫人久の神主《しんしゅ》（仏式の位牌に該当。木札に〇〇〇神主と記す）をおき、儒教式の祭典を行なっている。

2　平野郷の含翠堂と神光寺墓所

このような儒学の教育と儒教式埋葬施設との関連は大坂の懐徳堂《かいとくどう》、ならびに大坂の東南に位置する在郷町平野郷の含翠堂《がんすいどう》という、二つの漢学塾にも見ることができる。

享保二年（一七一七）、中世後期以来の自治都市であった平野郷に開かれた含翠堂は、明治五年（一八七二）、「学制」にもとづく学校ができるまでの約一五〇年間、平野郷在住の同志たちによって運営された。一方、懐徳堂はそれに遅れること七年、享保九年（一七二四）に「五同志」と呼ばれる富裕町人によって大坂市中の尼崎町に創立され、同一一年には幕府の許可をえて半官半民の姿になり、明治二年（一八六九）まで維持された。

当初、含翠堂に招かれたのは陽明学の三輪執斎（一六六九〜一七四四）であるが、のちには懐徳堂に関係する三宅石庵（一六六五〜一七三〇）や伊藤東涯（一六七〇〜一七三六）といった学者も招かれ、朱子学・陽明学・古学あるいは和学と、幅広い学問が教授された。

含翠堂の中心となったのは土橋《つちはし》友直をはじめとする土橋家・三上家など平野郷を代表する旧家の主人たちであるが、彼らの墓所は平野郷内（現在大阪市平野区）にはない。平野を離れること五キロメートル、八尾市高安山の麓神光寺《しんこうじ》にある。神光寺の山門脇には

懐徳堂書院学生　三宅万年・同春楼
同創立同志　中村良斉・長崎黙淵　墓所
含翠堂創学者　土橋誠斉・井上赤水

と印刻された石碑が立ち、含翠堂・懐徳堂関係者墓所であることを示している（**写真10**）。

写真10　神光寺門前の石碑

神光寺本堂の左手に開かれた墓域には、三上如幽・土橋友直父子をはじめ、土橋家・奥野家・山上家の墓地のほかに、八尾・久宝寺の旧家として知られる安田家・久保田家の墓地、神光寺の開山関係墓地があり、安田家の隣に懐徳堂関係者の墓地がある。これら含翠堂・懐徳堂関係者の墓碑については、『神光寺墓地墓碑銘』（編集・発行坂上弘子、一九九八）という詳細な報告書が出ている。

土橋家の墓域には、含翠堂の創設者の一人である友直誠斎（一六八六〜一七二七）はじめ、二四基の墓碑が立つ。

彼らの墓所がなぜ、曹洞宗神光寺にあるかについては、梅溪昇『大坂学問史の周辺』（思文閣出版、一九九一）が、つぎのように解説している。

友直は泉州貝塚の三宅友正の男子として生まれるが、元禄一〇年（一六九七）、一二歳で平野郷の三上茂兵衛如幽の養子となり、娘豊と結婚する。その後、当主不在となった土橋家を夫婦で相続し、十三代当主となったが、その友直は享保元年（一七一六）、神光寺の住職萬徹和尚を介して、のべ一三六坪の墓地を入手する。含翠堂の開塾（享保二年）の一年前のことである。

師であった三輪執斎が享保五年（一七二〇）に書いた「原（平）野学問所之事」によれば、禅学を学んでいた如幽は友直を京都に遊学させたが、その意に反して友直は禅学ではなく儒学に傾倒、帰郷後、両親に儒学を勧め、自宅で門弟二、三を集めて講習した。ところが、郷中ことごとく一向宗で仏を信じていたために中絶、その後、正徳四年（一七一四）、成安源右衛門を同志に得て再開し、京都・大坂の講師を招くが、そのうちに如幽が死去する。友直は儒教の教えにしたがい養父如幽の土葬を営もうとしたところ、一向宗からなる平野郷中は火葬を信奉しており強く反対、友直の説論によってようやく土葬を認められた。こうした経緯から、「友直が儒教の排仏的な土葬論の立場に立って一向宗の多い平野郷を避けて」神光寺を選んだのではないかと考えられる。

残念ながら、神光寺の墓地からは三上如幽の墓碑が発見されていないが、妻寿清の墓碑（正徳三年（一七一三）没）があることから、おそらく夫婦ともにここに埋葬されたと思われる。なお、友直誠斉の墓碑背面には「先考及同志十余家之遺骸于当山永欲護法」とある。禅学ではなく、儒学に傾倒することで友直はじめ含翠堂の人々は、先祖代々の仏式の葬送を拒否し、平野から遠く離れた高安山の麓に永住の地を見つけたのである。

二　大名家墓所と儒葬墓

こうした民間の私塾・書院における儒学と墓所の関係と比べるならば、大名家の場合は、はるかに規模壮大で、儒葬墓としても本格的なものが多い。以下、簡単に紹介する。

1　尾張藩主徳川義直廟（愛知県瀬戸市）

徳川家康の九男で、慶長一二年（一六〇七）、尾張に領地六一万九五〇〇石を賜り、尾張徳川家の祖となった義直（一六〇〇〜五〇）は、城下町を清洲（須）から名古屋に移し、藩政確立の基礎を作った。同時に徳川家康の遺訓に従い儒教を奨励、名古屋城二の丸に孔子廟を造り、諸藩による聖堂建設の先例となった。聖堂内には孔子（文宣王）像をはじめとする五体の聖像が祀られ、寛永六年（一六二九）、

写真11　徳川義直廟碑

林羅山はこれを拝している。義直はまた寛永九年（一六三二）、林羅山の上野忍岡の屋敷に聖堂を立て、扁額を認めている（徳川美術館『徳川義直と文化サロン』二〇〇〇）。

義直の墓所は、城下名古屋を遠く離れた愛知県瀬戸市の臨済宗定光寺《じょうこうじ》境内にある。ＪＲ中央線定光寺駅を降り、庄内川を渡り、急峻な坂道を歩くこと三〇分、蓮池に架かる石橋の脇に「尾藩祖廟」の石柱がある。石段を上り、山門をくぐったところに応仁年間（一四六七〜六九）の築造とされる本堂があり、その脇に源敬公廟所へと入る門がある。さらに石段を上り、獅子門を過ぎると龍の門がある。屋根には見事な龍が配置され、そこから奥が、瀬戸焼の板を漆喰で挟みながら積み上げた築地塀で囲まれた墓域である。石畳を辿ると焼香殿があり、中央に神主が置かれている（写真11）。その奥には、三つ葉葵紋の唐門が立つ。奥域の中央に、位牌形をした石碑の立つ円墳がある。源義直公の墳墓である。廟域の傍には、殉死した家臣五名の墓碑が並んでいる。

慶安三年（一六五〇）五月七日、江戸で死去した義直の遺骸は名古屋に移され、五月二九日、遺命により定光寺において儒式で葬られた。廟所は承応元年（一六五二）に完成するが、次期藩主光友は一六五一年、父義直の菩提を弔うために城下に建中寺を建立、以後、建中寺が尾張家の墓所となる。

源敬公廟の案内板には、廟所は帰化明人陳元贇《ちんげんぴん》の設計とあるが、陳元贇（一五八七〜一六七一）は、元和年間（一六一五〜二四）に明清交替の戦乱を避けて日本に渡り、尾張義直に仕えた。書画・製薬・

陶磁器など最新の中国文化を伝えた人物で、林羅山・近衛信尹・小堀遠州・松花堂昭乗などとともに義直をめぐる文化人の一人であった（徳川美術館『徳川義直と文化サロン』）。なお廟所のうち獅子門・龍の門・唐門・築地塀は、重要文化財に指定されている。

2 岡山池田家和意谷墓所（岡山県備前市吉永町）

儒教式の大名家墓所として、尾張義直廟と双璧をなすのは池田光政が築いた池田家の和意谷墓所である。

写真12 池田光政・夫人勝子の墳墓

岡山池田家の儒葬墓は、藩主池田光政（一六〇九〜八二）が開いた閑谷《しずたに》学校（国の特別史跡、国宝の講堂のほか各種の遺構が残る）の所在する閑谷から、さらに山間部に深く分け入った和意谷《わいだに》に築かれている。

京都花園妙心寺護国院の炎上を機に光政は、祖父輝政・父利隆の遷葬を決意し、寛文五年（一六六五）、家臣津田永忠に墓地の選定を命じ、自らも検分して墓所を決定する。同七年閏二月、輝政・父利隆の遷葬を儒礼にしたがって行ない、以後、毎年三月、藩主と池田家一族が参拝した。遷葬に要した人員はのべ一一万人、経費銀二〇八貫、墓石などの石材はすべて犬島（岡山市）産である。墓所維持のために貞享元年（一六八四）、和意谷新田村を新設し、その年貢を充てた。

案内板のある石の鳥居から山道を歩くこと約二〇分、木の鳥居に辿りつく。やがて光政を祀る三の御山、利隆の二の御山、輝政の一の御山と続くが、その周囲には七の御山まで存在する。墓所は地元犬島の石材で囲まれ、円墳の前には亀趺《きふ》があり、その上に位牌型の石標が立てられている。輝政の一の御山には墓所の前に石柱が立てられ、その経歴が印刻されている。また光政の御山は、光政と夫人本多勝子（本多忠刻と千姫の娘）の二つの墳墓からなっている（写真12）。

和意谷の儒葬墓は、平成一〇年（一九九八）四月、国の史跡に指定されたが、同時に岡山市円山の墓所も指定をうけた。こちらの墓所は臨済宗妙心寺派曹源寺境内にあり、綱政以後の藩主が祀られている。曹源寺《そうげんじ》は、元禄一一年（一六九八）、藩主綱政が、高祖父輝政・父光政の菩提を弔い、自らの冥福を祈るために建立した寺院である。

その意味で、岡山池田家も、尾張徳川家と同様、藩主の交代にともない一七世紀の末に墓制は、儒式から仏式に転じたこととなる。

三　徳島藩蜂須賀家万年山墓所

このように近世初期には儒教式で祭祀が営まれながら、世代交代とともに仏式に変化する大名家が多いなかで、近世の後期に突如、儒式に転じた大名家がある。徳島藩主蜂須賀家である（以下の記述は、徳島市教育委員会『史跡徳島藩主蜂須賀家墓所保存整備計画書』二〇〇五、に依拠している）。

1　興源寺と万年山

大坂夏の陣の功績によって加増された分を含め、代々、阿波・淡路二五万七〇〇〇石を治めた蜂須賀家は、藩祖家政・初代至鎮以降、臨済宗福聚寺（寛永一三年、寺号を大雄山興源寺と改名）を菩提寺としていたが、一〇代重喜（一七三八〜一八〇一）の時、突如、儒葬が導入され、万年山に広大な墓所が造成される。

興源寺は徳島城の北方約九〇〇メートルの距離にあり、墓所の周囲を築地塀で囲み、北側に濠をめぐらす。約四〇〇〇坪（一・三ヘクタール）の霊域には、藩祖家政、初代藩主至鎮・二代忠英以後六代宗員までと、九代至央（一七五四年没）の遺体が埋葬されている。六代宗員は火葬で、七代宗英は京都清浄華院に葬られ、遺髪が興源寺墓所に埋納されている。

万年山の造成された明和三年（一七六六）以降に死去した八代宗鎮（一七八〇年没）、一〇代重喜（一八〇一年没）、一一代治昭（一八一四年没）、一二代斉昌（一八五九年没）、一三代斉裕（一八六八年没）はいずれも遺体が万年山に埋葬され、遺髪のみが興源寺墓所に埋納されている（いわゆる拝み墓）。藩祖・藩主の一四基は、五輪塔・無縫塔・櫛型塔と形状は一定しないが、墓石は花崗岩である。いずれの墓石にも「興源院殿前阿州太守従四位拾遺濎峰天庸大居士」（二代忠英）、「謙光院殿故阿淡二州太守従四位

写真13　上空から見た万年山墓所
（徳島市教育委員会提供）

拾遺貞道泰元大居士」（一〇代重喜）のように院号が刻まれている。

一方、万年山墓所は、徳島市内を見下ろす眉山《びざん》丘陵佐古山《さこやま》に、明和三年（一七六六）に造成され、東は清林谷、西は巴蛇谷を限りとするおよそ二〇ヘクタールの広さをもつ（写真13）。墓所開設以後、「万年山」とも「御墓山」とも呼ばれた。山頂から麓にかけて一～一三の台地が開かれ、そこに墳墓が林立するが、現在も蜂須賀家当主が営む一部の墓域を除き、埋葬された遺体の数は藩主五体を含め五四を数える。

とくに注目されるのは、藩主墓を取り囲むように配置された側室や子女の墳墓である。たとえば台地四には中央に藩主重喜《しげよし》、その周囲に梁田氏、曾木氏、清瀬氏、三浦氏の側室四名と、一二名の子女が葬られている。いずれも石垣で囲み、中央に石塔、その後ろに円形の墳墓という形式をとるが、規模には格差がある。とくに目を引くのが、姫班側室梁田氏と側室三名の差である（後述）。

また台地五には一一代藩主治昭と正室井伊氏（江戸で亡くなることが常態であったので正室の墓所はこれのみ）、および二名の側室と一名の侍妾の墳墓五基が並ぶが、ここでも正室・側室・侍妾の順で明確な格差が付けられている。

万年山の台地二には、「阿淡二宗太守族葬墓域」と彫られた碑文が立つ。碑には、「一〇代藩主重喜がこの場所を選び、仏式によらず儒教の礼にしたがって墓制を営む。わたしたちの身体は父母の遺体であり、決して軽んじてはいけない」と漢文で謳っている。末尾には「国相　臣　林貞興」ら四名の氏名が記され、藩主の直命で墓域の開かれたことは明らかである。

この碑の年紀は明和三年（一七六六）一一月であるが、それは重喜の長女簾《みす》が夭逝した一〇月三日の直後である。万年山の被葬者第一号である長女の簾（法名秋露）は、もっとも荒廃の著しい台地一〇（一七の遺体が埋葬されている）の右端に埋葬されている（**写真7**、二七九頁参照）。

2　大名家族のパノラマ

わたしが万年山の儒式の墓所にもっとも強く惹かれるのは、そこに大名家族のパノラマが広がっているからである。

仏式の墓制にも、また池田家墓所の光政廟のように儒葬墓にも藩主と正室、つまり夫婦を一緒に祀った事例があるが、概して、藩主歴代のみを祀ることが多い。したがって大名墓は、大名家の当主の家系を直系で知るには適している。しかし直系は、家族関係そのものではない。嫡男が、藩主の地位を継承しないことは幾らでもある。また大名家には奥があり、側室のいたことも知られている。次期藩主を正室が産むとも限らない。その意味で大名家族はややこしく、そこで系図が必要となるが、墓制にはそれが反映されないのだろうか？

貴重なことに万年山の墓所には、それが反映されている。たとえば台地四には中央に九代藩主重喜、その周囲に梁田氏、曾木氏、清瀬氏、三浦氏の側室と子女の墳墓があるが、この関係を徳島城博物館根津寿夫氏の研究「徳島藩蜂須賀家の女性たち」（徳島の古文書を読む会総会、二〇〇五年二月）から拾えばつぎのようになる。

一〇代重喜の正室は立花飛騨守貞俶傅（院号養寿院）で、宝暦六年（一七五六）に結婚し、長子浩昭などを産んでいる。重喜の死去に遅れること一年、享和二年（一八〇二）に江戸で死去し、江戸の菩提寺海禅寺に埋葬された。そのために万年山には墓碑がない。ところが傅の後に重喜は、一七六三年に時（梁田氏、院号完梁院）、七一年に衛士（曾木氏、桂叢院）、七三年に千枝（清瀬氏、円照院）、七七年に民嵜（三浦氏、隣韶院）をそれぞれ側室に迎えている。

ただし奥勤めの慣例として、当初から側室であったわけではなく、時は宝暦一三年（一六六三）、召し出されて重喜の侍女となり、妾をへて、明和元年（一七六四）に側室となり、於時方《おときのかた》と呼ばれた。翌二年から毎月二〇〇両が支給され、明和三年（一七六六）八月二日、徳島で御簾御方を産むが、一〇月三日に夭逝し、万年山に葬られた。諡号は秋露。その後も於時方は、男子喜功（明和六年）、女子載君（明和八年）を産み、重喜の死後、「諸姫末席」に格付けられた。文政三年（一八二〇）に富田屋敷で没し、万年山に葬られた。墓碑には「姫班側室義璋梁田氏之墓」と銘文がある。

それと比べるならば、他の三人の側室（いずれも子女を産んでいる）の墓碑は、側室曾木氏之墓、側室基宥清瀬氏之墓、側室文彜三浦氏之墓と刻まれ、重喜の墓所を取り囲んでいるが、於時方との落差は大きい。生前の側室としてのランクが、死後の墓所を決めているのである。

一方、一一代藩主治昭の墓所の周囲には、正室および二名の側室と一名の侍妾の墳墓四基が並ぶが、ここでもランクが顕著である。もっとも豪勢なのはもちろん正室「夫人懿厚井伊氏之墓」で、彦根藩井伊掃部頭直幸の娘俊（常篤院）の墓所である。俊は安永六年（一七七七）、治昭と婚姻し、天明六年（八六）九月二〇日、江戸で死去した。『公家譜』によれば、一〇月一一日、群臣が棺を奉って江戸を発し、木曽路を通り、一一月四日徳島に着き、翌日、万年山に埋葬したとある。側室恭（高野氏）と侍女備（辻氏）は側室をへて、諸姫末席の地位を得る。それに対し、侍女梅嵜は死没とともに側室に上げられている。側室備は第一二代藩主斉昌を産んでいるが、そのことは墓域にも墓碑にも反映していない。あくまでも奥女中に対する藩の処遇が、墓碑の格差を決めている。実に整った奥向きの制度があり、それが万年山の墓所に反映しているのである。

3 残された課題

徳島市教育委員会では文化庁の指導のもと、二〇〇四年以降、万年山墓所の整備に取り掛かり、二〇〇七年度以降、一〇代重喜と一一代治昭を中心に正室・側室・子女の墓所の保存修理を終えている。工事は倒壊した玉垣の修復、基壇の整備、床面（瓦塼・漆喰）の修復、封土の盛り付け、墓塔の洗浄、および門扉の敷設などである（徳島市教育委員会『徳島市文化財だより』二〇〇六〜二〇〇九年）。

その結果、儒葬墓はほぼ原型を回復しているが、とくに墓所の荘厳を守るために、立ち入り自由であった入り口に門扉を設け（戦前の写真を参考にした）、倒れたり陥没したりした墓石を立て直し、崩れて低くなった墳墓を嵩上げすることが重要な課題であった。これらの復元整備を通して改めて注目されるのは、万年山のシンボルとも言うべき重喜の墓所の規模と内容である（本章扉写真）。重喜墓所ならびに側室・子女を含む台地四は、全体が一段、高く造成され、石段を登った中央には門があり、その両端に築地塀が延び、廟所ともいうべき重厚な埋葬施設であった可能性がでてきた。

これらの整備のためにも万年山墓所に関する文献学的な調査・研究が進められているが、儒葬を徳島藩に持ち込んだ背景、葬送儀礼の実際など、未解決な課題が依然として残る。

秋田藩佐竹氏の分家佐竹義道の四男として江戸に生まれた重喜は宝暦四年（一七五四）、九代藩主至英の養子となることで一〇代藩主となったが、宝暦九年（一七五九）以降、相ついで新法を導入し、反対派を一掃するという過激な改革を行ったため、明和六年（一七六九）、幕府の命で隠居を命じられ、以後三〇年間、大谷屋敷で隠棲する（これについては、笠谷和比古『主君「押込」の構造』二〇〇六などの文献がある）。したがって万年山墓所は、彼の改革政治の一環である。

興味深いことに、一〇代重喜が藩主の座を追われ、藩政が一一代治昭に継承された後も、万年山の儒葬墓は先に見たように幕末まで変わることなく継続された。というより治昭は、例外的に江戸で没した正室の亡骸を徳島に運ばせ、儒葬しているのであるから、ある意味では父重喜よりも徹底している。『蜂須賀家記』によれば、「安永九年（一七八〇）、八代藩主宗鎮が亡くなった時、一一代治昭は重喜の旨を奉じて、周制により、祠堂を城内に建て、初代至鎮を太祖とし、六代宗員以下四世に謚を撰び、春秋に祀った」とある。一〇代重喜の儒教式祭祀は、一一代治昭に受け継がれていたことは間違いない。

このような儒教信奉は、政治や教育の面とどう関係しているかが、もっとも知りたいところである。

徳島藩では三代藩主光隆が寛文年間（一六六一～七三）、京都の儒者合田昌因《ごうだしょういん》を招き、初代の儒官としたが、一〇代重喜も在任中の明和四年（一七六七）に儒者柴野栗山を招き、一一代治昭も那波魯堂・合田立誠を招聘した。その結果、寛政三年（一七九一）に治昭は、彼らの建議を容れて城下に合田立誠を教官として学問所を設け、藩士以下庶民への入学を許したという（竹治貞夫『近世阿波漢学史の研究』一九八九）。その意味で、万年山儒葬墓所の成立は、阿波藩における文教の振興と軌を一にしているということができる。しかし、当の本人である重喜が、どういう契機を得て、またどういう背景で、儒教にそこまで傾倒したのか、彼の頭の中が見えない。

なお徳島藩では万年山を御廟所、あるいは御墓山とよび下級家臣を番人として管理させた。被葬者の神主（位牌に相当）は葬送後、万年山より城内に移されたようであるが、その存在については不明である。興源寺もまた戦災で焼失し、仏式の位牌も現存していない。

おわりに

儒教の伝来は、学問・思想・教育としての導入であると同時に、死後の世界をデザインするものであるという視点に立って、儒式の墓制を見てきた。こうした観点に立てば、泊園書院も例外ではありえない。仏教の分厚い蓄積、強固な寺請制度のなか、儒学を志し、魂魄を信じる人たちが仏教にどう挑んだか、あるいはどう折り合いを付けたかが問われる。

小論の問題意識は明瞭であるが、記述は墓制に偏り、書院・私塾とのバランスは必ずしも取れていない。また墓制を有形文化財としての墓所・廟・墓碑として見ただけで、葬送儀礼についてはまったく切り込めていない。資料的にも能力的にも、現在の限界と言わざるを得ない。大方の叱正を得て、補正していきたいと思う。

（吾妻重二編『泊園記念会創立五〇周年　記念論文集』、関西大学出版部、二〇一一年）

〔追記〕

徳島県の文化財行政との関わりはその後、「四国八十八箇所霊場と遍路道」の保存検討委員ならびに「鳴門の渦潮」世界遺産登録学術調査検討会委員として現在も続いている。

Ⅵ　ヨーロッパで考える

ベギンホフ

大学都市ルーヴェンは、中心部に市庁舎とセントピータース教会を持つ中世都市でもあるが、その都市域の一画にベギンホフと呼ばれる館群がある。ベギン会という修道女たちの宿舎であったが、1962 年に大学が買い取り、その後、修復することで外国人研究者向け寄宿舎になった。1995 年を初めとして、2009 年の半年の滞在を含め通算すると一年余、鐘楼から流れるカリヨン（組鐘）の音を聞きながら、わたしたちが暮らした場所である。「都市と大学」という着想を得た場所でもある。

大阪を都市遺産という視点から考え始めるきっかけは、一九九五年以降、頻繁に訪れたヨーロッパにあった。

最初に訪れたのは、平成七年（一九九五）秋のベルギー。住んだのは、ルーヴェンと言う大学都市の一画にある寄宿舎ベギンホフ。平成二一年（二〇〇九）には、念願の半年暮らしが実現し、そこで初めて「都市民」になった。

オーストリア第二の都市グラーツにも、二〇〇七年六月を皮切りにしばしば訪れた。郊外のエッゲンベルグ城に秘蔵されていた「豊臣期大坂図屏風」の調査と国内外への発信のためである。なにわ・大阪文化遺産学研究センターの最大の成果と言える八曲一隻の屏風については、センター長であった髙橋隆博監修『新発見　豊臣期大坂図屏風』（清文堂出版、二〇一〇年）で詳しく紹介されている。ともにその場に立ち会った者として屏風に言及する機会があったが、「屏風とヨーロッパ」はその一篇。

チェコ共和国の首都プラハには二〇一一年夏に訪問し、帰国後、「ＥＵと日本」を書き、関西大学ＥＵ・日本学教育研究プログラムの報告書『ＥＵと日本～「あかねさす」国際交流～』（二〇一二年）に寄稿した。

「都市民」になるということ

――半年のルーヴェン暮らし――

二〇一〇年

二〇〇九年四月から九月末まで、半年の在外調査の機会を与えられた。関西大学に教員として籍をおく身として、各種の福利・厚生制度の恩恵を蒙っているが、それらすべてを超えてありがたいのが、在外調査・研究制度である。すでに一九九九年四月から二〇〇〇年三月の丸一年間、アメリカで過ごさせてもらったが、それにつぐ二度目のチャンスである。行き先は迷うことなく、ルーヴェン・カトリック大学（ベルギー）としたが、それには理由がある。前回のアメリカ滞在時に、後期半年はベルギーを予定をしていたが、ビザ取得の壁が高く、断念した経緯があったからである。したがって今回は、なんとしてもビザを取得して、晴れてルーヴェンに滞在するという絶好の機会であった（写真1）。

ベルギーのビザ取得のハードルの高さは、あらためて痛感することとなったが、それを詳述する余裕はない。ハードルはビザを貰って現地に住んでからも続き、六月四日、やっと現地登録の完了となった。ホスト教授のファンデバレ氏に、新市庁舎で発行して貰ったIDカードを示すと、「そんなに苦労を得て入手したIDカードだから、いっそ、三年くらいいたらどうか。半年ではもったいない」というアドバイスが帰ってきたが、本気でそうしたくなるほどビザ取得は難儀であった。

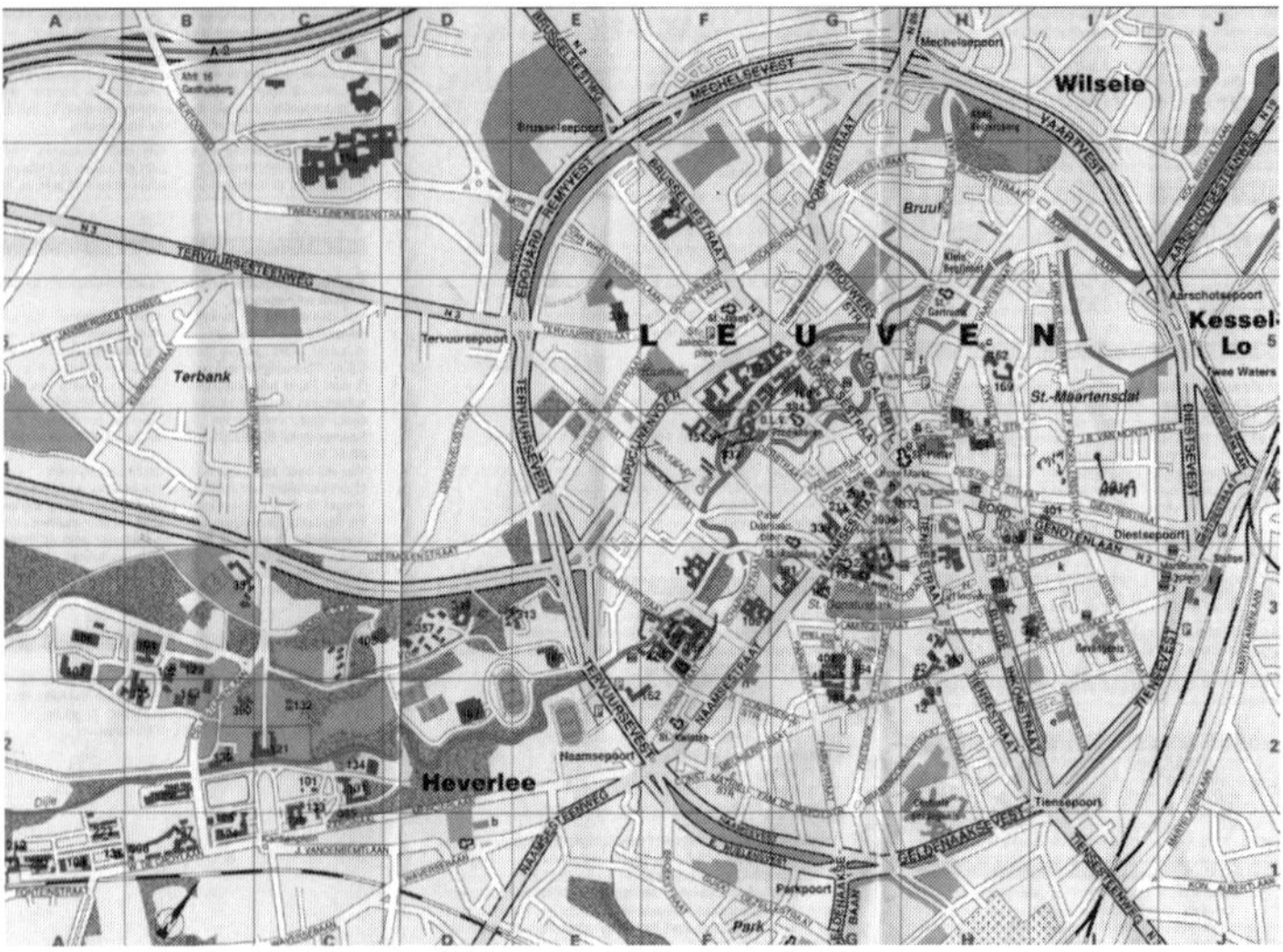

写真１　ルーヴェンの地図（ルーヴェン市発行）

こうしてビザ取得と現地登録の壁を越えたが、その苦労は、のちに一つの感動を与えてくれた。というのも七月末、市庁舎で新住民の歓迎会があるので、夫婦揃って来るようにとの案内を受けたからである。

夕方六時、一五世紀に建てられたルーヴェン市のランドマークである旧市庁舎に行く（**写真２**）。三々五々、新住民が集り、三〇人ほどとなったところで、開会。まず市の代表の挨拶とルーヴェン市の紹介があった後、質問コーナー、つぎにブラバント・ゴシック様式の庁舎の見学となった。普段、入れないところなので、大感動。見学にはオランダ語と英語の解説が用意されたが、その人数はほぼ半々。最後には、各種のベルギービールを用意しての懇親会となり、終了は午後九時。空はまだまだ明るく、ビールをもう一杯引っ掛けての帰宅とあいなった。

写真2　旧市庁舎とフォンスケ像（1995年10月）

写真3　教授の行進（2009年9月21日）

こんな歓迎を受けて思うのは、日本でも引越しを経験しているが、市役所に歓迎会をされた記憶はないという事実。住民登録をするだけであった。わずかに関西大学文学部に移った際、以春会《いしゅん》という名の親睦会で歓迎していただいたことを思い出す。それに照らせば、わたしと妻は、都市ルーヴェンという団体に参入したことを認められたのである。Association の一員になったのである。西洋と日本の、都市の違いを悟る瞬間であった。

最初のインパクトが都市民としての歓迎会とするなら、最後のそれは、九月二一日、新学期の開始を前にした恒例行事、教授の行列への参加であった。新学期を前にしてルーヴェン・カトリック大学では、教授が、それぞれガウンを纏い、大学本部から市の中心部のセント・ピータース教会に集り、ミサを挙げ、その後、列を組んで市内を行進するのである。そのなかに、交換教授として滞在中の法学部角田猛之《つのだたけし》先生と一緒に、飛び入り参加したのである（**写真3**）。もちろんガウンは借り物。行列を見ようと、沿道には人々が並んでいる。行進は大学のオーデトリアムに至り、そこで学長はじめ学内団体の挨拶が行なわれた。最後はなんと、交響曲第九の「歓喜の歌」の合唱であった。

市庁舎の起源も、大学の起源も、ともに一五世紀に遡るという歴史。一九九五年に、交換教授として二カ月間、滞在することで病み付きとなったルーヴェン行きだが、毎度毎度、新しい体験がある。そこには都市民としても、大学人としても、日本では経験できない体験が溢れているようだ。

（関西大学文学部史学地理学科同窓会『百材』、二〇一〇年）

〔追記〕

一九九五年秋のルーヴェン大学滞在は、同大学と関西大学の交流協定に基づくものであった。そこでのファンデバレ教授との出会いはその後、科学研究費補助金（国際学術研究）による三カ年間の共同研究「一九世紀の日本とベルギー──近代化と国際環境──」（一九九九～二〇〇一）を実施することで、歴史系を中心とした両大学の研究交流へと発展した。この交流はさらに二〇〇七年度、文部科学省の「組織的な大学院教育改革推進プログラム」に採択されることで「関西大学EU日本学教育研究プログラム」へと結実した。

同プログラムは、関西大学大学院文学研究科とルーヴェン大学人文学部日本学科との間で、日本学を介して大学院生間の相互交流を進めるというもので、わたしが代表となって二〇〇八年度にスタートした。歳を重ねるにしたがい関大とルーヴェン大学の大学院生ばかりか、ロシアや中国・韓国の留学生らも参加するようになった。

このプログラムの推進にあたっては、関西大学が二〇〇六年一一月、ルーヴェン大学図書館内に設けた関西大学日本・EU研究センターの存在が大きい。同センターでは二〇〇八年以降、ジャパンウイークを開催し、能・武道・書などの日本文化の披露、日本映画の上映、さらに大学院生のワークショップなどが行われ、二〇一五年には一〇年の佳節を迎えた。

なお、ファンデバレ教授は欧州日本資料専門家会議EAJRSの会長として奮闘する一方、日本・ベルギー関係史研究のエポックとなる大著 Japan & Belgium　An Itinerary of Mutual Inspiration, Lannoo,2016 などを編纂・出版、二〇一六年度の山片蟠桃賞（大阪府が海外の優れた日本研究に対して与える）の栄誉に浴している。

「屏風」とヨーロッパ

——グラーツ・ローマ・エヴォラ・ライデン——

二〇〇九年

一 「豊臣期大坂図屏風」の発見

二〇〇六年一〇月、オーストリア・グラーツの郊外、エッゲンベルク城に長い間、眠っていた一隻の屏風が日本ではじめて紹介された。紹介したのは、エッゲンベルク城博物館から、調査・研究を委嘱されたフランチェスカ・エームケ(ケルン大学)教授で、翌日の「朝日新聞」に一面カラー刷りで紹介され、国内外に大きな反響を呼んだ。反響のひとつは、この屏風が描く豊臣後期の大坂図の貴重性にある。織田・豊臣期の屏風を代表する「洛中洛外図屏風《らくちゅうらくがいず》」や「大坂夏の陣図屏風」とも関連付けて、エッゲンベルク城の屏風の解読に大きな関心が寄せられ、二〇〇七年九月二九日に、朝日新聞社と関西大学の共催として行なわれた国際シンポ「新発見『豊臣期大坂図屏風』を読む」では、白熱した議論が交わされた。

写真4　エッゲンベルク城

エッゲンベルク城はオーストリアの古都グラーツの郊外に位置し、ハプスブルク家のフェルディナント二世（在位一六一九～三七）に仕え、地方の郷士から貴族に成りあがったハンス・ウルリッヒ Hans Ulrich（一五六八～一六三四）が一六二五年に建てたもので、二代ヨアン・アントン Johann Anton（一六一〇～四九）が現在、見るようなバロック様式に統一した（**写真4**、エッゲンベルグ城）[*1]。

興味深いことにハンスの活躍した時代は、豊臣秀吉（一五三七～九八）とほぼ同時代であり、秀吉が合戦の時代を生きたように、ハンスも生涯をオスマントルコとの国境紛争に捧げていた。グラーツ市内にはヨーロッパ有数の武器博物館（一六四三～四五建造）があり、そこには三万点を超える武具・馬具が展示されている。

その後、芸術に関心の深かった三代目ヨアン・ザイフリート Johann Seyfried（一六四四～一七一三）は、エッゲンベルクに聖書や神話を題材にした天井画・壁絵で満たした二四の部屋を作ったが、彼の死後、一七一六年に作成された財産目録に「インド風の紙が貼られたスペイン屏風」と記す一項があり、これが「大坂図屏風」を指すとエッゲンベルク城博物館学芸員バーバラ・カイザー氏は考えている。

城はその後、マリア・エレオノラ Maria Eleonora、マリア・テレジア Maria Theresia 姉妹に継承されるが、エレオノラが一七五四～六二年の間に、城の内装をロココ風に改装したとき、屏風は一扇ずつ分離され、パネルとして嵌め込まれ、それを囲むように現地の画家の手で中国風の絵が描かれた。この東洋趣味の改修の結果、屏風は再利用され、「東洋の間」（その後、日本の間と改称されている）の装飾の一部として今日まで残ることとなった（写真5）。

屏風は住吉大社から堺までを描いた第一扇にはじまり、宇治・醍醐を描いた第八扇に至るが、画面の中心を占めるのは、望楼《ぼうろう》式の天守閣が聳える大坂城とその城下である（写真6）。とくに注目されたのは楼門形式の極楽橋《ごくらくばし》で、慶長元年（一五九六）の地震によって大坂城の建物が倒壊する中、極楽橋は天守閣とともに残り、慶長五年（一六〇一）、秀吉を祀る京都・豊国神社に移築された。この史実によれば、描かれた景観は一五九六年〜一六〇一年、豊臣時代の後期に相当する。この時期を描いた作品としては、重要文化財に指定されている「大坂夏の陣図屏風」が著名で、一六一五年に大坂城周辺で繰り広げられた戦闘と戦禍に逃げ惑う人々を描

写真5　「日本の間」を見学するエームケ教授・髙橋教授と筆者（2007年6月4日）

写真6　屏風のパネル
（天守閣部分、エッゲンベルク城博物館提供）

いて「日本のゲルニカ」とも呼ばれている。

それに対し、エッゲンベルクの屏風は、豊臣の平和を謳歌する武士と町民を描き、好対照を成している。あわせて豊臣大坂図を描いた作品の少なさを考慮するとき、本屏風の価値はきわめて高いものがある。

しかしながら景観年代が明確なのに対し、制作年代は確定されていない。豊臣後期に描かれたという説とならんで、一七世紀後半、徳川期の作品であるとの説もある。作者が不明な上に、狩野派の手になる「洛中洛外図屏風」などと比べたときの技法の稚拙さ、あるいはこの屏風には元になった原本があるのではないか、またペアーとなる左隻の存在の可能性など、制作事情には問題が山積している。

いまひとつの関心は、この屏風がいつ、どこから、どのようにしてオーストリアのグラーツに渡ったのか、という謎に寄せられている。

二　ヨーロッパに渡った屏風――ローマとエヴォラ――

屏風に関して言えば、海外に渡った屏風として著名なのは、天正の遣欧少年使節がローマ教皇に贈った「安土城図屏風」である。「安土城《あづちじょう》図屏風」とは、天正八年（一五八〇）、時の最高権力者織田信長（一五三四〜八二）が、画家狩野永徳《かのうえいとく》（一五四三〜九〇）に命じて七層の天主をいただく安土城と安土の町を描かせたもので、一五八一年二月、安土を訪れたイエズス会日本巡察使ヴァリニャーノ Alessandro Valignano（一五三九〜一六〇六）に、信長みずからが贈っている。ヴァリニャーノは、一五八二年正月に出発する遣欧使節に委託して、この屏風を当時の教皇グレゴリオ一三世に届けたのであるが、その所在が長い間、不明であった。

不明の「安土城図屏風」探しを、安土城跡のある滋賀県安土町が行い、二〇〇七年二月、帰国した調査団が最終調査報告を行なった（「京都新聞」二〇〇七年二月二三日付）。それによれば、屏風は一五八五年、バチカンに届き、少なくとも一五九二年七月一三日までバチカン美術館内の「地図の画廊」にあった。なぜそれが分かるかといえば、ベルギー人の骨董品収集家ウインゲが、その日、知人に宛てて屏風をスケッチして送った手紙を調査団が発見したからである。ところがその後、画廊は改修に入り、一七五〇年に画廊のリストが作成されたときにはすでに屏風の記載がなくなっている。一方、安土城を描いた絵は、一七三六年にパリで刊行された書籍に記されており、屏風がバチカンからフランスに贈られた可能性もあるが、すでに破棄された可能性も捨てられない、というのが調査団（団長若桑みどり氏）の見解である。

ところで一六世紀後半、屏風が多数、ヨーロッパに贈られていたことについて、イエズス会宣教師フロイス Luis Frois（一五三二〜九七）の証言がある。フロイスは布教史の作成を命じられ、一五八七年、第一部を完成させ、『日本史』と題したが、その一節でつぎのようにいう。

壁はヨーロッパにおけるように飾り布タペサリアを用いることなく、すべて屏風と称させる一種の装飾品で飾られる。屏風のいくつかはすでにポルトガルとローマへ送られており、毎年、インドへ多量に船で積み出される。これらの屏風はすべて黄金塗りで、そこに種々の絵が描かれている。

こうして屏風は、ポルトガル語のBiomboとして、ヨーロッパで広く愛好されるようになっていったが、その象徴が、バチカンに渡った「安土城図屏風」である。ところが、この頃の屏風とヨーロッパとの関係を示すものに、もうひとつポルトガルの都市エヴォラの大司教邸内図書館に所蔵されていた屏風がある。

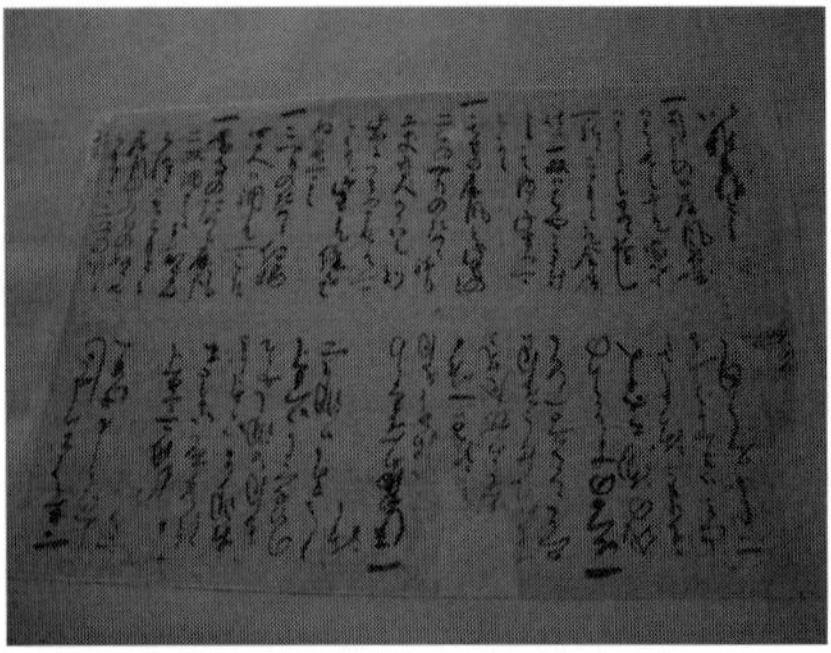

写真7　パードレ書簡（エヴォラ図書館蔵）

エヴォラ屏風は、明治三五年（一九〇二）、東京帝国大学史料編纂所教授村上直次郎《むらかみなおじろう》が発見したもので、破損した屏風の「下張り文書」として注目されたのである。[*2] その中に「司Pe（パードレ）の御屏風」と屏風作成を命じる内容が含まれ、あわせてイエズス会宣教師オルガンチーノの名前が記されていた（**写真7**、パードレ書簡）。

オルガンチーノOrgantino（一五三三?〜一六〇九）は一五七〇年に来日。フロイスを助けて布教に従事し、とくに織田信長に厚遇されて、安土城下にセミナリオを開設しているが、村上はオルガンチーノの事跡をもとに、エヴォラの大司教に贈るべくオルガンチーノが屏風の作成を指示したと推定した。当時、エヴォラは大司教ドン・テオトニオ Dom Theotonio de Braganca の居所で、一五八四年、大司教はリスボンからローマに向かう遣欧少年使節を歓待したばかりか、『イエズス会士日本書簡集』の発刊にも尽力している。これらのことから村上は、屏風を遣欧使節から大司教に贈られたものと判断したのである。

村上によれば「昔は金屏風であったろうが、紫絹に桐の模様を出した縁が残り、下張りや骨まで露出したもの」という有様であった。わずかに「離れ離れの五扇で、一扇の大きさは一七五センチに六二センチ」との情報を記しているが、描かれた絵については一切、情報がない。

写真8　屏風の下張り文書（複写）

ところがその後、一九四一年、エヴォラ図書館長によって再度、屏風文書が発見され、一九六三年、渡欧した松田毅一《まつだきいち》によってその全容が採録、紹介されることとなった。[*3] それによると、エヴォラの屏風文書には、村上の紹介した少数の古文書とは別に、七段に綴じられた六九枚の文書（ほぼ一曲の下張りすべて）であった。文書は現在、すべて一枚ずつ分離され、修復保全されたため原状を留めていないが、幸い、当時の図書館長によって原状が撮影されており、下張りの蓑掛け状態を確認することができる（写真8）。しかもその内容は、「ヴァリナーニのカテキズモ Catechizmus Christianae Fidei」「オリガンティーのイルマンの心得」といったイエズス会の日本布教を示す貴重な文書群で、松田毅一と海老沢有道《えびさわありみち》の綿密な考証によって一五八〇年〜八七年の間に書かれたものと推定されている。さらに新出の下張り文書が、二〇〇センチメートルに一五〇センチメートルという大きさであることから、エヴォラには二種類の屏風があったと指摘する。

あわせてエヴォラ大司教への贈り物には、屏風が含まれていないというフロイスの記述（『九州三侯遣欧使節行記』）から、大司教への遣欧使節の贈り物という村上の説を退け、どこからエヴォラ図書館に持ち込まれたものかは不明としている。

ところがエヴォラの屏風には、さらなる歴史があった。村上は、エヴォラ屏風の話をリスボンの公開図書館（当時、現在ポルトガル国立図書館、Biblioteca Nacional de Portugal）で聞いたが、その時、オルガンチーノやビセンテ宛の「数通の文書」を見せられ、それらが「エヴォラの図書館にある屏風が毀損して、その内部から出たもの」との説明を受けている。いうなればエヴォラ屏風からでた文書には、エヴォラ公開図書館に保管され、一九六三年、松田によって全容が紹介されたもの（X）と並んで、リスボンの公開図書館で村上が見たもの（Y）の二種類があったことになる。それを松田は、下張り文書のサイズから、それらは別々の屏風から出たものと判断したのである。

ところがリスボン公開図書館のもの（Y）は、村上以降も、岡本良知《おかもとよしとも》・幸田成友《こうだしげとも》らが訪問したにもかかわらず、長らく行方不明であった。もちろん松田も訪ねているが、国立図書館で発見することはできなかった。

それが突然、一九八三年になって顔を出すこととなった。再発見の栄誉に浴したのは、在外研究を利用して訪欧していた九州大学教授中村質《なかむらただし》で、彼によって、五七枚からなる下張り文書が精査されることとなった[*4]。中村は剥離前の下張りをチェックした上で、松田と同様、水に浸して裏張り文書を剥離した。それによれば下張りは、サイズの異なる六扇からなり、紙数は大小五七枚であった。その詳細は、中村は、さらにそのすべてにタイトルを与え、手紙には判明する差出と宛名を列記した。その詳細は、論稿「豊臣家臣団とキリシタン」に詳しいが、なによりも重要なのは、大小の文書の何枚かが、松田が紹介した文書と内容・形状ともにぴったりと照合したことである。これはとりもなおさず、エヴォラ図書館とリスボン公開図書館の下張り文書が、同一の屏風から出たものであることを意味する。エヴォラ大司教邸の金屏風は一双で（おそらく六曲）、その一隻がエヴォラ、もう一隻がリスボンに残され、松田と中村という二人の日本人研究者の手によって完全に調査されたのである。

この下張り文書の中で中村が特に注目したのは、秀吉の家臣でキリシタンでもあった安威五左衛門《あいござえもん》志門《しもん》である。なぜなら両文書から確認できる三五通の書簡のうち、安威宛が一四通と断然、多いからである。その内容に深入りすることは避けるが、このことは屏風の下張り文書が、「安威家から提供された古反古」（松田）の可能性を高くする。中村も「屏風文書が秀吉の右筆・奏者・代官で、シモンの霊名をもつ安威五左衛門家から出た可能性が大である」という。中村によれば安威は「秀吉没後、秀頼に仕え、慶長一六年には生存が確認されるが、その後、大坂の陣までの間に断絶したらしい」という。

こうしてエヴォラ屏風は、特徴ある下張り文書から、近世初期対外関係史やキリシタン史の上で大きな資料的価値をもたらすことになった。ところが不思議なことに、描かれた屏風絵が欠落することからか、屏風の表である屏風絵や、いつ、どうしてエヴォラに渡ったのかという点については、まったく問われていない。オルガティーノがエヴォラ大司教への贈り物として書かせたという村上説が否定されて以後、一切、言及がないのが実情である。

エヴォラの金屏風は一体、いつ描かれ、いつエヴォラに届けられたのであろう？

こういう関心から、修復された両文書を仔細に見てみると気になる点が少なくない。

第一に、残された屏風の縁《ふち》からは、絵は縁を残して切り取られた可能性がある。ということは絵の部分は、転用された可能性がある。

第二に、残された縁の織物の五七の桐模様はそれほどの良質とはいえない代物である。

第三に、「天正一三年を中心に前後一、二年のもの」（中村）とされる書状にも拘わらず、それらの数点に、裏書が異筆で見られる。たとえばリスボン文書の中のフロイスのポルトガル語書簡には「夏山のみねの」云々という和歌があり、エヴォラの文書にも漢詩「行盡江南」の裏に「此程の大地震貴辺如何承」と手紙の書き出しがある。これらは、字体から見ると近世初期に遡るものとは考えられない。

ということは安威家から出た文書（反古紙）は、さらにどこかで再利用された後、屏風の下張りに再々利用されたと見るのが自然であろう。こういった時間差を考慮するとき、エヴォラ屏風は近世の中・後期の作品であると考えることも可能である。

いずれにしてもエヴォラ大司教→屏風→キリシタン文書という脈絡から短絡的に、エヴォラ屏風のヨーロッパ渡来を近世初頭に位置づけることは危険である。

三　近世の対外関係と屏風

さて、日本からヨーロッパに贈られた屏風の経緯が、残された屏風とともに知られるのは、現状では一九世紀を待たなければならない。サントリー美術館・日本経済新聞社主催の展覧会「Biombo屏風―日本の美」は、日本文化における屏風の成立と展開を示すとともに、朝鮮国王に対して進物として贈られた「贈朝屏風《ぞうちょう》」や、幕末にオランダ国王ウィレム二世 William Ⅱらに贈られた「贈蘭《ぞうらん》屏風」などが里帰りし、大勢の観客の目を楽しませた[*5]。

当時、「通信の国」として国交のあった朝鮮には、一六一七年に来日した第二回通信使に金屏風一五双が贈られたのをはじめとして、一八一一年の第一二回通信使まで連続して贈られ、その数は一九〇双に及ぶという。「通商の国」であったオランダに対しては、一八四五年の国王ウィレム二世、および一八五六年のウィレムⅢ世への贈呈が知られる。とくにウィレム三世へ贈呈された屏風一〇双は、オランダのライデン国立民族学博物館にすべて現存している。

これらの屏風は幕府の命を受け、狩野派や土佐派の御用絵師たちが描いたもので、「富士《ふじ》の巻狩《まきかり》図《ず》」のような武者絵、「四季耕作図《しきこうさくず》」のような風俗図、「苅田雁秋草図《かりたかりあきくさず》」のような花鳥図が描かれたが、いずれも豪華な金屏風である。

ところで遣欧使節が日本に戻った一五九〇年、すでに織田信長は死去、跡を受けた豊臣秀吉はキリスト教への弾圧を強めていた。キリスト教禁圧政策は、その後、徳川家康と徳川幕府に引き継がれ、一七世紀には、イギリス船とスペイン船が、それぞれ通商を諦め、日本を去っている。最後に残ったポルトガル船も、一六三九年には徳川幕府の命によって、来航を禁止された。その後、アメリカ合衆国ペリー提督が来日するまで、日本に来航が認められていた西洋船は、わずかにオランダ船のみである。したがってエッゲンベルクの屏風がいつ、どのようにして日本からオーストリアに渡ったかについては、①一六三九年以前に、ポルトガル・スペイン・イギリスなどの手によって渡ったのか、それとも②その後、新教国オランダの手によってオーストリア・ハプスブルグに渡ったのか、大きく二つの解釈が可能となる。この問題の解決のためには、ヨーロッパ内の屏風調査を通した「屏風ロード」の解明が不可欠である。

〔註〕

＊1　Barbara Kaiser *Scholoss Eggenberg*, Eggenberg Museum 二〇〇二。
＊2　村上「エヴォラの大司教と金屏風」『日葡通交論叢』、一九四三。
＊3　松田毅一・海老沢有道『エヴォラ屏風文書の研究』一九六三。
＊4　中村「豊臣家臣団とキリシタン――リスボンの日本屏風文書を中心に――」『史淵』一二四、一九八七。なおこの論文では、三六に分けて断簡を含む文書が翻刻の上、紹介されている。
＊5　サントリー美術館『Biombo 屏風――日本の美』二〇〇七。（『なにわ・大阪文化遺産学研究センター二〇〇八』二〇〇九年）

〔追記〕

本稿は、二〇〇八年九月一六日から一九日にかけて、ポルトガル・リスボンのマカオ文化センター Centro Cientifico e Cultural de Macau で開催された欧州日本資料専門家会議 European Association of Japanese Resource Specialists の第一九回大会で報告したものである。報告は英語で行なったが、ここには日本語原稿を収めた。英文報告は、同協会のホームページに掲載されている。http://japanesestudies.arts.kuleuven.be/eajrs

エヴォラ文書の調査には EAJRS 会長 W.Vande Walle カトリック・ルーヴェン大学教授、ならびに国立図書館とエヴォラ図書館の協力を得、とくにエヴォラ図書館では資料撮影を特別に許可された。

なおエヴォラ屏風文書は、エヴォラ図書館所蔵・ポルトガル国立図書館所蔵とともに修復の措置が加えられ、それぞれに保存されている。その詳細は、「エヴォラ屏風」修復保存出版委員会の手で出版された伊藤玄二郎編『エヴォラ屏風の世界』かまくら春秋社、二〇〇〇年に詳しく紹介されている。

EUと日本
――都市と大学――
二〇一二年

はじめに

夏の一夜、コンサートを聴いた。場所は滞在先プラハの市民会館小ホール。プラハの旧市街の城門のひとつであったが、今日、火薬庫として知られるゴシック建築に隣接して一九一一年に建てられたアールヌゥヴォー様式の市民会館。ミュシャ（ムハ）の描くステンドグラスなど凝った意匠が随所に施され、市民会館それ自体が貴重な都市遺産である。その中にはチェコが誇る作曲家スメタナの名を冠した大ホールがあるが、今夜の会場は、客席三〇〇程度の小ホール。なにせ今はバカンスの最中、プラハの町中は、観光客が朝から晩まで溢れている。そこで話される言語の多彩なこと。ロシア語、スペイン語、イタリア語、中国語、韓国語など、何語かはわかっても中味は一切、聞き取れない。そんな多言語コミュニケーションの状況が、狭い旧市街からカレル城に通じる目抜き通りに広がっている（**写真9**）。

コンサート会場も、そんな気楽で雑多なツーリストがほぼ六割程度、客席を塞いでいる。演奏される曲目も、ヴィヴァルディの四季、パッフェルベルのカノン、ドヴォルジャークのハンガリー舞曲といった、およそ定番といって言い代物。それでもヴァイオリンのソリストの技量のお蔭で、約一時間、楽しむことができた。コンサートの終わった午後九時、街の暗闇も増しているが、行き交うツーリストの熱気はまだまだ冷めていない。

そんなひと時を味わいながら、あ〜ヨーロッパにいる！と感じる。ヨーロッパに通じている人たちには、苦笑を催させるかもしれないが、少年の頃から目で読み、耳で聞き、そして身体で感じてきたヨーロッパが、そこにある！と感じる。そう感じているわたしがいる。そして思うのである。そんなヨーロッパのなかで、どうして日本学が生まれ、展開してきたのかと。「日本」に生まれ、「日本人」として、何をどう選択したのか、結果として「日本」研究を自分の生涯の仕事にしてしまったわたしを招いて、わざわざ日本研究の一端を講義させようとするヨーロッパの日本研究があることに、翻って、思いを致すのである。

写真9　プラハ・カレル橋を渡る妻とわたし
（2011年9月）

さらにまた、戦後アメリカの日本研究が、ソヴィエトによる赤化攻勢から日本を守るために、戦略的に、「近代化論」

を提起することで日本研究を大きく飛躍させたという見やすい図式を示すのに対し、一体、彼らヨーロッパの日本学や日本研究は、どうした背景で、どういう戦略をもって始められ、展開しているのか、知りたいとも思う（アメリカについては「管見・アメリカの日本史研究」『日本近世史の可能性』校倉書房、二〇〇五所収に記している）。

ところで、わたしにとってヨーロッパの日本研究は、ベルギーのルーヴェン・カトリック大学という固有の場を通過することで、内在化した。テキストを通して、比較的よく馴染んでいるアメリカの日本研究が、プリンストン大学という場（一九九九年四月〜二〇〇〇年三月の期間滞在した）で、内在化したのと同じ理屈で、ほとんど予備知識のなかったヨーロッパの日本研究の一端を、ルーヴェン・カトリック大学という場で確認することとなった。それはわたしが選択したというよりは、わたしの職場である関西大学が、そことの間で学生と教員を相互に交換する協定を結んでいたからである。その意味で、意図して選んだプリンストンと比べると、まことにひょんなことからわたしは、ヨーロッパの日本研究に着地することとなったのである。それは一九九五年秋のことである。

わずか二カ月余の短期滞在であったが、それはその後、現在まで続くヨーロッパの日本学との交流の出発点であった。その後、今日までの間にはアメリカや中国・韓国の日本学とも交流するチャンスが加わったが、意識して継続したのは、ヨーロッパの日本学であって、それ以外ではない。それはひとつの執念と言っていい。実際、一〇時間を超えるフライトに耐えるのは、歳とともに苦痛をます。毎年、そんな遠いヨーロッパと日本の間を往復する西欧研究者は、偉いと思い、また行き先が空路二時間の韓国か、三時間前後の台湾ならどれだけ楽だろうと何度、思ったことだろう。まさに Far East である。

ところがその執念が、文部科学省の大学院教育研究高度化推進事業に「関西大学ＥＵ・日本学教育研究プログラム」が採択される（二〇〇七〜二〇〇九年度）という幸運を生み出した。

採択に当たって大きな要因となったのは、関西大学が、ルーヴェン・カトリック大学の協力を得て、大学内に日本・ＥＵ研究センターを設置している（二〇〇六年）ことであった。いうなれば関西大学の国際交流事業の重点化が、日本・ＥＵ研究センターという拠点を生み出し、それを足場に、日本とヨーロッパの大学院生間の日本学の交流という計画が具体化したのである。その意味で、わたしにとって「ＥＵと日本─日本学の交流─」という主題は、ルーヴェン・カトリック大学を抜きにはありえない。

ところでそのルーヴェン・カトリック大学であるが、まず、ベルギーという国が「初体験」であった。初体験という意味は、「ベルギー語がない国」にはじめて出会ったということである。一国一国語と信じて疑わない「常識」が、その地で破られたのである。したがって「ＥＵと日本─日本学の交流─」という主題は、ベルギーという国があることから始めなければならない。つぎにはルーヴェン・カトリック大学が、首都ブリュッセルの東郊外に位置する中世都市にそのまま覆いかぶさるようにしてあるという事実である。まさに大学と都市が、不即不離としてあるのである。これは、「大学と都市」という新しい視点をわたしに与えた。言い換えるなら、大阪と関西大学の関係を問うという視点である。

こうして「ＥＵと日本─日本学の交流─」という主題は、国家・都市・大学という三つの論点を構成することとなったのである。小論が、三大嘶になっているのは、そうした事情によることをはじめに断っておきたい。

一　国家――一八三〇年と一八六八年――

1　小国主義

さて、アメリカ東インド艦隊司令官ペリーが浦賀に来航し、日本の世論を沸騰させた嘉永六年六月(一八五三年七月)から五年後の安政五年六月(一八五八年七月)、アメリカを皮切りにロシア・イギリス・イギリス・フランスの五カ国との間で修好通商条約が結ばれた。いわゆる安政五カ国条約である。欧米列強五カ国との間で結ばれたこの条約には、その後、次々と新興国が参入し、倒幕前に幕府の締結した条約国は一一カ国となっている。一八三〇年にネーデルラント連合王国から独立を宣言した新興国ベルギーもそのひとつで、慶応二年六月(一八六六年八月)、日本国・白耳義国修好通商航海条約を締結している。当時、どれほどの日本人が、この新興国について情報を持ち合わせていたか、大いに気になるところであるが、明治四年(一八七一)一一月に派遣された岩倉使節団が、七三年九月に帰国するにつれ、この新興の小国は、人びとの大きな関心を呼ぶこととなった。

岩倉使節団に関する著述のなかで田中彰は、それを「小国主義」と呼んでいる（田中『小国主義―日本の近代をよみなおす』岩波新書、一九九九）。むろん彼らが歴訪した米欧一二カ国のうち、「大国」のアメリカ・イギリス・ドイツにたいする、「小国」の意味である。

岩倉使節団一行は、アメリカ・イギリス・フランスを経由し、一八七二年二月七日、ベルギーに入った。その後、オランダ・デンマークなどにも行くが、日程から見てベルギーが最初の小国であった。わずか一週間、しかも真冬の滞在であったが、その視察の状況は、久米邦武の公式訪問記録『米欧回覧実記』にも、またメンバーの一員であった木戸孝允の日記にも書かれている。二人が共通して印象深く書いているのは、ワーテルロー合戦の史跡を降りしきる雪の中、見たことである（写真10）。ナポレオンを破り、フランス支配のくびきからベルギーが脱することとなった戦跡を実見しているのである。この日は日曜であったから、わたしは彼ら使節団独自の視察地であったと判断しているが、その他の場所は、いずれも受け入れ先であるベルギー政府がお膳立てしたものである。ガラス工場・製鉄所などなど、訪問する先々で彼らは、この国の技術力の強さに感嘆の声を上げる。その結果、久米の次のような一文となる。

写真10　ワーテルローの絵葉書
（高知県佐川町立青山文庫蔵）

此両国ハ其地ノ広サト、其民ノ衆《おお》キコトヲ語レハ、我筑紫一島ニ較スヘシ。其土ハ瘦薄《せきはく》ノ湿野ナリ。然レトモ能《よ》ク大国ノ間ニ介シ、自主ノ権利ヲ全クシ、其営業ノ力ハ、反《かえっ》テ大国ニ超越シテ、自ラ欧州ニ管係ヲ有スルノミナラス、世界貿易ニ於テモ影響ヲナスハ、其人民ノ勉励協和ニヨルニアラサルハナシ（『米欧回覧実記』㈢、岩波文庫、一九七九）。

小国のこの偉大さへの敬意を、薩摩出身の五代友厚（一八三六〜八五）も、長州出身の木戸孝允（一八三三〜七七）も共有していたことは注目してよい。

五代の「廻国日記」（『五代友厚伝記資料』四、東洋経済新報社、一九七四）には「ヴェルギーは小国と云へとも、国政甚好《ハナハダヨク》、何事も不至《イタラザル》なし、可感服也」と記し、木戸は、政府派遣の留学生としてベルギーにいた郷土長州の後輩周布公平が著わした『白耳義国志』（明治一一年刊行）の序文に、つぎのように書いている。

白耳義於欧州為国最小為政不久、而外在大国間能保独立者、非有土地甲兵之足恃、而恃有制度之義、民物之勢也

一八六八年に誕生した明治新政府のリーダーたちに、小国ベルギーが与えたインパクトの大きさが実感される。一時なりとも、彼らはその道を、新生日本の手本にしようとしたのである。田中のいう「小国主義」である。*

＊この点については『米欧回覧実記』と『白耳義国志』〜「小国」論の共鳴〜」（『日本近世史の可能性』校倉書房、二〇〇五）を参照のこと。

2　正岡子規と黒田清輝

最終的に明治政府のとるモデルとならなかったが、この小国ベルギーの好印象を、正岡子規（一八六七〜一九〇二）が『病牀六尺』（岩波文庫、一九二七）のなかで記している。明治三五年（一九〇二）五月五日〜九月一七日の間、死の二日前まで新聞『日本』に連載した随筆集（一〜一二七）のうち連載二三がそれで、「〇欧州に十年ばかりも居て帰つて来た人の話に」とある。

冒頭、日本と西洋の社会を下等社会と上流社会とで比べ、「西洋の社会を見ると（略）、下等社会に愛国心のあるものなどといふのは一人もいない。言はば利のために集まつて居るようなものである」と断じ、以下、「西班牙《イスパニア》などは最も甚だしく乱れて居る国」「仏蘭西《フランス》などは到底《とうてい》共和政治で持切つて行く事は出来まい」「英国もやはり衰へて行く方であらう」「和蘭もやはり老衰でしかたがない」と撫で斬りにするが、ベルギーは別格に扱われる。

白耳義《ベルギ》は奇妙な国で陸海軍のない、ただ商工業を以て成立つて居る国である。天子様も商売は上手で、非常な金持であるためにほかの者は心服しなくとも、少くも商人だけは一目を置いて居る。先日廃せられた有名な公許賭博《とばく》場も、天子様が一大華客である、などと噂せらるるほどのことである。この国の鉄道は有名なもので、これは悉《ことごと》く国有である。この頃は日本からも商業上の留学生をこの国へ出すやうになつたが、黒田の話では画の修業も、この国へ留学させたらよかろうといふて居た。

「要するに新たに勃興した国（ロシアとドイツも含まれる：引用者）は総《すべ》て勢が強く、古い国は多くは腐敗して衰運に傾きつつあるやうに見える」とみずから書くように、かなり単純な比較論だが、子規が、ベルギーの情報に気をとられている様子が見えて興味深い。

文中の「天子様」は、国王レオポルド二世（一八三五～一九〇九）のことでコンゴ領有を企て、中国に使節団を送るなど、ベルギーの勢力拡張に努めた国王として知られる。

また黒田は、画家黒田清輝（一八六六～一九二四）を指す。明治一七年（一八八四）、法学研究のために明治政府によって欧州に派遣された留学生のひとりで、滞在中に絵画に転じたことで知られる。一八九六年に白馬会を創立し、のちに東京美術学校教授となるが、彼の下で学び、一九〇八年から一九一二年まで、倉敷の実業家大原孫三郎の拠出する奨学生としてヨーロッパに渡ったのが、児島虎次郎（一八八一～一九二九）である。フランスに入った児島は、一年にしてベルギーのヘント（ゲント）の美術アカデミーに入学し、校長ジェン・デルヴァンの指導を受け、ベルギー印象派の点描技法を身に付けた。「画の修業も、この国へ留学させたらよかろう」という黒田の言葉は、児島によって実現しているといえよう。

3　万国博覧会／パリとリエージュ

こうして新生日本の若い世代の間に、ベルギーというヨーロッパの小国が知れ渡っていった。児島のあとを金子光晴（一八九五〜一九七五）が受け、絵画から転じた詩の世界でベルギーを胎内に宿していった（ウイリー・ファンデヴァレ「「石と鉄の大明」と「紙と竹の文化」〜金子光晴の観た美の東西〜」藪田編『ＥＵ日本文学研究論集』二〇一〇）。

こうして日本人の間にベルギーがしっかりと認識されていくのと対応するように、ベルギーもまた、日本への関心を募らせていった。今日、ブリュッセル市街近郊にあるラーケン王宮の近くに移築展示されている五重の塔（当時、日本塔とよばれ、付属陳列場があった）は、そのひとつの象徴である。これは一九〇〇年（明治三三）に開催されたパリ万博の日本館の目玉施設であったが、閉会後、レオポルド二世の手で買い取られ、移築されたものである。道を隔てて、中国風の邸宅が並んでいる。

一八五一年のロンドン、一八五五年のパリ万博が、ヨーロッパにおける日本趣味・日本嗜好に拍車をかけたことはすでに指摘されているが、ベルギーにもそれは波及していた。そして一九〇五年のリエージュ産業科学万博である。ベルギー独立七五周年を祝い、三一カ国、七〇〇〇人が参加したこの万博は、ベルギーで開催された万国博覧会に日本が公式に初めて参加したものである（磯見辰典ほか『日本・ベルギー関係史』白水社、一九八九）。そのリエージュ工科大学教授ヴィニヴァルター（一八七五〜一九四九）が生前、収集した日本関係のコレクションのうち、一部の絵入り和本類が現在、ベルギー王立図書館に残されているが、ここにひとりのJapanologistの誕生を見ることができる。

二　歴史と言語

1　ワロン（フランス）語とフラマン（オランダ）語

これまでの記述で分かるように、明治・大正期にベルギーを訪ねた人々の記録には、ベルギーはフランスと続けて登場する。児島も金子も、パリからベルギーに入り、またパリへと帰っている。それは地続きであったという交通のルートにも関係するが、言語もまた地続きだった。当時ベルギーもまた、フランス語を公用語としていたからである。

ベルギーという国が、単一の「国語」が通用する国ではないという事実をわたしは、最初の訪問で知らされたのであるが、不思議なことに久米も金子も、ほとんどその事実に衝撃を受けていない。フランス語で通用できて当然——という雰囲気に満ちている。彼らの交際する相手がフランス語を話したので、オランダ語母語話者の存在に気を遣う必要がなかったのだろう。いずれにしてもわたしの体験と、大きく異なっていて興味が湧く。

わたしは平成七年（一九九五）に、ルーヴェンという都市に滞在したが、当時すでにガイドブックには、ベルギーがオランダ語・フランス語・ドイツ語の三つの公用語からなる国だと紹介されていた。その背景には一九世紀の産業革命が、リエージュを代表とするワロン（フランス語圏）に引っ張られる形で進められ、圧倒的な勢力がフランス語圏にあった。またフランス語の国際的な地位の高さも手伝い、政治の中枢ではフランス語が公用語として使用されていた。ところが第二次世界大戦後には、大西洋に近いヘントやアントウェルベンといったフラマン（オランダ語圏）の経済力が高まり、両者の言語紛争が起き、言語境界線が設けられるようになったのである（磯見ほか『日本・ベルギー関係史』白水社、一九八九）。言語紛争は一九六八年、ルーヴェン・カトリック大学の言語圏による分割、ルーバン・ラ・ヌーボー新大学の創設という事態に発展したばかりか、一九九三年には、フランデレン政府とワロン政府の連邦制に移行した。だが事態は現在もなお進行形であり、場合によっては、〈言語〉を契機に、ベルギーという国家がなくなる可能性が出ている。

翻ってわが日本を見るとき、アイヌ語や琉球語、さらには在日韓国・朝鮮人の母語である韓国・朝鮮語の話者がいるにも拘わらず、そこに言語境界は存在しない。なんと対照的な国だろう。わたしは母語としての日本語（関西弁のアクセントが抜けないが）を話すほかは、中学生以後に習得した英語で話し、読み書きをしているが、ルーヴェンの人たちは、まず母語のオランダ（フラマン）語を習得し、ついでフランス語を学び、英語へと進む。こうして三つの言語を操るのであるが、日本学を学ぶ学生たちは、その上にさらに日本語という階段を上るのである。文字通り「多言語話者」として存在している。

それに対し、わたしたちは「単言語話者」である。したがってわたしたちの日本学は、母語にのみ依存している。「EUと日本―日本学の交流―」という問いにとって、この問題は、どう処理したらいいのだろうか。EU―日本学教育研究プログラムの実践の中で常に問題となったのは、ワークショップや研究発表における使用言語の問題であった。つまり関西大学の学生に英語で発表させることの困難さと、KUルーヴェンの学生が日本語で発表する能力の高さのアンバランスである。日本の学生の英語運用能力の低さは、日本研究を専門にしている学生の場合、とくに顕著だ（国際経済や英米文学を専門にする学生ならもっとましだろう）という大きな壁の存在である。現実的には日本語と英語の併用という基準で間に合わせたが、これは、「国際化した日本学における基準的な学術言語はなにか」、という問題にも関わる。

「EUと日本―日本学の交流―」における、わたしたちの言語的な課題は何か？もし相手のレベルの高さに甘んじて、日本語が基準となるのであれば、わたしたちの役割は、古典語や歴史語といった、現代日本語とは異なった言語世界での高度のトレーニングを積むことであろう。古典の和文はもちろん、漢文もかな書きも、古文書の候文も駆使できなくて、なにが日本人の日本研究のアドバンテージであろうか。わたしたちの戦略が問われている。

2 〈上昇〉思考と〈下降〉思考

ところでベルギーが「新しい」国家だとして、その歴史まで新しいわけではない。面積三万五二八平方メートルという国土、立憲君主制という政体をもつベルギー国家が、一八三〇年以降という「新しさ」を持つだけである。その前身にはフランク王国、フランドル伯領、ホイジンガ著・堀越孝一訳『中世の秋』であまりにも有名なブルゴーニュ侯国、そしてハプスブルク家の時代もあり、深く、多彩な歴史があったのはいうまでもない。試みにUNESCOの世界文化遺産の登録物件をチェックしてみればいい。ブリュッセルのグラン・パレス（一九九八）、フランドル地方のベギン会修道院群（一九九八）、フランドルとワロンの鐘楼群（一九九九、二〇〇五年フランスも加わる）、プランタン＝モレートゥスの家屋・工房・博物館複合体（二〇〇五）などが目に飛び込んでくる。

ただ明瞭なのは、国の「新しさ」と歴史の「古さ」が際立っていることである。あるいはこれは、ドイツにもイタリアにも、あるいはイギリスやフランス・チェコ・ポーランドなどにも、つまりヨーロッパにひろく適用される特徴かもしれないが、わたしはベルギーで深く感じるところがあった。それは近代と前近代が連続していない、と言い換えることもできる。

一方日本でも、前近代の沖縄は独立した琉球王国で、北海道の圧倒的部分はアイヌのテリトリーであった。その意味で日本列島をとってみても、前近代と近代は連続していない。ただ「連続している」と見なす感覚が濃厚なのである。その濃厚さは、旧石器時代の遺跡を捏造してでも、「日本原人」がいたかのような錯覚を生み出そうとする土壌に連なるが、その背景には歴史教育の体系がある。

日本では歴史教育が、小学校の高学年から大学受験まで、すべて原始・古代から始まり、現代に至るという単線の構造をとっている。学級のレベルが上がっても、常に、原始・古代から始まるのである。これは「古い」ものから「新しい」ものへの〈上昇〉思考である。しかも、中央志向が強い（邪馬台国論争がその象徴）ので、現在のテリトリーに入っている沖縄や北海道が、なかなか日本史のなかに登場しないのである。現在のテリトリーから始め、近代から中世・古代へ〈下降〉するという発想がない。それに引き換えベルギーでは、まず建国以来の近代を学び、中等教育以降に、母胎としての前近代を学ぶというように「新しい」ものから「古い」ものへの〈下降〉思考をとっている。もちろんその母胎はローマ・ギリシャにまで及んでいるので、学ぶ空間的対象は下降のたびに広がり、その途中、みずからその地を実見するというフィールドワークが組み入れられることとなる。高校生の時代に、バックパッカーとして文化的な旅をするのである。

その意味で日本の歴史教育には、認識が進むにつれて自分たちの周囲へ、隣々の地域や民族に思考が及ぶという計算がされていない。たとえば舞楽には林邑（チャンパ）・唐（中国）・高麗（朝鮮）、そして平安王朝の要素が混じっていることが知られているが、そのアジアの広がりを、学年が上がるに従い、体感できる仕組みになっていないのである。

このように考えれば、ベルギーが古典ヨーロッパを母胎としているように、日本も古典アジアを母胎としている。しかし出発を、いきなり現実味の乏しい「原始・古代」から始めるか、それとも現に生きている「近・現代」から始めるか、歴史教育の実際の組み立てが、日本とベルギーでは真逆なのである。

講談社版「日本の歴史」は、第一巻の前に0巻をおき、故網野善彦が執筆した『「日本」とは何か』を配するというきわめてユニークな構成をとった（講談社、二〇〇〇）。通常なら縄文・弥生がトップに来る、その習慣化された構成を変えようとしたのである。その勇気と大胆さは、賞賛に値する。最初にまず「日本」があり、〈上昇〉思考の結果、近代・現代に繋がるという発想を排し、歴史的生成としての「日本」が、古代末から中世にはじめて登場するというストーリーが語られたのである。この考えを及ぼすと一六世紀後半、南蛮・紅毛人がもたらす西洋の文物と出会うことで、第二段階の「日本」が生成され、さらに明治維新を経て近現代「日本」の生成へと至るという筋立てができる。

いずれにしても、「EUと日本―日本学の交流―」という主題のなかには、現在に繋がるものは何か、いつ形成されたのかという、〈下降〉思考との交差が含まれる。もちろん現在のヨーロッパの日本学は、精緻の度合いを高め、いきなり専門的な話に入ってもなんら違和感がないレベルに達しているが、時折、このような思考回路に出会うことがある。したがって、彼らの〈下降〉思考についても理解できるだけの基礎知識をもっていたいものである。

三　都市と大学――KUルーヴェンと関西大学――

1　KUルーヴェン

ルーヴェン・カトリック大学（以下KUルーヴェン）は、一四二五年一二月九日に創設された。この日、ローマ教皇マルティヌス五世 Martin V が都市ルーヴェンに大学を設置する憲章に署名をしたのである。それは、主要産業であった繊維業の低落に苦しむルーヴェン市政府の願いと聖ピーター教会の聖職者たちの総意に応えたものであった。こうして大学はスタートし、一六三六年には初代図書館が開館、その後、蔵書数の増加にあわせて一七三三年、旧繊維会館 Lakenhal と旧市場 Oude

Marktの間に、新図書館Rega Wingが開設されることとなった。この新図書館はのちに第一次世界大戦のさなか、一九一九年八月、ドイツ軍によって焼かれ、「図書館炎上」として世界的に注目をあびることとなる（シベルブシュ『図書館炎上』法政大学出版局、一九九二）。

その後、図書館は移動し、現在の場所にアメリカなどの援助を得て再建された（一九四〇年に再び、ドイツ軍によって焼かれるという惨事を経験する）。この時、日本は、皇太子時代の昭和天皇がルーヴェンを訪問するとともに、百万等陀羅尼から『大日本史』に至る日本の出版文化史ともいうべきコレクションを寄贈している。このコレクションは、一九四〇年の災禍を免れ、現在、フランス語圏の大学ルヴァン・ラ・ヌーブの図書館に所蔵されている（山崎誠『ルヴァンラヌーブ大学蔵日本書籍目録』勉誠出版、二〇〇〇）。

なお、旧織維会館と旧図書館は今日、KUルーヴェンの大学本館となって、その歴史を証言している。面白いことに旧図書館の地下にはビールとワインの棚が置かれ、学生と教授たちは無税のワインとビールを楽しんだそうである。飲めば飲むほど、その収益で図書館が充実するという計算である（Jan Van Impe, *The University Library of Leuven*, 二〇〇六）。

ここまで書いてきて分かるように、織維業で栄えた都市は、一五世紀中葉、大学都市へと大転換した。ビール醸造業の発展という好条件も加わり、ルーヴェンはまさに大学とビールの町になった。市のシンボルは一五世紀に立てられた市庁舎と向かい合って立つ聖ピーター大聖堂であるが、忘れてはならないのが、大学本館となっている旧織維会館である。

KUルーヴェンの新学期は、行列で始まる。それぞれのガウン（教授が学位を取得した大学のガウン）

に身を包んだ教授たちが、大学本館に集合、その後、聖ピーター大聖堂でミサを挙げることで、その年一年の智慧を守護され、学長の記念講演のあるオーデトウリアムに向かう（写真3、三〇七頁参照）。この儀礼には、KUルーヴェンと都市ルーヴェンの由来が語られている。

中世の環状都市が大学であるという事情は、わたしたち日本人には、なんとも新鮮である。わたしのルーヴェン通いは、わたしが大学人であるという特殊事情に原因があるかもしれない。したがって通うほどに、「都市と大学」の新たな姿が飛び込んでくる。

フランス革命後、ベルギーを含む低地国はフランスの属国となった。その結果、大学は閉鎖され、図書館の図書は一部、売られたが、大半は市政府によって使い古しの倉庫に保護された。その後、ワーテルローでの勝利によってベルギーは、ネーデルランド王国の一部となり、一八一六年、国王ウィレム一世は、ヘントとリエージュとならんでルーヴェンに国立大学の設置を決めた。

ところが独立後の一八三四年、一転してメッヘレンにカトリック大学が創設され、国立ルーヴェン大学を継承することとなった。もしこの状態で確定されればKUメッヘレンとなったのだが、翌年、それがルーヴェンに移り、晴れて、KUルーヴェン大学となったのである（Impe, 二〇〇六）。

二〇〇〇年に創立五七五年を祝ったKUルーヴェン大学であるが、その歴史は陰影に富んでいる。第二次世界大戦後には、さらに大学の大衆化、学生数の激増にどう対応するかという問題に直面した。そこでのトピックで興味深いのは、急増する学生と教授たちの宿舎の確保のために、不要となったベギン会修道院をそのまま、宿舎として再利用したという英断である。一九六二年、学長の大英断でベギン会修道院は大学に買い取られたばかりか、それを古建築保存の立場から、同大学建築学教授Baron Raymond M.Lemaireレイモンド・ルメイの指揮下に、保存修理が図られたのである。その結果、一二世紀に起源をもち、一七世紀初頭の最盛期に大小の家屋一〇〇、修道女約三〇〇人を数えたベギン会修道院が、そっくりそのまま近代設備を備えた大学宿舎に生まれ変わった（Rik Uytterhoven, *The Groot Begijnhof of Leuven*, 二〇〇〇）。修道院内の預言者ヨハネ教会は大学付属の教会になり、かつての救貧施設はいまや、大学専属の三星レストランとなっている（**章扉写真**）。

都市ルーヴェンにあって大学は、中世以来の都市遺産を保存し、活用することで大学の高度化と大衆化の波に応じてきた。翻って、わが関西大学はどうであろうか。

2　関西大学

関西大学は、明治一九年（一八八六）一一月四日、西区京町堀願宗寺に開設された私立関西法律学校に端を発している。今年で一二五年を数える若い大学である。歴史の長さも、設立主体も、経緯もKUルーヴェン大学と大きく異なるのは言うまでもない。しかしそれが、①大阪という豊臣期以来の近世都市を基盤とすること、②専門学校から大学に昇格する過程で機構的な充実を迫られたこと、さらに③戦後、大学の大衆化に応じて新たに施策を展開する点では、KUルーヴェン大学と同一の歩調があった。

第一の歴史的都市とのかかわりという点では、京町堀から淡路町・天満・江戸堀と移転を繰り返し、明治三六年（一九〇三）、江戸堀に自前の校舎竣工（木造二階建一六四坪）を建てたことが注目される。船場・

島之内というど真ん中ではないが、近世以来の都市大阪に、関西法律学校も足場を置いていたのである。その後、一九〇六年、市電敷設により福島学舎（木造二階建一〇七一坪）に移転するが、大正八年（一九一九）、大学令が施行されることで、大きな転機が訪れる。一九二一年、大阪を遠く離れた千里山の丘に予科校舎の建築を始め、それを支援するかのように一〇月、北大阪鉄道（のち新京阪をへて阪急電鉄）が十三―豊津―千里山の間を運行した。これは第二の点に関わる。

こうして大正一一年（一九二二）六月五日、関西法律専門学校は大学に昇格し、法・商学部・予科をもつ大学となった。引き続き福島には専門部文学科が置かれたが、昭和二年（一九二七）、千里山に北浜住友合資会社本社社屋が移築され大学本館となり、翌年に図書館（現在博物館）が竣工するなど、大学の足場は千里山に移行した。第二の点に関わって言えば、大学昇格とともに、関西大学は都市大阪から離れたのである。

『御大典記念大阪案内記』（一九二八）は、「市立大阪商科大学が創設され、大阪には私立関西大学、府立医科大学、官立大阪工業大学の四大学」があると誇らしげに記すが、商科大学は大阪市住吉区、工業大学は都島区、関西大学は吹田町にあり、歴史都市大坂三郷に存在するのはわずかに、中之島にあった府立医科大学だけである。

一方、適塾・懐徳堂・梅花舎・心学明誠社など大坂三郷の市中に点在した私塾の動向を見ると、明治二年（一八六九）懐徳堂が閉鎖され、漢学塾としては泊園書院がひとり気を吐き、明治三六年（一九〇三）、二代院主藤澤南岳のもとに全国から三六〇〇名の塾生を集めていた。船場・島之内の商人の子弟が、そこに通っていたことは、大阪生まれの作家藤沢桓夫（泊園書院最後の院主藤澤黃坡の長男）の証言にある通りである――「衣食足りて礼節を知る」とは古人の言だが、ゆらい大阪の一流の商人の間には学問を尊ぶ気風があり、船場・島之内の商家で子弟を祖父（南岳）の許に通わせた家も多かったようだ」（藤沢『大阪自叙伝』、一九七四）。

しかしその藤澤、高等学校までは大阪で学んだが、大学は東京帝国大学に進んでいる。大阪に文科系の大学がないことが、前途有為の学生をして大阪を離れさせることとなったと言うほかない（Ⅱ大阪の学問所参照）。こうして歴史都市大阪は、自らの母胎から生み出した大学を近郊に奪われ、同時に、大阪生まれの若人を東京や京都の大学に奪われたのである。

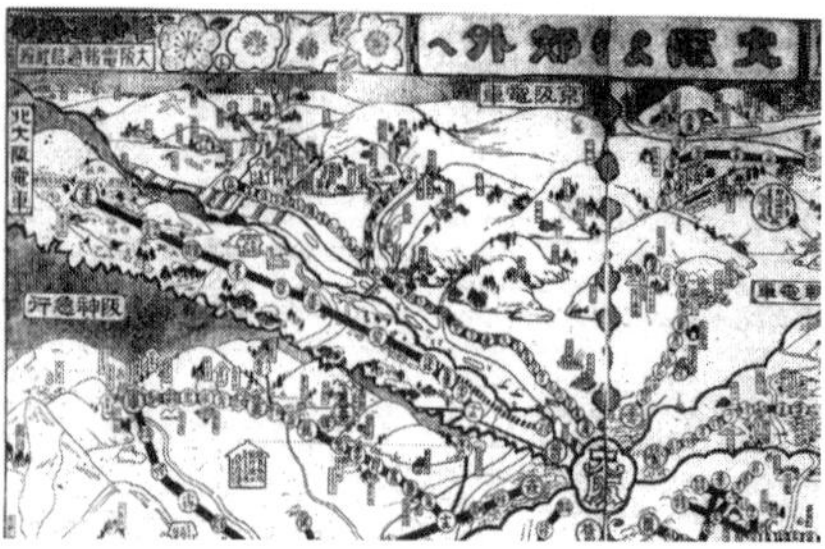

写真11　千里への道
（『大阪毎日新聞』大正11年〔1922〕4月9日付朝刊より）

しかし、この道は「大阪の道」であって、「日本の道」とは言えないかも知れない。なぜなら、東京大学や京都大学という特権的な大学を別としても、京都の同志社大学・龍谷大学、東京の早稲田・慶應・明治・法政などの諸大学は、大学の拠点を都心部から移していない。その理由はなにか。

ひとつの手がかりは、その用地にある。大学のような高等教育機関を作ろうとすれば、当然、かなりの敷地がいる。大学令に従い大学昇格を目指した関西大学が千里山に敷地を求めたのは、その事情の一般を物語る（写真11）。もしそれが、大阪市内で提供されていればどうなったであろう。

大阪府立医学校が大阪医科大学に昇格した時、同大学は、中之島を離れなかった。そこに用地を得たのであるが、江戸時代の中之島に群居していた諸藩の蔵屋敷の解体後、用地が提供されたからである。それは大阪府の手でなされ、その跡地には日本銀行・大阪医科大学・中央公会堂・大阪図書館・豊国廟といった諸施設が林立していた。したがってかつて蔵屋敷が集中した中之島が、明治維新後、金融と行政とそして文教の中心地になる可能性があった。

このことは江戸時代の都市遺産が活用されれば、そこに大学が展開できる余地があったことを意味する。実際、加賀藩屋敷跡の東京大学や、薩摩藩屋敷跡の同志社大学をみればそれは容易に理解される。同様に近世の大坂にも武家地があった。中之島の蔵屋敷はその一つであるが、他にも天満の与力・同心たちの居住区、さらに大阪城とその周辺の上町地区がある（藪田『武士の町大坂』、二〇一〇）。いいかえれば「武士の町」大坂が、明治維新以後、どのように再生され、その再生プランのなかに大学が位置づけられたかどうかが問題となる。

この問いを考える時、懐徳堂の再建が注目される。懐徳堂の再建は、明治四三年（一九一〇）、懐徳堂記念会設立（会頭住友吉左衛門）の発足によって具体化するが、その目的は、「学派にこだわらず、先賢の遺口のように学術の門戸を広くあけて、経学以外の史学・経済学等各方面の学者を大阪に迎え入れて、大阪の欠陥である文科大学」（開校式における西村天囚の演説）を創設しようというものであった。大正二年（一九一三）には、財団法人懐徳堂記念会が（理事長永田仁助、泊園門人）が設立され、大正五年（一九一六）、重建懐徳堂の開設となるのであるが、場所は豊後町、もとの大阪博物場跡に建設された（梅溪昇『大坂学問史の周辺』思文閣出版、一九九八）。大阪博物場の前身は大阪府庁、さらにその前身は西町奉行所であった。

ここには見事なくらいに旧武家地が、社会教育機関の用地として再利用されている。都市遺産を活用した社会教育機関の充実策が、重建懐徳堂と大阪医科大学に示されているのである。オール大阪の力も満更捨てたものではない。しかし私立関西大学には、この道は用意されなかった。

大学が都市大阪を離れる傾向は、戦後、顕著となる。大衆化の波を受けて学生の急増した大学はこぞって、「関大の道」に倣った。大阪医科大学は昭和六年（一九三一）、大阪帝国大学となり、さらに官立大阪工業大学を吸収して、中之島を拠点に大阪の大学教育を担った。さらに戦後、一九四八年に文系学部が創設され、大阪大学となったが、その後、一九九三年の医学部と附属病院の中之島からの移転を機に、吹田と豊中に大学の拠点を移すこととなった。上本町にあった大阪外国語大学も、箕面に進出し、その轍を踏んだ（その後大阪大学に統合され、外国語学部となる）。こうして主だった大学は、一九二〇年代に関西大学が示した道、つまり都市大阪を捨て、郊外に進出する道を選んだのである。

そこに行政の愚策が重なった。昭和三八年（一九六三）、「近畿圏工場等制限法」という法律が施行された。敷地面積一〇〇〇平方メートル以上の施設は、工場であろうが大学であろうが、大阪市内に増築を許さないという、信じられない法律である。いわば大学は、都市大阪から放逐されたのである。この悪法、制定当時に議論になった記憶がないが、二〇〇二年になって撤回された。が時すでに遅し。この法律は、都市と大学の間を切り裂いた悪法として後世まで記憶される必要がある。こうして近世以来の大阪の都市遺産が、大学の発展に寄与する可能性が捨て去られ、現在に至っている。再び大学の手で、都市遺産が呼び戻される所存である。

おわりに

関西大学に来るヨーロッパの留学生は、緑豊かな郊外に展開する大学の環境に感嘆の声を上げる。一方、世界遺産に登録されているゲストハウスベギンホフ Begijnghofに住み、徒歩で、カリヨンの鳴る大学図書館に通う日々を、わたしは憧憬の念を持って思い返す（写真12）。

同じ大学という施設に属しながら、そこに暮らす西洋人と日本人がそれぞれ異なった印象を受けている。ＫＵルーヴェンと関西大学の場合、都市と大学は、これほどに対照的な道を採ったのである。一方は中世以来の都市遺産を保存活用しながら、七〇〇年を超える大学の歴史を歩み、他方はわずか一二五年の間に、近世以来の都市遺産と絶縁し、郊外型の大学を創出した。そのような対照的な場で、「ＫＵと日本―日本学の交流―」という主題が展開されているのである。

向き合っている日本学・日本研究でいえば、関西大学は

写真12　ルーヴェン大学図書館（2009年）

一九四八年、新制大学として文科系の学部を創設し、そこに中国関係と並んで日本関係の学科が設置された。関西大学だけではない。大阪大学も大阪市立大学も、いずれもこの時、総合大学として「大阪の欠陥である文科大学」を備えることに成功した。わたしたちはこのような環境の下で、日本研究の諸分野に進んだ。だれも日本研究を専攻しているなどと思わなかった。あくまで日本近世史であり、中古文学であり、日本美術史であった。

そんな〈縦割り〉育ちで、〈上昇〉思考に慣れた人間が、日本の外には〈横割り〉で〈下降〉思考の「日本研究」というものがあるのだと気付かされたのが、一九九五年秋のKUルーヴェン訪問であった。

写真13　Vande　Walle教授と著者(2009年11月5日)

幸いなことにKUルーヴェンの側にも、一九八〇年代に日本研究者として着任したヴァンデ・バレVande Walle教授がいた(写真13)。教授は若い頃、京都大学人文科学研究所で学んだが、彼の下で整備されている日本研究は、徹底した日本語運用能力の訓練と、現地での日本研究の実施に特徴があるが、日本側にも、そのプランを支援する態勢が整って行った。一九八七年には、共同利用機関国際日本文化研究センターが創設され、海外の日本研究と連携する道が広がった。国際交流基金のサポートも大きい。また一九七二年に創設された国文学資料館も、国内のアーカイブズの組織化とともに、在外日本関係資料の目録化を始め、順次公刊しているが、それを通じて、海外の日本学・日本研究・日本関係資料が、わたしたち〈縦割り〉の研究者の目の前に大きな情報として飛び込んできたのである。したがって一九九五年のわたしとヨーロッパの日本学の出会いは、その大きな流れの一齣であったかもしれない。

この状況は現在、さらに加速されている。欧州日本研究協会ＥＡＪＳや欧州日本資料専門家会議ＥＡＪＲＳというヨーロッパに所在する学会に参加する日本人研究者の数が、増えているのである。アメリカからの参加も増え、海外日本学の本家本元というべきアメリカアジア学会ＡＡＳと肩を並べるまでにはいかないまでも、その活性化は特筆できる。望むなら、〈縦割り〉の下で育つ若い研究者の数が増えて欲しい。そのためにはいち早く、〈横割り〉の日本研究の存在と意義を学ぶ機会を作る必要がある、というのがわたしの信念である。

（浜本隆志・藪田編『ＥＵと日本学～「あかねさす」国際交流～』関西大学出版部、二〇一二年）

あとがき

我ながら、本書を研究書ということは憚られる。報告書と問われれば、そうとも言えるが、講演録の類も入っている。論文集に寄稿した論考もある。その意味では、雑多というほかない。そんなモノをよく出版するな、と言われれば答えに窮するのも事実である。しかしながら、この雑多な文集にはひとつの想いが、底流として流れている。「大阪を中心として、文化遺産あるいは歴史遺産・都市遺産と呼ばれるモノについて考えよう」とする想いである。その想いは序章に綴られているが、同時に表題にも込められている。序章に森まゆみさんの『東京遺産』(岩波新書、二〇〇三)を引いている。期せずして、それに倣う形で『大阪遺産』としたが、想いはともかく、内容の一貫性は同書の比ではない。それは『東京遺産』には、雑誌『谷中・根津・千駄木』を創刊して以降、著者が、都内の歴史的建造物の保存運動に関わってきたと言う一本筋の通った背景があることによる。それに対し本書の背景は、一筋ではない。

各章の扉裏に、所収論考の執筆された経緯を記しているが、本書の起点は二〇〇五年(平成一七)四月にある。その日を期して、文部科学省の補助を得て私立大学学術研究高度化推進事業として、関西大学なにわ・大阪文化遺産学研究センターが開設されたからである。言い換えればわたしの体内に、「大阪遺産」という想いが生まれた瞬間である。生れた想いは、当然、育っていく。順調に育った結果、五年後の二〇一〇年四月、後継プロジェクトとして関西大学大阪都市遺産研究センターが立ち上がり、予定の二〇一五年（平成二七）三月末に終了したが、その日をもってわたしは、関西大学を定年退職した。その前年、縁あって兵庫県立歴史博物館館長に就任していたからである。一〇年間、精魂を込め続けた事業が終わり、もはや大学に残る必要がないと判断したからでもある。その意味で本書は、関西大学の教員生活の晩期一〇年の間に執筆・講演・報告したモノの総集編である。わたしたちの事業を受け継いで、二〇一六年四月、関西大学なにわ大阪研究センターがあらたに設置されているが、この間、学校法人関西大学から受けた支援には感謝の言葉しかない。

一〇年というのは人にとって、それなりの歳月である。しかも研究者として脂の乗っている時期の一〇年であったので、もしこの事業を担っていなかったらどういう研究成果を上げていただろうか、という思いも正直ある。しかしこの一〇年の間には、折しも橋下徹氏をリーダーとする「大阪維新」という政治グループが台頭することで、「大阪を中心として、文化遺産あるいは歴史遺産・都市遺産と呼ばれるモノについて考えよう」とするわたしの想いは、熱を帯びることとなった。その結果かどうかは分らないが、事業終了後四年目の二〇一九年五月にＮＨＫの人気番組「ブラタモリ」に出演するというオマケが付いた。

本書の構成は、年月日順ではない。Ⅰ「町人の都」と「武士の町」、Ⅱ大阪の学問所、Ⅲ大阪の都市遺産、Ⅳ近郊の文化遺産、Ⅴ大阪を離れて、Ⅵヨーロッパで考える、と主題別に構成されている。その理由は、前述した一〇年の間、なにわ・大阪文化遺産学研究センターと大阪都市遺産研究センターの二つの事業にのみ関わっていたからではないからである。二〇〇七年からは関西大学ＥＵ・日本学教育研究プログラムと関西大学文化交渉学研究拠点ＩＣＩＳ事業（ともに文部科学省の補助を受けている）に参加し、翌二〇〇八年には関西大学泊園記念会会長、二〇一〇年には関西大学博物館長に就いている。それらすべてが退職するまで継続していたこともあり、結果として「大阪を中心として、文化遺産あるいは歴史遺産・都市遺産と呼ばれるモノについて考えよう」とする想いは、縦に横に広がることとなった。さらに文化庁や徳島県、大阪府羽曳野市・大阪狭山市などの文化財行政に関与しているのも、本書の内容を増幅させている要因である。

本書のⅠに「武士の町」大坂論が入っているのは、一九九〇年四月の関西大学着任以来、近世史研究者として追究してきたテーマだからである。その意味で、文化遺産という新たな鎧をまとったからと言って、古い衣を捨てることも、隠すこともできない。くわえて大阪を検証の場とする以上、近世の大坂を「武士の町」として見る—というわたしの視点は外せないと判断し、組み込んだ次第である。

最初に述べたように本書は、「歴史研究と文化遺産」という柱があるにしても雑多なモノの寄せ集めであるのは変わらない。一〇年の間に関与した諸々の事業については公式の報告書がすでに作成され、関係機関に提出されている。別に支援を頂いたサントリー文化財団と三菱財団への報告も済んでいる。そのことを考えると屋上屋を架しているとも言える。それでもあえて著書の形で世に問うのは、「大阪を中心として、文化遺産あるいは歴史遺産、都市遺産と呼ばれるモノについて考えよう」とするわたしの想いを理解し、支援してくれた方々、その想いを共有して活動してくれた同僚・スタッフ・院生・学生諸君の存在が念頭にあるからである。なかでも人生の大先達というべき肥田晧三、水田紀久（故人）、酒井亮介（故人）、糸見溪南の各氏との出会いは、わたしの人生の上での僥倖というべきものである。また一〇年間の各種プロジェクトを通じて成長し、研究者や博物館学芸員になった若者が、日本のみならず海外にもいる。さらにいえば事業の最中に、あるいは終了後に、相次いで鬼籍に入られた諸兄姉のことを思うに付け、本書の出版を通して感謝と哀悼の意を表したいという想いがある。その中に清文堂出版前会長前田勝雄氏がおられるが、同氏の遺した出版社から本書が出ることを心より嬉しく思う。編集の労を執られた松田良弘氏ならびに寺村隆史氏に心から謝意を表したい。

なお、書中に写真・図版をたくさん収めている。註記がないのはわたしと妻あゆみの撮影によるものであるが、それ以外は各機関の提供によるものである。ここに深甚なる謝意を表したい。その他、お世話になった方は多く、一人一人の名前を挙げることはできないが、「あなた方に協力していただいた事業はこういうものでしたよ」、「それを通じてわたしはこんなことを考えてきました」と伝えたい。

兵庫県立歴史博物館館長となって姫路に通い出して、六年になろうとしている。駅を降り、大手前通りの先に世界遺産姫路城を見る度、足場が大阪から兵庫・播磨に移りつつあることを実感する。それでも大阪との縁は、切れていない。無理に切ることなく、大阪と兵庫それぞれの地域を、歴史・文化遺産を通して楽しみたいと願う。

二〇二〇年（令和二）三月　コロナウイルス禍の下で記す　藪田　貫

【著者紹介】

藪田　貫（やぶた　ゆたか）

［略　歴］

1948年、大阪府松原市に生まれる

関西大学名誉教授　兵庫県立歴史博物館長　大塩事件研究会会長

文学博士（大阪大学、1992）

［主要編著書］

1 近世の社会史

『国訴と百姓一揆の研究』（校倉書房、1992年〔新版　清文堂出版、2016年〕）

『近世大坂地域の史的研究』（清文堂出版、2005年）

『武士の町大坂—「天下の台所」の侍たち』（中公新書、2010年）

『武士の町大坂—「天下の台所」の侍たち』（講談社学術文庫、2020年6月）

2 近世の女性史

『男と女の近世史』（青木書店、1998年）

『日本近世史の可能性』（校倉書房、2005年）

『身分のなかの女性』（吉川弘文館、2010年）

Re-discovering women in Tokugawa Japan, Harvard University, Edwin O. Reischauer Institute of Japanese Studies, Occasional Papers in Japanese Studies,2000

3 史料集

『天保上知令騒動記』（清文堂史料叢書第100刊、1998年）

『長崎聖堂祭酒日記』（関西大学東西学術研究所資料集刊28、2010年）

『大坂西町奉行　新見正路日記』（清文堂史料叢書第119刊、2010年）

『大坂西町奉行　久須美祐明日記—天保改革期の大坂町奉行—』（清文堂史料叢書第133刊、2016年）

4 その他

『天草諸島の文化交渉学研究』（共編、関西大学文化交渉学研究拠点、2011年）

『EUと日本学～「あかねさす」国際交流～』（共編、関西大学出版部、2012年）

『たのしみは』（退職記念誌、私家版、2015年）

大阪遺産

2020（令和 2）年 7 月 9 日発行

編　者　藪 田 貫 ©

発行者　前 田 博 雄

〒542-0082 大阪市中央区島之内 2 丁目 8 番 5 号

発行所　清 文 堂 出 版 株 式 会 社

電話 06-6211-6265　FAX 06-6211-6492

http://seibundo-pb.co.jp

E-mail:seibundo@triton.ocn.ne.jp

振替 00950-6-6238

編集協力・装幀：寺村隆史

製版・印刷：亜細亜印刷　製本：渋谷文泉閣

ISBN978-4-7924-1467-2 C0021

大坂西町奉行新見正路日記　清文堂史料叢書第119刊　藪田　貫編著　一〇〇〇〇円

大坂西町奉行久須美祐明日記
—天保改革期の大坂町奉行—　清文堂史料叢書第133刊　藪田　貫編　一三五〇〇円

新版　国訴と百姓一揆の研究　藪田　貫著　九六〇〇円

近世大坂地域の史的研究　藪田　貫著　九八〇〇円

近世大坂と被差別民社会　寺木伸明・藪田　貫編　九八〇〇円

昭和の民俗と世相①
—三村幸一が写した大阪・兵庫—　大阪歴史博物館
関西大学なにわ大阪研究センター編著　二六〇〇円

価格税別

清文堂
http://seibundo-pb.co.jp　E-mail:seibundo@triton.ocn.ne.jp